ABHANDLUNGEN ZUR KUNST-, MUSIK- UND
LITERATURWISSENSCHAFT, BAND 164

# Hugo von Hofmannsthal

DAS PROBLEM DER EHE UND SEINE BEDEUTUNG IN DEN
FRÜHEN DRAMEN

VON LORE MUERDEL-DORMER

1975

BOUVIER  VERLAG  HERBERT  GRUNDMANN  ·  BONN

PT 2617
047 Z7448

meinem Mann Thomas Lee Dormer
und
unseren Kindern Claudia und Ken

CIP- Kurztitelaufnahme der Deutschen Bibliothek
MUERDEL-DORMER, LORE
Hugo von Hofmannsthal: das Problem d. Ehe u. seine Bedeutung in d. frühen Dramen.
(Abhandlungen zur Kunst-, Musik- und Literaturwissenschaft; Bd. 164)
ISBN 3 416 00992 4

Seite

I.   Zielsetzung der Arbeit    1

II.   *Gestern*    7
III.   *Idylle*    28
IV.   *Die Frau im Fenster*    46
V.   *Der weiße Fächer*    67
VI.   *Der Kaiser und die Hexe*    94
VII.   *Die Hochzeit der Sobeide*    110
VIII.   *Der Abenteurer und die Sängerin oder die Geschenke des Lebens*    130

IX.   Zu den Ergebnissen der Arbeit    158

Bibliographie    164

Anhang: Quellenmaterial zum *Weißen Fächer*    171

Personenregister    177

Register der zitierten Werke Hofmannsthals    180

Den Lehrern an der Eberhard-Karls-Universität Tübingen und an der University of California at Riverside, die in Vorlesungen und Seminaren zum Grundstock dieser Arbeit beitrugen, fühle ich mich tief verpflichtet, vor allem den Professoren Adolf Beck, Friedrich Beissner, Hugo Moser, Günther C. Rimbach und Friedrich Sengle.

Professor Donald G. Daviau hat mich zur Dissertation über Hofmannsthal angeregt und ihre Entstehung kritisch überwacht. Neben ihm gilt mein besonderer Dank Professor Richard Exner, Professor Hildegard Gauger und Herrn Dr. Rudolf Hirsch, deren Rat und Hilfe die Veröffentlichung möglich machten.

# I. ZIELSETZUNG DER ARBEIT

Die meisten Arbeiten über Hugo von Hofmannsthal sprechen von einer Krisenzeit seiner Entwicklung, deren wichtigstes Dokument der „Chandos-Brief" darstellt, und trennen so die Jugenddramen vom „reifen Werk" nach der Jahrhundertwende.

Doch verschiedene Forschungsergebnisse neuerer Zeit stellen diesen Standpunkt in Frage und betonen in Hofmannsthals eigenen Worten die „formidable Einheit des Werks." (A 237)[1]

Von diesem Aspekt aus gesehen spiegelt sich die Versuchung des „schönen Lebens"[2] in allen Werken des Dichters. Doch auch die dem Narzißmus entgegengesetzte Wendung fängt nicht erst mit den Komödien an,[3] sondern das soziale Gewissen Hugo von Hofmannsthals läßt sich in seinem Wachstum schon in den ersten Werken erkennen.[4]

Die vorliegende Arbeit hofft, durch die Untersuchung der ehelichen Problematik in den *Frühen Dramen* einen Beitrag zur Erhellung dieser Zusammenhänge zu geben. Trotzdem die eheliche Bindung von Mann und Frau, abgesehen von *Tor und Tod*, in allen bis zur Jahrhundertwende vollendeten Dramen in entscheidender Weise mit der Handlung verknüpft ist, — selbst *Gestern* spielt ja mit dem Begriff der Ehe auf Zeit — hat das Problem dieser engsten Gemeinschaft mit dem Du als solche in seiner Bedeutung für Inhalt und Form der *Frühen Dramen* bisher noch in keiner anderen Arbeit Berücksichtigung gefunden.

Die Ansicht der Forschung, daß in dieser Periode des „Visuellen" eigentlich keine Entwicklung vor sich gehe,[5] sondern daß jedes der kleinen

---

[1] Zum Hintergrund dieser Interpretation von Hofmannsthals dichterischem Schaffen und der sich anbahnenden neuen Schau vergleiche den Aufsatz von Donald G. Daviau: Hugo von Hofmannsthal and the Chandos Letter. In: *Modern Austrian Literature* 4, Number 2 (Summer 1971). S. 28–44.

[2] „Das schöne Leben verarmt einen". An Leopold v. Andrian. *Briefe I*, S. 185.

[3] „Das erreichte Soziale: Die Komödien". *Ad Me Ipsum*. (A 226).

[4] Schon kurz nach dem Tod des Dichters fühlte sich Josef Nadler berufen, die soziologischen Einsichten des reifen Dichters gegenüber der Lebenshaltung des frühen „Ästheten" herauszustreichen. Josef Nadler: Hofmannsthal und das Sozialproblem. In: *Neue Rundschau* XL, 11 (1929). S. 647–654. Siehe besonders S. 648.

[5] In seiner Gegenüberstellung der frühen „visuellen" Periode des Dichters und der reifen „plastischen", die sich an die Worte des Dichters im *Ad Me Ipsum* anschließt, faßt Walter

Werke zur Enthüllung und Erweiterung eines Zentralproblems diene, genau so wie seine Nebengestalten wiederholte und differenzierte Spiegelungen seiner Hauptgestalt darstellten,[6] hatte nicht zu einer solchen Untersuchung eingeladen.

Deshalb findet sich beim Jugendwerk häufig die Methode des Forschungsquerschnitts, — es wird etwa der Typ der Treuen und Ungetreuen,[7] der Frau im dionysischen Weltbild,[8] der des Abenteurers[9] untersucht — oder die Handlung einzelner Dramen wird anhand einer philosophischen Grundhaltung interpretiert, z. B. in der Arbeit von Kobel, der von Kierkegaard herkommt,[10] oder im Buch Pickerodts, der soziologisch tendierte Analysen nebeneinanderstellt.[11]

Diese Arbeiten, deren Wert und Gültigkeit nicht bezweifelt wird, haben dennoch zu einer teilweisen Verkennung des Jugendwerks beigetragen: Die wiederholte Verwendung charakteristischer Typen und Verhaltungsweisen und der sie untermalenden Bilder verführt geradezu zum Querschnitt der Betrachtung, und man ist geneigt, in ihnen gewisse Konstanten zu erblicken, die sich in ein philosophisches oder soziologisches Gedankensystem einordnen lassen. Doch wenn man auch nur eines der Jugenddramen genauer interpretiert, sieht man sofort, in welch geistvoller Weise mit diesen Motiven und Bildern gespielt wird, daß sie oft, sich scherzhaft oder tragisch überdeckend, Doppelbedeutung haben, die nur aus dem Sinnzusammenhang des jeweiligen Werkes verstanden werden

Naumann seine Charakterisierung der frühen Dramen folgendermaßen zusammen: „In diesen lyrischen Dramen wird ein Idealreich dargestellt, wie das Reich der Kunst, des Todes; das Leben wird nur als Ganzes gesehen. Es gibt keine plastischen Gestalten, die Figuren, die darin auftreten, sind nur Spiegelungen des Ganzen in verschiedenen Facetten, sie sind statisch, sie nehmen nur an einem Sein teil und besitzen kein Werden". W. Naumann, Das Visuelle und das Plastische bei Hofmannsthal. In: *Monatshefte für deutschen Unterricht*, XXXVII, 3 (1945). S. 159-169.

[6] Diese Haltung findet sich auch bei den überaus verdienstvollen und feinsinnigen Interpretationen Günther Erkens in der Verdeutlichung des Begriffs der Spiegelung in seinem Buch: *Hofmannsthals Dramatischer Stil*. Tübingen 1967. Auch der schöne Artikel von Hilde Cohn: Mehr als schlanke Leier. In: *Jahrbuch der Deutschen Schillergesellschaft*, VIII (1964). S. 280-308, vertritt diese Auffassung vom Frühwerk des Dichters. Vergl. besonders S. 284 ff.

[7] Katharina Mommsen: Treue und Untreue in Hofmannsthals Frühwerk. In: *Germanisch Romanische Monatsschrift*, XIII, 3 (1963). S. 306-334.

[8] Hugo Wyss: *Die Frau in der Dichtung Hofmannsthals. Eine Studie zum dionysischen Welterlebnis*. Zürich 1954.

[9] Ewald Grether: Die Abenteurergestalt bei Hugo von Hofmannsthal. In: *Euphorion* XLVIII, 2-3 (1954). S. 171-209, 280-310. William H. Rey: Dichter und Abenteurer bei Hugo von Hofmannsthal. In: *Euphorion* XLIX (1955). S. 56-70.

[10] Erwin Kobel: *Hugo von Hofmannsthal*. Berlin 1970.

[11] Gerhart Pickerodt: *Hofmannsthals Dramen, Kritik ihres historischen Gehalts*. Stuttgart 1968.

2

kann und bei einer Querschnittsbetrachtung auf Grund eines vorausgesetzten ideologischen Koordinatensystems leicht übersehen oder mißverstanden wird. Eine große Versuchung für Interpreten, die das Werk von einem philosophischen oder soziologischen Standort aus beurteilen, ist auch der Gebrauch des ihnen vertrauten methodologischen Jargons. Weitere Klippen der Interpretation bieten die Hinweise Hofmannsthals auf sein Frühwerk im *Ad Me Ipsum* und anderen in Steiners Band der *Aufzeichnungen* zusammengefaßten Selbstzeugnissen. Sie, die in allen Arbeiten zur Dokumentation benützt werden, verleiten dazu, den Dichter vorschnell aus sich selbst zu interpretieren:[12] Wenn man Begriffe wie „Praeexistenz" und „Existenz" in der Untersuchung verwendet, ohne im einzelnen im Zusammenhang des dargestellten Problems zu definieren, in welcher Lebenssituation sich diese Begriffe darstellen und welche Motive und Metaphern sie kennzeichnen, so beißt sich die Schlange der Interpretation in den Schwanz.

Wie Richard Exner in seinem richtungsweisenden Artikel „Problemkreise der Hofmannsthalforschung" festgestellt hat,[13] ist es aber dennoch notwendig, die persönlichen Äußerungen des Dichters über sein Werk ganz ernst zu nehmen, denn das Frühwerk ist in noch viel stärkerem Maß als das reife „Konfession."[14] Dieser Aspekt des Bekenntnishaften hat viel zur Verkennung des Jugendwerks beigetragen, weil der Hang zur Selbstbespiegelung gerade den Verdacht des Ästhetizismus zu bestätigen scheint. Diese Bekenntnisse erhalten aber ihre Rechtfertigung als Interpretationshilfen, wenn man sieht, daß sie nicht in der Tradition des genialischen Individualismus der Romantik und des 19. Jahrhunderts stehen,[15] sondern auf das Eigene, Persönliche weisen, insofern als es stellvertretend ist, „Avant-garde" in den geistigen Errungenschaften und Gefahren seiner Zeit. So will es als ein Rechenschaftsbericht verstanden

---

[12] Sogar die Arbeiten von Walther Brecht und Karl J. Naef, die in ihrer Schau bis heute von ausschlaggebender Bedeutung für die Forschung sind, haben sich dieser Versuchung nicht ganz entziehen können.

[13] Richard Exner: Problemkreise der Hofmannsthalforschung. In: *Schweizer Monatshefte* 46 (1966–67). S. 1023–1041. Vergl. S. 1028.

[14] Hofmannsthal betont diesen Aspekt seiner frühen Werke wiederholt in seinen Aufzeichnungen. Vergl. etwa A 237 f, A 240 ff, besonders aber den imaginären Brief an C[arl] B[urckhardt]: A 240, in dem er über das Verkennen des Jugendwerks klagt und seinen Charakter der Konfession betont.

[15] Zur Auffassung der romantischen Schau des Dichtertums und der ihr bewußt entgegengesetzten Tradition der Imitatio vorhergehender Jahrhunderte vergl. Meyer Howard Abrams: *The Mirror and the Lamp. Romantic Theory and the Critical Tradition.* New York 1953.

3

werden, ein Versuch dessen, der in der Wiederaufnahme der Tradition des Barock sein Dichtertum als ein „Handwerk" sieht, bei den es genau so sauber und gründlich zugehen sollte, wie in der Werkstatt eines Schmieds oder Tischlers, und auf dessen Produkt man stolz sein kann:

> Bin ich nicht wie ein Böttcher, der sich rühmt
> Wie schnell er fertig war mit seinem Faß?
> Allein ich lieb es, wenn sich einer freut,
> Weil er sein Handwerk kann; was heißt denn Kunst? (GLD 122)

Aus den vorstehenden Gesichtspunkten erwuchs die Methode für die Arbeit:

I. Das zentrale Problem im Leben der Ehegatten soll im Rahmen des jeweiligen Dramas bestimmt werden, zum Teil von eigenen Interpretationen ausgehend, zum Teil der Stellungnahme zu schon veröffentlichten Auslegungen folgend.

II. Die wichtigsten Motive und Bilder, die zur Darstellung dieses Problems beigetragen haben, sollen in ihrer Variation im Rahmen des dramatischen Frühwerks verfolgt werden. Ihre weitere Verwendung im reifen Werk wird nur angedeutet, denn sie kann ohne sorgfältige Interpretation der einzelnen Werke, die zum Teil noch zu leisten ist, nur sehr oberflächlich sein.

Das Wort „Symbol" wurde, so weit möglich, vermieden, weil sich das untrennbare Ineinander von Bild und Sinn, das im Wort „Symbol" beschrieben wird, letzthin der Erklärung entzieht.[16] Dagegen sollen die an seiner Stelle benutzten Bezeichnungen „Metapher" und „Bild" und im Zusammenhang der Symbole und ihrem Verhältnis zueinander die Bezeichnungen „Bildfeld,"[17] „Bildbezug," „Bildzusammenhang" im Rahmen der Interpretation definieren, welche Mittel der Dichter als „Handwerker" eingesetzt hat, um den Sinnzusammenhang seines Dramas zu integrieren.

III. Die Arbeit wird versuchen, in jedem der Dramen zu bestimmen, in welchem Sinn das dargestellte Problem und seine Motive und Bild-

---

[16] Penrith Goff zeigt die Haltung des Dichters zu dieser Frage anhand des Dialogs „Gespräch über Gedichte" in seinem Aufsatz: Hugo von Hofmannsthal: The Symbol as Experience. In: *Kentucky Foreign Language Quarterly* 7 (1960). S. 196–200.

[17] Zur Definition des Begriffs vergl. den Aufsatz von Harold Weinrich: Münze und Wort. Untersuchungen an einem Bildfeld. In: *Romanica*. Festschrift für Gerhard Rohlfs. Halle, 1958. S. 508–521. Diesen Literaturhinweis und wertvolle Aufschlüsse über das Wesen der Metapher verdanke ich Günther C. Rimbach.

bezüge Ausdruck der schon erwähnten „Konfession" des Dichters werden, ob und wie er sich in ihnen als Sprecher seiner Zeit verrät, und was sie über sein Handwerk als Dichter aussagen. Hierzu werden auch die frühen Essays und einige der Gedichte, sowie in einigen Fällen Urteile und Werke seiner Zeitgenossen herangezogen. Die Arbeit geht also von einer werkimmanenten Methode aus und erweitert sie durch das Heranziehen der Biographie, die aber nur solche Zeugnisse verwendet, die das Verstehen der zuvor definierten Haltung der „Konfession" fördern und mithelfen, ihre Bedeutung und Tiefe zu erschließen.

Aus der Fülle der Forschungsliteratur über Hugo von Hofmannsthal,[18] deren wesentliche Diskussionsbereiche[19] dem vertraut sein müssen, der am Werk des Dichters arbeitet, werden in Bibliographie und Anmerkungen nur Titel erwähnt, die in direkter Beziehung zum hier behandelten Material stehen, und in Problemgebieten der Deutung, in denen es Mißverständnisse zu klären gibt, werden aus der Vielzahl der Beispiele und Varianten jeweils die für einen Standpunkt bezeichnendsten ausgewählt.

Auf die Diskussion verschiedener Versionen der *Frühen Dramen* wurde mit ganz wenigen Ausnahmen verzichtet. Die Tagebücher und Manuskripte des Nachlasses sind gegenwärtig wegen der Arbeit an der kritischen Ausgabe der Werke des Dichters nicht zugänglich und auch zu einer ersten Behandlung des Themas nicht unbedingt nötig.

Den besprochenen Werken liegt die Steinersche Ausgabe[20] zugrunde, und die Zitate beziehen sich auf sie: Die gebräuchlich gewordenen Ab-

---

[18] Für die Jahre 1892-1963 zusammengefaßt im Buch Horst Webers: *Hugo von Hofmannsthal. Bibliographie des Schrifttums 1892-1963*. Berlin 1966. Von da ab bis in die Gegenwart laufend weitergeführt von Norbert Altenhofer in dem *Hofmannsthal-Blättern*. Die neuesten Literaturhinweise wurden der *Germanistik* entnommen.

[19] William H. Rey: Gebet Zeugnis: ich war da. Die Gestalt Hofmannsthals in Bericht und Forschung. *Euphorion* L, 4 (1956). S. 443-78. Hanna Weischedel: Hofmannsthal-Forschung 1945-1958. In: DVLG XXXIII, 1 (1959). S. 63-103. Richard Exner: Der Weg über die höchste Vielfalt. Ein Bericht über einige neue Schriften zur Hofmannsthal-Forschung. *The German Quarterly* XL, 1 (1967). S. 92-123. Die Zeit der anderen Auslegung. Ein Bericht über Quellen und Studien zur Hofmannsthal-Forschung 1966-1969. *The German Quarterly* XLIII, 3 (1970). S. 453-503. Richard Exner: Problemkreise der Hofmannsthal-Forschung. Vergl. Anmerkung 13. *Wirkung der Literatur. Deutsche Autoren im Urteil ihrer Kritiker. Band 4. Hofmannsthal*. Hrg. Gotthart Wunberg. Frankfurt 1972. S. 15-34. Einleitung des Herausgebers.

[20] *Hugo von Hofmannsthal: Gesammelte Werke in Einzelausgaben*. Hrg. Herbert Steiner. Frankfurt 1946 ff.

kürzungen[21] bezeichnen mit der Seitenzahl zusammen laufend im Text ihren Platz in den Bänden des Sammelwerkes. Die meisten der erwähnten Briefe des Dichters wurden den Sammelbänden der Fischer Ausgabe entnommen und werden ebenfalls im Text zitiert.[22]

---

[21] Bei den Seitenzahlen muß auf das Jahr der jeweiligen Ausgabe geachtet werden, weil sie nicht bei allen Bänden übereinstimmen.

GLD = Gedichte, Lyrische Dramen. Frankfurt 1963.
DI = Dramen I. Frankfurt 1963.
DII = Dramen II. Frankfurt 1966.
DIII = Dramen III. Frankfurt 1969.
DIV = Dramen IV. Frankfurt 1958.
LI = Lustspiele I. Frankfurt 1959.
LII = Lustspiele III. Frankfurt 1956.
LIV = Lustspiele IV. Frankfurt 1956.
E = Erzählungen. Frankfurt 1953.
PI = Prosa I. Frankfurt 1956.
PII = Prosa II. Frankfurt 1959.
PIV = Prosa IV. Frankfurt 1955.
A = Aufzeichnungen. Frankfurt 1959.

[22] Hugo von Hofmannsthal: Briefe 1890-1901. Berlin 1935. = BI. Briefe 1900-1909. Wien 1937. = BII.

## II. GESTERN

*Zur Problemstellung*

Vom Augenblick seines Erscheinens an hat sich die Kritik dem Erstlingswerk Hugo von Hofmannsthals mit regem Interesse zugewandt: Von den zeitgenössischen Urteilen soll neben der begeisterten Begrüßung des jungen Genies Loris von Seiten Hermann Bahrs[1] die stillere, textbezogenere Arbeit der Wiener Kritikerin Marie Herzfeld[2] hervorgehoben werden, von denen der Nachwelt verkörpert der Aufsatz von Richard Alewyn[3] einen wesentlichen Schritt zum Verstehen des Werkes, von den Interpreten der Gegenwart verdienen Pickerodt,[4] Kobel[5] und Tarot[6] besondere Beachtung.

Während Hermann Bahr noch die Leichtigkeit und Anmut des kleinen Stückes hervorhob und in seinem jungen Autor die „Legimitation zu Sekt und Liebe" erblickte,[7] ist es vom vollendeten Werk aus gesehen für die Interpreten der Nachwelt, in Verbindung zu der Hauptfrage des Gestern und Heute in seinem Verhältnis zu der Zeittendenz des Impressionismus, ein weit gewichtigeres Drama geworden. Das hat seine Berechtigung, denn das Erstlingswerk ist tatsächlich Ankerpunkt für umfassende Probleme, die in den folgenden Werken wieder aufgenommen werden. Doch diese an sich wertvollen Arbeiten haben den Gesichtspunkt etwas in den Hintergrund treten lassen, daß *Gestern* trotz seines Anteils an der Philosophie seiner Zeit und der mit ihr verbundenen Problematik

---

[1] Hermann Bahr: Loris. In: *Hugo von Hofmannsthal, der Dichter im Spiegel der Freunde.* Hrg. Helmut A. Fiechtner. 2. Auflage. Bern 1963. S. 39–43.

[2] Marie Herzfeld: Ein junger Dichter und sein Erstlingsstück. Eine Studie. In: *Allgemeine Theater-Revue I*, 3 (1892). S. 19–22. Zitiert nach Hugo von Hofmannsthal: *Briefe an Marie Herzfeld.* Hrg. Horst Weber. Heidelberg 1967. S. 59–63.

[3] Richard Alewyn: *Über Hugo von Hofmannsthal.* 2. verb. Aufl. Göttingen 1960. S. 46–63. Zuerst in *Trivium* VI, (1949). S. 241–62.

[4] Gerhard Pickerodt: *Hofmannsthals Dramen. Kritik ihres historischen Gehalts.* Stuttgart 1968. S. 14–22.

[5] Erwin Kobel, *Hugo von Hofmannsthal.* Berlin 1970. S. 6–24.

[6] Rolf Tarot: *Hugo von Hofmannsthal. Daseinsform und dichterische Struktur.* Tübingen 1970. S. 41–57.

[7] Fiechtner S. 43

zunächst als humorvoll herausforderndes Thesenstück[8] geschrieben wurde, das nicht nur mit dem Problem der Zeit sein ironisches Spiel trieb, sondern auch mit dem der menschlichen Bindung.

Diese bisher weniger beachteten Seiten des Dramas sollen in der Betrachtung seines Spiels mit der Ehe auch einige Aspekte seiner Tiefen aufspüren, die unter den bisher zur Diskussion stehenden Gesichtspunkten nicht in das Blickfeld der Interpretation getreten sind.

*Das Geschehen in der Struktur des Dramas*

Vom Aspekt des Verhältnisses zwischen seinen Hauptpersonen, Andrea und Arlette, könnte man das Geschehen kurz folgendermaßen skizzieren: Die junge Arlette hat für zwei Jahre im Haus des jungen Edelmanns Andrea gelebt. Sie ist seine Geliebte und vertritt zugleich bei Einladungen die Stelle der Hausfrau. Andrea will sich und Arlette von jeder zeitlichen Bindung freihalten und nur dem Augenblick leben. Deshalb fordert er keine Treue von ihr. Doch als es sich herausstellt, daß sie ihn mit seinem Freund Lorenzo betrogen hat, kann er sich über die Form dieser Treulosigkeit nicht hinwegsetzen und schickt Arlette aus seinem Haus.

Es wurde also neben der Treue auch indirekt etwas über die Ehe ausgesagt: Ein junger Mann glaubt, daß es ihm möglich ist, ohne innere und äußere Bindung mit einer Frau zu leben und findet am Ende heraus, daß ihm dieser Versuch mißlungen ist.

Hofmannsthal fügt nun diese Geschehnisse in die Struktur seines kleinen Dramas, das in Szenen gegliedert ist, indem er seinen Einsatz auf den Morgen nach Arlettes nächtlichem Treubruch verlegt. Als der Hausherr heimkehrt, kann Arlette ihren Liebhaber gerade noch heimlich aus dem Haus entfernen, bevor sie Andrea begrüßt.

Im Gespräch, das sich entspinnt, stellt er die wichtige These auf:

Und wenn du mich betrögest und mein Lieben,
Du wärst für mich dieselbe doch geblieben! (GLD 145)

Der Dichter hat das Publikum also in eine dramatische Situation versetzt, wo der Held die Möglichkeit eines Treubruchs ausspricht, der, wie dem

[8] Brief an Marie Herzfeld, Bad Fusch, 5. August 1892. In *Briefe* I. S. 62.

Zuschauer zu seinem Amüsement demonstriert wurde, schon geschehen ist und von dem nur Arlette weiß, mit wem er sich ereignet hat, denn der enteilende Liebhaber wurde nicht auf der Bühne sichtbar. (GLD 140)

Die Szenen 3-5 enthüllen nach einer Begegnung, welche die Bindungslosigkeit Andreas mit dem religiösen Feuer seines einstigen Freundes Marsilio konfrontiert, zunächst den Lebensumkreis Andreas und Arlettes und charakterisieren die Schar seiner Freunde. Erst in Szene sechs erfährt das Publikum den Namen des geheimen Liebhabers: Lorenzo. Arlette findet sich allein mit Andreas Onkel, dem Kardinal von Ostia, und in der Konversation zeigt sich, daß Lorenzo dem Geistlichen am Morgen bei der Beichte sein nächtliches Abenteuer bekannt hat. (GLD 165)

In der siebten Szene erwähnt der zurückkehrende Andrea, daß er sich eben nach diesem Lorenzo sehnt, der sein besonderer Freund ist, wenn es im Leben stürmisch zugeht. (GLD 168) Es wird nun das Erlebnis eines solchen Sturms geschildert, von dem Arlette, Lorenzo und Andrea vor einiger Zeit überrascht worden waren, aber zu Andreas Erstaunen und sichtlichem Verdruß hat Arlette das Geschehen nicht richtig in Erinnerung: Sie hatte angstvoll in den Armen des einen der Männer Schutz gesucht, während der andere das Schiff glücklich durch den Sturm steuerte. Doch ihr Beschützer war nicht Andrea, wie sie glaubt, sondern Lorenzo.

In der folgenden Szene verbindet sich im Gespräch Andreas mit Fantasio die Erinnerung des Blitzstrahls, der ihm Arlette während des Sturmes in den Armen Lorenzos zeigte, mit dem blitzartigen Erkennen, daß Arlette ihm untreu geworden ist. Er wird sich bewußt, daß dieser Vorgang sein Verhältnis zu Arlette in entscheidender Weise beeinflußt hat und er nicht mehr mit ihr weiterleben kann, als sei nichts geschehen.

In der letzten Szene konfrontiert er dann Arlette und zwingt sie zum Bekenntnis. Doch anstelle einer Affaire zwischen Lorenzo und Arlette hört er nur das Geständnis einer einzigen Liebesbegegnung der vergangenen Nacht. Arlette will sich bewußt von diesem Gestern und dem mit ihm verbundenen Zauber trennen, der für sie im Heute nicht mehr verständlich ist, doch Andrea vermag es nicht. Er, der sich selbst so viele Freiheiten erlaubte, kann mit der Frau, die zum ersten Mal die Grenzen ihrer gewohnten Existenz übersprungen hat, nicht weiterleben und schickt Arlette aus seinem Haus. Das Ende des Dramas zeigt den von seinem Schicksal Ereilten in Tränen aufgelöst in der altbekannten Klage über die Untreue der Frauen: Cosi fan tutte!

Ein junger Springinsfeld hat also vorwitzig gegen das Herkommen rebelliert und findet zum Vergnügen des Publikums heraus, daß er sich doch vom Status quo nicht lösen kann, so wie es das englische Idiom bezeichnend ausdrückt: „He had to eat his words." Der Dichter hat diese innere Situation später nochmals treffend beschrieben im Prolog seines *Weißen Fächers*: „Daß Jugend gern mit großen Worten ficht / Und doch zu schwach ist, nur dem kleinen Finger / Der Wirklichkeit zu trotzen." (GLD 221)

Doch auch für Arlette hatte das Geschehen einschneidende Folgen, und man übersieht sie leicht, weil das Hauptgewicht der Handlung und das pointierte Wortspiel der zurückgewiesenen Thesen mit der Gestalt des Andrea verbunden sind. Ein völlig vergessener Faktor in der Entwicklung des kleinen Stückes ist auch der Mann im Hintergrund, Lorenzo. Er bringt die Geschehnisse ins Rollen und wird doch nie sichtbar.

Hofmannsthal konstruiert also seine erste Dreierkonfiguration[9] mit einem unsichtbaren Liebhaber. Er scheint von der Wirksamkeit dieser dramatischen Erfindung überzeugt gewesen zu sein, denn er hat dieses Motiv in den folgenden Werken verschiedene Male wieder aufgenommen: Im Rahmen dieser Arbeit wird eine solche Konfiguration im Drama *Die Frau im Fenster* noch eingehender interpretiert werden.[10]

Diese Seite des Stückes wurde bisher ganz übersehen, doch sie erscheint wesentlich, wenn man die Tiefe der Problematik im Verhältnis von Andrea und Arlette und zugleich den Umfang der sie unterstreichenden Ironie genauer beleuchten will. Von diesem Blickpunkt aus zeigt das Drama in seiner Meisterschaft und Feinheit der Struktur, dem Gebrauch der Bilder, wesentliche Ansatzpunkte zur Gestaltung von Fragen und Problemen, die den Dichter noch in seinen letzten Werken beschäftigen.

---

[9] Der Begriff der Konfiguration ist ein von Hofmannsthal selbst für sein Werk gewählter. Vergl. Paul Requard: Hugo von Hofmannsthal. In: *Deutsche Literatur im 20. Jahrhundert*, Band II, Gestalten. Hrg. Otto Mann und Wolfgang Rothe. 5. Aufl. Bern 1967. S. 63.

[10] Im *Rosenkavalier* wirft in launiger Umkehr des Motivs der unsichtbare Ehemann der Marschallin seinen ironischen Schatten. Die kunstvollste Wiederaufnahme wird aber im Spätwerk *Die ägyptische Helena* erreicht: Hier verdichtet sich die Spiegelfechterei des seelisch kranken Menelaus mit der „Legion unsichtbarer Liebhaber" seiner Frau im ersten Akt zur „Phantomjagd" des zweiten und endet in dem tragischen Tod des jungen Da-ud.

*Arlette, Andrea und Lorenzo*

Richard Alewyn hat treffend charakterisiert, welchen Eindruck Arlette zunächst auf den Zuschauer macht: „Verwöhntes Spielzeug von Andreas Liebe, anmutig, leichtsinnig, süß und verträumt."[11] Man sieht, auch ein so kritischer und tiefsinniger Interpret zeigt sich sogleich ihrem Charme verfallen[12] und vergißt, daß sich hinter dieser leichten und spielerischen Oberfläche ein gar nicht so leichtes Schicksal verbirgt, das zu den verborgenen Tiefen des kleinen Stückes gehört:

Man weiß nicht, woher diese Arlette gekommen ist, allein es erstaunt, daß sich eine Frau für längere Zeit — aus dem Gespräch mit dem Kardinal entnimmt man eine Dauer von zwei Jahren — im Haus eines Mannes festsetzen konnte, der, wie die Szenen mit den Freunden zeigen, dem ständigen Wechsel zugeneigt war und bei dem man nicht einen zweijährigen Stammgast, sondern als Äquivalent für den Freund eines jeden Moments (GLD 167) die „Mätresse des Augenblicks" vermuten sollte. Andrea legitimiert ihren Daueraufenthalt folgendermaßen:

Nicht was ich denke, höre, glaube, sehe,
Dein Zauber bindet mich und deine Nähe. (GLD 145)

Sie hat also fertiggebracht, ihn ständig wieder neu zu fesseln, ist eine Künstlerin des „undefinierbaren Etwas," im wahrsten Sinn des Wortes „a man's woman." Das wird im Stück dadurch unterstrichen, daß sie die einzige Frau unter allen Männern ist. Der Dichter zeigt sie in keiner Szene allein, in der sie enthüllen könnte, was sie wirklich fühlt und denkt, denn selbst ihr erster Auftritt spielt sich in der Hinwendung zum enteilenden Liebhaber und danach zum heimkehrenden Hausherrn ab. Ihre unterhaltsamen Spiele sind in ihren kunstlos erscheinenden Nuancen genau wie beim Zauberkünstler das Resultat höchster Konzentration, denn sie müssen sich in Andreas wechselnden Launen ständig neue Spielregeln und Requisiten schaffen. Ohne Bestehen auf das Eigene wechselt Arlette

---

[11] Alewyn, S. 48.
[12] Alewyn glaubt, daß dem Dichter außer Arlette keine lebendige Gestalt geglückt ist. (S. 62) Ihre Lebendigkeit stammt aber nicht von ihrer Einfachheit, sondern gerade von der Hintergründigkeit ihres Charakters her, die man allerdings nicht erkennen kann, wenn man sie mit Männeraugen beschaut, sondern erst, wenn man sich in ihre Rolle und Stellung hineinversetzt. Es ist erstaunlich, wie vollkommen schon der junge Dichter fähig war, sich in das Denken und Fühlen einer Frau zu versetzen.

die Attribute dieser Zauberkunst wie die kostbaren Gewänder, in denen Andrea sie bewundern und zur Schau stellen will. (GLD 148 f) Ihre Anmut kann nicht Grazie sein, die leise und unbewußt aus der Harmonie des Innern strömt. Sie muß in ihren Bewegungen in immer neuer Art verlockend erscheinen für Andreas Momente des Verlangens und zugleich damenhaft genug, um für den empfindlichen Geschmack des Hausherrn unter die erlesenen Gegenstände seines adligen Besitzes zu passen, eines sozialen Umkreises, in dem sie wohl kaum aufgewachsen sein kann.

Sonst wäre sie nach den Sitten der Zeit als kostbar gehütetes Kleinod aus den Händen ihrer Familie in die des Ehegatten übergegangen, wie man es später in den Dramen *Die Frau im Fenster* und *Die Hochzeit der Sobeide* beschrieben findet. Wie Dianora wäre auch sie begleitet von einer Amme, die den blutjungen Bräuten der alten Geschlechter traditionsgemäß als weise Vertraute in die neue Umgebung folgte, zumindest aber sollte man sie von einer Schar von Dienerinnen umgeben sehen. Doch bezeichnenderweise treten weder Amme noch Dienerinnen auf. Als Sproß eines alten Geschlechts wäre Arlette, vielleicht sogar jünger und kindlicher, dennoch für die Gäste wie „die Kleine," (GLD 163) sondern immer geehrte und geachtete Herrin des Hauses. Ihre Untreue führte dann zu Schande, Schmach und Tod, wie das Schicksal der Dianora, aber nicht zurück zu Ungewißheit und Abenteuer, wie es Arlettes Hinausgehen ohne Ziel in der letzten Szene bildhaft ausdrückt.

Erst im Blick auf das Bild dieser Gattin, deren Platz sie einnimmt, deren Amt sie aber nicht wirklich versieht, versteht man den Gesichtswinkel der Ironie, mit der Hofmannsthal die Gestalt dieser Arlette gestreift hat: Für zwei Jahre hat sie „Ehefrau" gespielt. Ihre Treue war nicht, wie sie dem Kardinal sagt, eine Treue zu Andrea, sondern im Tiefsten nur Treue „to her wits," die ihr Verwöhnung und Luxus verschafften. Sie verrät diese Haltung auch im Dialog, am bezeichnendsten in der scharfsinnigen Beurteilung von Andreas Freunden: „Sie lieben dich, weil sie dich brauchen können!" (GLD 145) Man sieht also, daß es wohl nicht berechtigt ist, sie einfach als impulsiv pointillistisch dem zu dieser Existenz unfähigen Andrea gegenüberzustellen.[13] Sie hat nichts gemein mit den

---

[13] Alewyn sieht Arlette nur einfach als „triebhaftes Wesen", das den Subjektivismus und Impressionismus so naiv lebt, wie Andrea ihn lehrt. S. 52. Steiner sagt von ihr: „Nur der Eindruck des Umarmtwerdens, nur die erotische Stimmung zählt, gleichgültig, von welcher Person sie hervorgerufen wird". Jacob Steiner: Die Bühnenanweisungen bei Hofmannsthal. In: *Wissenschaft als Dialog. Wolfdietrich Rasch zum 65. Geburtstag.* Stuttgart 1969. S. 224. Siehe auch Pickerodt, S. 21 und im Gegensatz dazu Wyss (vergl. hierzu Anm. 27 dieses Kapitels).

flatterhaften Eintagsfliegen, den „süßen Mädeln" in Schnitzlers *Anatol* und *Liebelei*. Wohl lebte sie aus dem Augenblick und für den Augenblick, aber sie verband diese Augenblicke mit wachsamen Augen, denn nur so war es ihr möglich, ihre Stellung in Andreas Haus zu erhalten, die ihr trotz des gesellschaftlich Fragwürdigen das Luxusdasein der verwöhnten Frau sicherte.

Doch man sieht sie am Ende des Dramas ebenfalls als Besiegte, „das Gesicht bedeckend," in dem vergeblichen Versuch, die Dinge ungeschehen zu machen, weil sie sich nun wieder der Ungewißheit der Zukunft ausgeliefert sieht: „Vergib, vergiß dies Gestern, laß mich bleiben," (GLD 179).

Wie ist es dazu gekommen, daß diese Meisterin der weiblichen Zauberkünste ihr Spiel verloren hat? Das gesamte kleine Drama gibt die Antwort, die man leicht überhören kann und bisher überhört hat, weil sie sich nur aus wenigen Worten und dem stummen Spiel des Dramas langsam zusammensetzen läßt. Es ist aber reizvoll, den Versuch zu unternehmen, weil gerade dieser Aspekt des Dramas seine „formidable Einheit" mit dem Gesamtwerk unterstreicht:

Richard Alewyn hat unter den zuvor erwähnten charakteristischen Zügen in der Gestalt der Arlette „verträumt" angeführt. Das scheint, wie schon gesagt, nicht zu der steten Konzentration der „Zauberkünstlerin" der Liebe zu passen, wie sie diese Arbeit versuchte, zu charakterisieren. Jedoch ein Blick auf das Drama scheint Alewyn recht zu geben. Während der ersten Szene mit Andrea hört man Alrette plötzlich „mit geschlossenen Augen" sagen: „Ich habe nie von Besserem geträumt," (GLD 147) und sie scheint sich ihren Träumen zu überlassen, denn Andrea muß sie nach einer „Pause" aus ihrer Versunkenheit aufrütteln und daran erinnern, daß sie Pflichten als Gastgeberin zu erfüllen hat. (GLD 148) In der Szene, in der Andrea die Sturmnacht schildert, zeigt sie sich der Regieanweisung folgend „mit zurückgeworfenen Armen und halbgeschlossenen Augen stehend," „in der Erinnerung versunken, ohne recht auf ihn [Andrea] zu hören." (GLD 168) Andrea versucht auch hier, sie durch lautes Sprechen aus ihrem Traum aufzuschrecken, es ist aber vergeblich, wie sein stummes Spiel zeigt, in dem er von nächster Nähe auf sie einspricht, sie dann am Arm faßt und forschend ansieht, bevor er sich abwendet und zur Tür geht. (GLD 169) In der entscheidenden Konfrontation mit Andrea wird sie dann wieder in diese Traumwelt versetzt, und sie, die für zwei Jahre fähig gewesen war, sich jeder Laune des Hausherrn anzupassen, steht nun, wie später Porphyrogenitus im

Drama *Der Kaiser und die Hexe* im Innern eines Labyrinths, (GLD 259) aus dem es keinen Ausweg mehr gibt: „Und fremd steh ich mir selber gegenüber." (GLD 179) Zum ersten Mal findet sie sich in einer Situation, in der sie den Ausdruck ihrer Gefühle nicht mehr dem jeweiligen Moment entsprechend kokett manipulieren kann, sondern von ihren Emotionen übermannt wird. Andreas Erstaunen und sein wachsender Argwohn Arlettes Haltung gegenüber zeigen klar, daß sie ihm bisher kaum als ein traumversponnener Charakter erschienen war. Eine Seite ihres Wesens kommt zum Vorschein, die, ganz genau so wie ihr, auch ihm völlig neu ist. Und mit Andrea beginnt nun der Zuschauer zu verstehen, daß diese Veränderung mit dem unsichtbaren Dritten zusammenhängt, den sie mit den wenigen Worten und lebhaften Pantomimen des Anfangs in den Kulissen verschwinden ließ.

Auch dieser Anfang des Stückes läßt sich nun in die erwähnte neue Haltung des Träumerischen einfügen: Sie hätte als nicht zur Treue verpflichtete „moderne Frau" wohl in Abwesenheit des Hausherrn eine geheime Zusammenkunft mit dem Liebhaber vereinbaren und ihn danach in aller Ruhe verabschieden können. Andrea kommt sogar nicht einmal früh nachhause, sondern erst mit der Morgendämmerung des Tages, für den, wie auch sie weiß, die Gäste schon früh eingeladen sind („ach ja, sie kommen wieder..." GLD 148). Sie hat aber anscheinend Zeit und Stunde völlig vergessen und kann mit knapper Not den Rückzug des Liebhabers decken, bevor Andrea eintritt, an dessen Seite sie nur ganz mühsam ihre Fassung wieder erlangt. (GLD 140 f)

Der Einfluß dieses Mannes auf Arlette, die ihre charakteristische Berechnung und Wachsamkeit vernachlässigt, deutet auf ein Verhältnis hin, das sich von dem zwischen Andrea und Arlette klar unterscheidet. Die Emotionen seiner Freundin befremden Andrea und können so kaum ein Teil der Liebenstunden gewesen sein, die sie wohl im verlockend, anschmiegsam-zärtlichen Spiel mit ihm geteilt hatte.

So kann er auch diesen starken Einfluß nicht anders deuten, als daß er sich in wiederholten, heimlichen Liebesstunden entwickelt hat, und er ist trotz seiner Wunden des betrogenen Dritten begierig, die Nuancen dieses amourösen Spiels ästhetisch zu genießen:

Sag, wanns zum erstenmal und wie es kam,
Ob du dich ihm verschenktest, er dich nahm. (GLD 177)

Zu diesem Verdacht ist er umsomehr geneigt, weil das blitzartige Erkennen ihrer Untreue ja durch den Strahl des Blitzes ausgelöst wurde, der sie ihm in der Erinnerung wieder wie im Sturm in den Armen Lorenzos gezeigt hatte und so vermuten ließ, daß das Verhältnis schon damals bestand und daß sie die Person ihres Beschützers im Schildern des Erinnerungsbildes bewußt vertauscht, um seinen Argwohn zu beschwichtigen. Dagegen hat der Dichter durch Arlettes träumende Haltung eben darauf hingewiesen, daß der Tausch nicht willentlich erfolgte: Die Erinnerung an diesen Vorgang war auch für sie unauslöschlich, doch durch ihr Schuldbewußtsein, das während der gerade vorhergegangenen Unterredung mit dem Kardinal geweckt worden war, hat sie die Tatsachen im Unterbewußtsein vertauscht. Der Hellhörige unter den Zuschauern versteht im Gegensatz zu Andrea diesen Vorgang und sieht nun der Eröffnung des wahren Sachverhalts für den Helden mit gerade jener Nuance der Antizipation entgegen, die dem geistvoll ironischen Spiel der zurückgewiesenen These entspricht.

Der Erfolg ist auch ganz der erwartete : Die Erkenntnis, daß es nur einmal, gestern, in der vergangenen Nacht, zu einer einzigen Liebesstunde zwischen Lorenzo und Arlette gekommen ist, daß eine einzige Begegnung solche Spuren hinterlassen kann, trifft nun Andrea mit ihrer ganzen Gewalt und wirft ihn um.

Nur durch die starke innere Erschütterung, die Andrea durch diese Enthüllung erlitt, scheint es mir ganz verständlich, warum ihm das Gestern durch Arlettes Tat so vergiftet wurde. Einige Aufsätze haben sich mit der Bedeutung dieses Gestern, seinem Verhältnis zu Strömungen der Philosophie, dem Problem von Zeit und Augenblick, beschäftigt. Am besten erscheint mir die Deutung von Erwin Kobel.[14] Diese Interpretationen haben ihre Gültigkeit, doch ich glaube, sie erklären nicht völlig, was Andrea bis ins Tiefste getroffen hat: In der Liebensstunde von Lorenzo und Arlette hat sich etwas ereignet, was Andrea wohl ästhetisch nachempfinden konnte, genau so wie er das klimatische Element in seinem Einfluß auf diese Begegnung aufs Genaueste beschrieb, (GLD 178) aber was er noch nie existenziell erfahren hat. In ein heimlich gestohlenes Schäferstündchen hatte sich etwas eingeschlichen, das in seiner Stärke die zwei Beteiligten überwältigte und besiegte, und in der Hingabe an diese Macht hatten sie Zeit und Raum, den Augenblick, vergessen und waren ein Teil jener Kräfte geworden, die jenseits des Zeitlichen beheimatet sind. Der in der

[14] Kobel, S. 8 ff, S. 18 ff.

Reflektion befangene Andrea und die berechnende Arlette haben so beide erfahren, daß es in diesem „Beieinandersein von tausend Leben" (GLD 155) Augenblicke gibt, wo sich die Emotionen dem Verständnis und den Direktiven des Gehirns entziehen.[15]

Wie die Frau erkennen läßt, will sie sich von dieser Macht des Gestern lösen, die ihr unverständlich und fremd ist. Doch Andreas Reaktion zeigt klar, daß sie diese Erfahrung nie mehr loswerden kann. Sie ist der Ruf der Tyche an Arlette. Wird sie diese schicksalhafte Nacht aus ihrem Leben verdrängen, weiterhin beherrschte „Zauberkünstlerin" des Liebesspiels sein, so wird es eine Spur härter, routinierter werden. — Bezeichnenderweise heißt es vor der Szene mit dem Oheim Andreas: „im Spiel mit dem Kardinal ist ihre Koketterie deutlicher als gewöhnlich" (GLD 163) — Wird aber die Frau, die am Ende des Dramas ohne Ziel weitergeht, das Geheimnis dieser Nacht, die ihr zufallende Schwere, vom Schicksal willig annehmen, so wird sie zum Geschenk und verwandelt ihr Dasein.

Vom vollendeten Werk her gesehen zeigen sich also hier die Keimzellen wesentlicher Motive, die seine Einheit erneut betonen. Im Rahmen dieser Arbeit wird besonders das Drama *Der Abenteurer und die Sängerin* diese Verbindungen bestätigen: In der Gestalt des Baron Weidenstamm, der nicht willens war, sein Leben von einem solchen Augenblick der tiefsten Begegnung verwandeln zu lassen, und in Vittoria, die das Geschenk ihres „ewigen Augenblicks" aufnahm, werden sich die in *Gestern* leicht gestreiften Fragen und Probleme in ihrer Variation entfalten und vertiefen.

Man sieht aus diesem genauen Verfolgen der Motive, daß es wohl kaum gerechtfertigt ist, aus Hofmannsthals Aphorisme „Der Abenteurer ist Andrea der Wechselnde" (A 223) zu schließen, daß sich im Helden des *Gestern* die wichtige Figur des Abenteurers zum erstenmal verkörpert.[16] Wohl steht Andrea unter dem Wechsel des Augenblicks genau wie später

---

[15] Hofmannsthals Zeitgenosse Rainer Maria Rilke hat sich mit diesem Vorgang ebenfalls besonders intensiv beschäftigt und ihn in einem seiner Gedichte in einer Weise gemalt, die beinah als Interpretation des von Hofmannsthal so leicht gestreiften Tiefgründigen dienen könnte. In den Versen „Masken, Masken, dass man Eros blende" spiegelt sich das Unterbrechen des „Vorspiels" durch etwas Großes, was schwer und schicksalhaft ist, ganz so, wie es aus der koketten und berechnenden Arlette eine Träumerin gemacht hat:
Leben wand sich
Schicksal war geboren
und im Innern weint ein Quell.
Rainer Maria Rilke: *Werke in drei Bänden*. Band 2, Gedichte. Frankfurt 1966. S. 158. Entstanden ist das Gedicht Mitte Februar 1924.
[16] Kobel, S. 93 im Anschluß an Rey.

der Abenteurer, aber sein Schmerz über das Geschehen des Gestern hat gerade gezeigt, daß er der dem Abenteurer eigenen Hingabe an den Augenblick, des völligen Sich-selbst-Vergessens in ihm, nicht fähig war und unter dieser Tatsache litt. Nur die ihm fehlende Hingabe an das Du hätte ihm das Höchste und Tiefste erschließen können, das er zu verfehlen fürchtet. (GLD 147)

Vielleicht ist mit der hinausschreitenden Arlette wirklich etwas aus seinem Leben fortgegangen, was das Schicksal ihm zugedacht hatte und das ihn aus seiner narzißtischen Haltung hätte erlösen können. „Es ist vielleicht mein Schicksal, das da stirbt," Das Wort, das er in der ersten Unterredung mit Arlette ausspricht, (GLD 147) scheint zu schwerwiegend, um es auf den Verlust einer „kleinen Kokette" anzuwenden. Doch es mag sich etwas hinter ihrer Maske verborgen haben, was er nie entdeckt hat und was ihn hätte beschenken können.

Er hatte eine junge Frau in sein Haus genommen, sie zum Spiegelbild seiner Launen gemacht, ohne nach dem Du zu fragen, das hinter den „Zauberkünsten" dieser Momente nach Wärme und Schutz verlangte. Das Bild der Sturmnacht ist hier bedeutungsvoll: Wohl ist Lorenzo ein fragwürdiger Charakter, der dem besten Freund heimlich die Geliebte ausspannt, ohne auch nur die geringste Verantwortung für sie zu übernehmen, doch er ist als Gegenstück der Arlette, die „the man's woman" darstellt, der feinfühlige Kenner der Frauen, und darin verkörpert er eine Seite der späteren Abenteuerfigur, die Andrea fremd ist: Im Augenblick des Gewitters fühlt er instinktiv, daß Arlette Schutz braucht und vermag so viel Wärme und Sicherheit auszustrahlen, daß sie trotz des Sturmes in seinen Armen einschläft.

Was Lorenzo und Andrea trotz ihrer äußeren Verschiedenheit verbindet, ist aber die Tatsache, daß sie beide der Frau, der in den Moment der Hingabe zugleich Gefahr und Geschenk des Mutterwerdens mitgegeben sind, Schutz und Verantwortung in der Zeit, d. h. in der Ehe, verweigern.

Die meisten der Interpreten haben den Treubruch Arlettes als bloßen „Impressionismus" ausgelegt, so als ob sie dem Augenblick hingegeben ohne jedes Problem von dem Arm des einen in den des anderen Mannes geglitten sei.[17] Dem gegenüber ist zunächst zu fragen, warum dann Arlette Andrea überhaupt für zwei Jahre treu geblieben ist. Sie hätte sicher heimlich Gelegenheit gehabt, demjenigen unter den zahlreichen Besuchern,

[17] Vergl. Anm. 13.

den sie im Augenblick begehrte, ein verschwiegenes Liebesstündchen zu gewähren. Meiner Ansicht nach ist ihr Verhalten, wie es aus dem Drama spricht, nur erklärbar, wenn man sie als berechnende junge Kokette sieht, die des weltlichen Gewinns wegen mit der Liebe gespielt hat, wie viele kokette Frauen zunächst nicht allzu leidenschaftlich war und keinen Grund dazu sah, den Status Quo zu ändern und ihr Luxusleben noch mehr zu komplizieren, als es ohnehin durch die wechselnden Launen Andreas schon der Fall war. In der Nacht mit Lorenzo ist sie zum ersten Mal von etwas überfallen worden, was sie nicht in ihr bisheriges Lebensschema einfügen kann, das ihr Verhältnis zu Andrea in entscheidender Weise beeinflußt und zum Endresultat des Dramas führt.

Das subtil gestaltete Spiel der jugendlichen Rebellion gegen jede Bindung, die Ehe im besonderen, hat so in dieser ersten Dreierkonfiguration Andrea, Arlette und Lorenzo demonstriert, daß es doch nicht so einfach ist, sich vom Herkömmlichen zu lösen, und die Rebellion hat vor einer stärkeren Macht die Waffen strecken müssen.

*Bild und Sinn*

Hofmannsthal selbst scheint es zu verwehren, diese gewichtigen Motive mit dem Drama und seiner ironischen Leichtigkeit zu verbinden, wenn er der bedeutungsvollen Betonung der Sturmnacht in der Rezension Marie Herzfelds beim Gespräch mit der Kritikerin scheinbar naiv entgegenhält, er habe das Motiv nur eingeführt „weil ich gern vom Schifferlfahren spreche."[18] Man hat ihn im Verdacht, bewußt die Spuren seiner Arbeit zu verwischen im Wunsch, den Eindruck des mühelos, scheinbar intuitiv Gewachsenen zu hinterlassen, das formal dem Genre des Lyrischen entspricht, dem diese kleinen Gebilde nahestehen. Das Kapital „Der weiße Fächer" wird gerade diesen Aspekt der ersten Schaffensperiode Hofmannsthals noch besonders ins Auge fassen.

Auch der Freund, der ihm während der Entstehung der *kleinen Dramen* in den Neunzigerjahren besonders nah stand, Leopold von Andrian, betont im Rückblick ihre gemeinsame Ansicht vom Dichterberuf als einer strengen Disziplin. Obwohl er Hofmannsthal erst nach dem Erscheinen von

---

[18] Marie Herzfeld: Blätter der Erinnerung. In: *Spiegel der Freunde.* S. 54.

*Gestern* kennengelernt hat, könnten seine Worte auch auf das erste der kleinen Dramen angewendet werden:

Alles im Dichterwerk mußte auf seinem notwendigen Platze stehen, so wie auf einem Bilde. Wenn auch die Inspiration beim Dichter, der diesen Namen verdiente, selbstverständliche Voraussetzung war, so gab doch die planmäßige Ausarbeitung, umsomehr, je umfangreicher die Arbeit war, den Stempel des Kunstwerkes, auf den alles ankam. Künstler, dessen Material die Worte als Bilder und Klänge sind, so wie für den Graphiker die Linien und die Abstufungen der Helligkeit, Künstler am Wort, das war uns der Dichter.[19]

Deshalb ist es berechtigt, in den Bildbezügen des Dramas nach der Bestätigung der Interpretation zu suchen. Zu ihnen zählen auch die Bilder des jeweiligen Schauplatzes, wie sie sich im Bühnenbild und den benutzten Requisiten darstellen, selbst ihr Verhältnis zum historischen Hintergrund, dem sie angehören.

Dem wäre entgegenzuhalten, daß der Zuschauer bei einem Drama diese Einzelheiten nie voll zur Kenntnis nimmt, daß also der Dichter, wenn diese nicht ins Auge springenden Seiten des Spiels wichtige Beiträge zu seiner eigentlichen Sinngebung liefern, in seiner Aufgabe als Dramatiker versagt hat.

Schon einer der frühen Kritiker Hofmannsthals hat diese Problematik gesehen und ihn folgendermaßen verteidigt: „Jene frühen kleinen Stücke kommen von Musset her. Sie waren gleich Mussets anmutigen, launenhaften Vorspielen gar nicht für die Bühne gedacht, sondern nur ‚un spectacle dans un fauteuil'."[20]

Doch es ist bekannt, daß der junge Dichter sehr bestrebt war, seine kleinen Dramen auf die Bühne zu bringen. Da er sicher der Struktur seiner Stücke nicht blind gegenüberstand, darf man vielleicht annehmen, daß er auf ein älteres Modell des dramatischen Genusses zurückgriff, der in seiner eigenen Zeit schon fast ganz in Vergessenheit geraten war: Die Rezeptionsweise des Barock. Dieser Tradition nach geht man nicht ins Theater, um sich von einem Stück und seinem Verlauf überraschen zu lassen, sondern man kennt ihn bereits und genießt das Wie der Exe-

[19] Leopold von Andrian. Erinnerungen an meinen Freund. *Spiegel der Freunde.* S. 74.
[20] Joseph Hofmiller: Hofmannsthal. *Süddeutsche Monatshefte* V, 1 (Januar 1908). S. 12–27. Nachdruck in: *Wirkung der Literatur. Autoren im Urteil ihrer Kritiker.* Band 4, Hofmannsthal. Hrg. Gotthart Wunberg. Frankfurt a. M. 1972. S. 156.

kution, das gerade im Zusammenspiel aller vom Dichter benutzten Mittel, nicht nur in Dialog und Bewegungen der Schauspieler seinen besonderen Reiz entfaltet.[21]

Dem bisherigen Stand der Forschung nach war man geneigt, von einer Einbeziehung der Bildelemente, die den historischen Umkreis der einzelnen Dramen beschreiben, in dieser frühesten Schaffensperiode abzusehen, ihn als Kostüm, pittoresken Schmuck, oder als ein kulturgeschichtliches Bilderbuch zu beschreiben.[22]

Doch neuerdings hat Rolf Tarot in seiner Betrachtung von *Gestern* seine Bedenken angemeldet und dargelegt, daß der Hintergrund der Renaissance seinem Inhalt bewußt adäquat gesetzt ist.[23] Die von Tarot nicht erwähnte Bonner Dissertation von Tebbe Harms Kleen[24] hatte im Zusammenhang mit dem dramatischen Aufbau des Stückes schon ausgezeichnete Beobachtungen zu diesen Fragen gemacht.

Auch der im Rahmen dieser Arbeit herausgestellte Fragenkreis des Dramas bestätigt die Ansicht von Kleen und Tarot, denn es finden sich vom Blickpunkt der menschlichen Problematik her Äquivalenzen, die weit über den allgemein historischen Hintergrund der Renaissance reichen und Wort und Bild bis in die kleinsten Details verbinden.

Das ganze Stück spielt im Gartensaal eines Renaissancepalastes, den Andrea von seinen Eltern ererbt hat. Doch er will sich bewußt von der Tradition lösen, die in ihren Forderungen in den klaren Formen der Architektur, den „von der Decke hängenden Ampeln in der strengen Form der Frührenaissance" (GLD 140) zu ihm spricht. Die sparsame Bau-

---

[21] Dann müßte aber jedes Werk im Druck zugänglich sein oder sich auf ein Grundgeschehen aufbauen, das dem Zuschauer so vertraut ist, daß sich sein Interesse ebenfalls auf das Wie der Exekution richtet. Der Titel der ersten Ausgabe von *Gestern* („Den Bühnen gegenüber als Manuskript gedruckt") läßt auf eine solche Intention schließen. (Das Titelblatt ist Faksimile abgedruckt im Rahmen des Aufsatzes von Michael Rabenlechner: Die Bücher (Erstausgaben) des jungen Hofmannsthals. In: *Wirkung der Literatur*, S. 404). Die Erfahrung Hofmannsthals, daß sich das Ideal, der durch Lesen informierte Zuschauer, selten verwirklichen ließ, führt in ihren Konsequenzen zu den Werken der mittleren Periode, wo er auf die Griechendramen und das Mittelalter zurückgriff, und zu den Calderon-Erneuerungen der Reifezeit. Auch die Einführung in das Märchen *Die Frau ohne Schatten*, die er als Kurzfassung zum besseren Verständnis der Oper schrieb, (Dramen III, S. 479–86) und der Essay über *Die Ägyptische Helena* (Prosa IV, S. 441–61) zeigen dieselbe Haltung.

[22] Alewyn, S. 49. Michael Hamburger: *Hugo von Hofmannsthal. Zwei Studien*. Göttingen 1964. S. 44.

[23] Tarot, S. 55

[24] Tebbe Harms Kleen: *Elemente von Hofmannsthals dramatischem Stil in seinen ersten Dramen*. Bonn 1965. Vorher Bonner Dissertation 1964. S. 15–93.

weise des ursprünglichen Hauses wurde mit der „reichen Architektur der sinkenden Renaissance" überdeckt, „die Wände mit Stukkaturen und Grotesken verziert."[25] Der Hausherr begrüßt nun seine Freunde hier im Gartensaal, nicht mehr in den eigentlichen Gemächern des Palastes, die traditionsgemäß dem Empfang dienen. Er duldet in diesem Saal nur Mobiliar, das sich seinen Augenblickslaunen folgend ohne Mühe austauschen läßt: Truhen zum Sitzen, eine Hängematte zum Ausruhen, Gobelins, eine Büste aus leicht zerbrechlichem Material. Selbst die Musikinstrumente, die er um sich hat, „eine kleine tragbare Orgel," die provisorisch auf eine Ebenholztruhe gesetzt wird, „eine dreisaitige Geige," „ein Monochord," sind nicht zum ernsthaften Studium oder der Ausübung großer Kunst geeignet, sondern die Instrumente des Dilettanten, seiner kleinen Fingerübungen des musikalischen Moments. (Die Orgel wird auch bewußt zu den Gesellen der wechselnden Augenblicke gezählt.[26] GLD 167)

Doch selbst noch dieser improvisierte Aufenthalt im Haus der Tradition scheint Andrea zu stören, er will sich sein eigenes Haus bauen, genau so wie er Arlette in der ersten Szene sein eigenes System der Struktur menschlichen Zusammenlebens demonstriert. Ironisch zeigt der impulsiv im Stich gelassene Neubau (GLD 159 ff) seine Unfähigkeit zu einem solchen Unternehmen, und die Ironie wird weiter dadurch vertieft, daß die Idee des vollkommenen Baues doch im Entwurf des Architekten, den Andrea wegschickt, für immer weiterlebt und das im Stich gelassene Fragment für die Nachwelt eine „Ruine" sein wird, hinter deren Verfall man einstige Vollkommentheit vermutet, auch das ein humorvolles Zurückweisen des Rebellen, der sich mit dem Abbruch des Baues einen besonderen Augenblick der Macht verschaffen wollte. (GLD 160 f)

Auch wo sich dieses Ablehnen der Tradition bewußt auf das Ablehnen der menschlichen Bindung bezieht, zeigt sich diese Ironie der Bildbezüge: Die Pantomime der ersten Sekunden des Stückes parodiert so haargenau die häusliche Szene der Comedia dell 'arte, den heimkehrenden Ehemann,

---

[25] Der Zusammenhang zwischen den „ästhetischen Phänomenen des Unstils der Dekoration" und dem „Wert Vakuum", dessen Erkenntnis Hanna Weischedel ihm abspricht, scheint ihm also bewußt gewesen zu sein. Hanna Weischedel: Autor und Publikum. Bemerkungen zu Hofmannsthals essayistischer Prosa. In: *Festschrift für Klaus Ziegler*. Hrg. Eckehard Catholy und Winfried Hellmann. Tübingen o. J. (1969). S. 297. Vergl. auch die Beobachtungen darüber im Kapitel „Der weisse Fächer".
[26] Vergl. hierzu die sehr feinsinnigen Beobachtungen von Kleen, S. 28 f.

der die ungetreue Frau in den Armen des Cicisbeo überrascht, daß sich Wyss sogar übertölpen läßt und das Verhältnis von Arlette und Andrea als ein eheliches sieht.[27] Dieser Effekt wird bewußt dadurch unterstrichen, daß das Personenverzeichnis nur die Namen Arlette und Andrea gibt, ohne ihr Verhältnis zueinander mit einer Beifügung – etwa „Andrea, ein junger Edelmann, Arlette, seine Geliebte" – zu klären. Humorvoll läßt der Dichter Arlette den heimkehrenden Hausherrn in der Hängematte empfangen. Dieses an silbernen Ringen aufgehängte Provisorium ist in seiner löchrigen Luftigkeit ein geistvolles und für das Stück bezeichnendes Äquivalent des „ehelichen Bettes", das, wie der Fluchtweg des unsichtbaren Liebhabers andeutet, der leidenschaftlichen Stunde mit Lorenzo zugehörte.[28]

Die Bestätigung dafür, daß es wirklich in der Intention des Dichters lag, eine solche „glühende Stunde" anzudeuten, die sich von den flüchtigen Liebesaugenblicken Arlettes und Andreas wesentlich unterschied, scheint ebenfalls mit den Bildbezügen des Mobiliars gegeben und hängt mit einem Gemälde zusammen, das der Zuschauer nicht zu sehen bekommt, das ihm aber beschrieben wird: Als Andrea seine Gäste empfängt, ist Fortunio, der Maler, enttäuscht, daß der Hausherr sein Bild von der Wand genommen und es mit einem anderen vertauscht hat, das für die Proportionen des Raums ungeeignet ist. (GLD 154) Andrea verteidigt sich damit, daß man das Oftgesuchte meiden müsse und daß doch jede Leidenschaft zum Sterben verurteilt sei. Er bekennt sich zu dem Grundsatz „Ich will der freien Triebe freies Spiel." (GLD 155) Das Bild, das er weggehängt hat, ist aber wesentlich für die Tiefenschicht des Dramas und die Ironie gerade dieser Worte: Es stellt Leda und den Schwan dar, also das mythologische Äquivalent des „ewigen Augenblicks", der Lorenzo und Arlette verband. Seine Folgen, die Zeugung der Helena und der durch sie veranlaßte Trojanische Krieg, deuten an, daß das von Andrea gewünschte freie Spiel der Triebe einen Explosivstoff enthält, dessen Mischung er bisher nicht erkannt hat.

---

[27] Hugo Wyss: *Die Frau in der Dichtung Hofmannsthals. Eine Studie zum dionysischen Welterlebnis.* Zürich 1954. S. 51 f. Obwohl er als Einziger erkennt, daß sich bei Arlettes Erlebnis nicht um eine Augenblickslaune handelt, übersieht er so die ironischen Aspekte und damit den größten Reiz des Dramas.

[28] Steiner verkennt die Ironie der Hängematte. (S. 218) Auch Kleens sieht sie nicht, wie er auch die Bedeutung der Kunstwerke, besonders die des Leda-Bildes, nicht mit der Handlung in Verbindung bringt. (S. 27)

Auch im Bildbezug wird so seine These ironisch zurückgewiesen: Er kann, „beengt" von Fortunios „Stil" das Bild von Leda und dem Schwan aus seiner Gegenwart verbannen, kann aber den existenziellen Eindruck seiner gegenwärtigen Ausprägung in der Begegnung von Lorenzo und Arlette und die mit ihm verbundenen Schmerzen nicht mehr aus seinem Leben wegwischen.

Auch von hier aus sieht man nun den Bezug des dramatischen Erstlings zur „formidablen Einheit des Werks." Über den Pfeiler des Jahres 1900, das Fragment *Leda und der Schwan*, spannt sich die Brücke bis in die Spätzeit zur *Ägyptischen Helena*. Im Fragment wird genau wie in Andreas Worten das Verlangen der Natur, der Einfluß des Atmosphärischen, unterstrichen, das die zwingende Gewalt einer solchen Liebesbegegnung begleitet,[29] und Gestalt und Schicksal der Helena des späten Librettos werden nur dadurch verständlich, daß sich in ihrem Erbgut, in den zwei Gestalten des Mythos, das dem ewigen Moment zugehörige zeitlose Ingenium ihres Vaters Zeus und die unbegrenzte Hingabe ihrer Mutter Leda (auch sie wird im Fragment hervorgehoben) in innerer Konfrontation gegenüberstehen und ihr dämonisches Schicksal bedingen, das trotz des Glanzes seiner ewigen Schöne der Heilung des Zeitlichen bedarf und sie endlich findet.

Während aber im Spätwerk die Institution der Ehe die Grundlage wird, auf der sich dieser Heilungsprozeß vollziehen kann, wird sie im Erstlingswerk nur leis ironisch betont. Diese dichterische Haltung zeigt sich dem Gedanken einer permanenten Bindung nicht allzu geneigt und sieht sich nach anderen Lösungen um. In diesem Sinne könnte man *Gestern* beinah als Experiment verstehen: Eine vom jugendlichen Rebellionswillen vorgeschlagene Alternative wurde durchgeprobt und hat sich als untauglich erwiesen.

Eine stärkere Betonung der weltlichen Ordnung der Ehe und ihrer außerzeitlichen Grundlegung könnte man allerdings in der Form des Stückes selbst finden, wenn die an ihr beobachteten Äquivalente nicht Zufall,

---

[29] Dramen II, S. 501–505.

sondern Absicht des Dichters gewesen sind, was hier nicht behauptet, aber als Möglichkeit aufgezeigt werden soll:[30]

. Gestern wurde nach den Worten des Dichters als „Thesenstück" geschrieben. Diese „dramatische Studie in einem Akt," wie er das Stück selbst charakterisierte, wurde aber von ihm in Szenen gegliedert, was bei einem solch kurzen Werk nicht unbedingt nötig gewesen wäre. Hofmannsthal hat ja weit größere und strukturell kompliziertere Gebilde, wie z. B. das Drama *Der Abenteurer und die Sängerin*, ohne Szenenbezeichnung veröffentlicht.

In *Gestern* richtete sich diese Einteilung, wenn sie eine bewußte wäre, direkt an die denkende Mitarbeit des Lesers, eine Einstellung des Dichters zu seinem Publikum, die wie die zuvor erwähnte antizipierende Haltung des Zuschauers in der barocken Tradition des Kunstgenusses ihr Vorbild hat.[31]

Dem Charakter des lyrischen Dramas gemäß scheint er diese Erkenntnis dem Zuschauer nicht aufzudrängen, sondern sie soll nach dem Genuß des Spiels einer intimeren, persönlicheren Art der Entdeckung, dem nochmaligen Lesen, vorbehalten sein, genau so wie er es am 16. II. 1892 als Widmung in ein Exemplar des *Gestern* geschrieben hat:

Gedanken sind Äpfel am Baume
Für keinen Bestimmten bestimmt,
Und doch gehören sie schließlich
Dem einen, der sie nimmt. (A 96)

Dieser Leser soll dann in einem charmanten Denkspiel, zu dem ihn der Dichter verführt, die vorhandene Struktur überschauen, weil es ihm in die Augen springt, daß dieses kleine Drama der zurückgewiesenen Thesen gerade in zehn Szenen aufgeteilt ist. Die bekanntesten Thesen seines Kulturkreises sind nämlich die Zehn Gebote. Das sechste dieser

[30] Eine weitere Bestätigung eines bewußten Spiels mit der Form von Seiten Hofmannsthals scheint mir in dem Gebrauch des Adjektivs zu liegen, das häufig in einer Gruppe von zwei oder drei Attributen dem Substantiv folgt und als manieristisch verurteilt werden könnte, wenn man es nicht als bewußte Nachahmung pointillistischer Malerei verstehen will. Als Beispiel diene: „Heut ist ein Tag Correggios, reif, erglühend / In ganzen Farben, lachend, prangend, blühend / ... Heut nimm dein gelbes Kleid, das schwere, reiche, / Und dunkelrote Rosen, heiße, weiche". (GLD 149)

[31] Günther Rimbach gibt in seinem Aufsatz über das Epigramm Beispiele für dieses Verhältnis von Dichter und Leser: Das Epigramm und die Barockpoetik. Ansätze zu einer Wirkungsästhetik für das Zeitalter. *Jahrbuch der Deutschen Schillergesellschaft* 14 (1970). S. 100–103.

Gebote aber enthält die Forderung: „Du sollst nicht ehebrechen!" Die sechste Szene des kleinen Stückes spielt nun gerade mit diesem Verhältnis der Treue zum nächsten Du: In der Unterhaltung Arlettes mit dem Kardinal von Ostia kommt ihre Untreue gegenüber Andrea zum ersten Mal offen zur Sprache.

Die meisterhafte Gestaltung dieser Szene und die in ihr enthaltene Ironie bestätigen für mich die Vermutung, daß Hofmannsthal hier bewußt mit dem Gedanken „Sechste Szene gleich sechstes Gebot" spielen will: Arlette hat eigentlich keine Verpflichtung zur Treue, weil Andrea ihr den legalen Schutz der Ehe nicht gewährt und sie in der ersten Szene schon im voraus absolviert hat. Doch der Kardinal nennt sie scherzhaft drohend „kleine Sünde," reiht sie so mit dem bewußten double standard des Mannes von Stand in die Gruppe der Leichtfertigen des Lebens ein und weist sie zugleich in der Form der Anrede der ihm unterlegenen gesellschaftlichen Strata zu.

Indem er sie überführt, bricht er aber zugleich eine weit verpflichtendere Form der Treue, seinen lebenslangen Bund mit der Ekklesia, der in den Metaphern der geistlichen und weltlichen Dichtung oft als Ehe beschrieben und im Ring besiegelt wird. Eine der wichtigsten Verpflichtungen dieses Bundes ist jedoch die Wahrung des Beichtgeheimnisses. Indem der Kardinal den Namen Lorenzos, des bisher unbekannten Dritten, enthüllt und so die „kleine Sünde" überführen will, bricht er, wie die Unterhaltung klar macht, dieses Beichtgeheimnis und damit die ihm durch seine „Ehe" auferlegte Verpflichtung zur Treue. (GLD 165) Seine lüsterne Haltung der jungen Schönen gegenüber wird außerdem in der Regieanweisung, seinem Lauern, dem An-sich-Ziehen der Frau und dem „dummpfiffigen" Ausdruck seines Gesichtes bei der Enthüllung des Geheimnisses unterstrichen. (GLD 165)

Dieses ironische Spiel geht vor sich unter der Büste des großen Spötters Aretino. Sie bezeichnet zugleich den Mittelpunkt der Bühne, und unter ihr nimmt der Kardinal seinen Sitz, den er von seinem Auftritt an durch die gesamte Länge des Stückes bis zur letzten Szene, wo er die Büßer vorbeiziehen sieht, nicht verläßt. (Siehe Regieanweisungen GLD 156, 162, 163, 172, 173)

Wenn man sich von den hier aufgewiesenen Beobachtungen überzeugen läßt, zieht sich die Ironie und das Spiel mit der Forderung von Treue und Bindung bis in die formalen Bereiche des Dramas, das mit seinen

Seitenhieben auf die doppelte Moral der Männer und die Heuchelei und Lüsternheit der hohen Geistlichkeit hier bewußt Anteil hat am Zeitgeist des „épater le bourgeois" der dichterischen Avantgarde.

*Ergebnis und Ausblick*

Die genauere Betrachtung des Erstlingsdramas hat gezeigt, daß es in seinem Spiel mit Ehe und Treue tatsächlich die ironisch leichtfertige Eleganz demonstrierte, die Hermann Bahr an ihm bewunderte.

Die Auseinandersetzung mit der Problematik dauernder Bindung und ihrer Ausprägung im Zusammenleben ist nur in Ansätzen vorhanden, die man ohne den Blick auf das vollendete Werk kaum erkennen kann. Doch schon diese Ansätze zeigen, daß Hofmannsthal die Notwendigkeit einer gesellschaftlichen Ordnung dieser menschlichen Bindung von Anfang an mit den Mächten in Verbindung bringt, die aus dem Unterbewußten des Menschen aufsteigen, vom Verstand nicht zu begreifen und vom Wollen schwer zu kontrollieren sind. Diese Problematik geht in vielfältiger Variation durch Hofmannsthals gesamtes Werk und wird in den folgenden Dramen wiederholt behandelt werden müssen.

Für das Erstlingswerk ist jedoch bezeichnend, daß die drohenden Seiten fast ganz in den Hintergrund treten. Hofmannsthal freut sich noch völlig an seinem ironischen Spiel mit dem Leser-Zuschauer. Die Fragwürdigkeit des dichterischen Daseins wird nur ganz leicht berührt: Die Gefährdung dessen, der „auf eine Formel hin lebt,"[32] das Problem des ästhetischen Menschen, sein Trieb zum Anempfinden und seine Unfähigkeit zum existenziellen Erleben im Aufgeben des reflektierenden Ichs, das später im Aspekt der „Konfession" aus den Werken spricht, ist hier noch humorvoll in These und Antithese eingebaut.

In den folgenden Stücken werden diese Fragen, zusammen mit der Problematik der Bindung in der Zeit, der Treue und Untreue, des Einbruchs eines Dritten in die Gemeinschaft und der Gewalt der dionysischen Stunde ernst genommen bis in den Tod hinein.

---

[32] Tarot, S. 273, Anm. 90. Hinweis auf Hofmannsthals Brief an Ria Schmujlov-Classen vom 13.4.1898. (BI 243)

Doch *Gestern,* wie es Ehe und Treue beschreibt, ist trotz seiner geheimen Tiefen in den wesentlichen Charakterzügen wirklich das Stück des Wiener Gymnasiasten Loris, dessen Sinn für Humor seine Freunde immer wieder betonen[33] und dessen jugendlich leichte Gestalt sich den schweren Gedanken der Interpreten allzu oft entzieht.

[33] Dieser Zug von Hofmannsthals Persönlichkeit zieht sich durch alle Berichte seiner Freunde in Fiechtners Sammelband: *Spiegel der Freunde.*

## III. IDYLLE

*Zur Problemstellung*

In den Arbeiten über das Jugendwerk Hugo von Hofmannsthals wurde bei der Besprechung des kleinen dramatischen Gedichts *Idylle* bisher hauptsächlich die Gestalt der Frau als der Treulosen, oder der Kontrast der seelischen Auschweifung der Frau zur tätigen Treue und Beharrlichkeit des Mannes betont.[1] Doch genau wie im Erstlingswerk *Gestern* zeigt erst die genauere Betrachtung der Wechselwirkung von Mann und Frau aufeinander und gegeneinander die Kunst und erstaunliche Einsicht des jungen Dichters, der im ironischen Spiel mit Sinn und Form eine Weite und Tiefe der Bezüge herstellt, die eine vorschnelle Zuordnung der Gestalten nicht zu erfassen vermag.

*Idylle als Ironie*

Renate Böschenstein erwähnt in ihrem Buch über die Gattung der Idylle[2] auch Hugo von Hofmannsthals kleines Werk, das für sie wie „ein Siegel auf die Geschichte der Gattung" wirkt, weil es noch einmal die klassischen Idyllenmotive (Urfamilie, klassische Berufe des Schmieds und Töpfers, niedere Mythologie, Kunstbeschreibung und typische Gestalt der Landschaft) in sich versammelt. Die Verfasserin betont zugleich den tragischen aus ihrer eigenen Mitte zerstörten Charakter dieser Idylle.[3] Doch ein Dichter, der ein zum Lesen bestimmtes Werk „Idylle" überschreibt, hat wohl keine gattungsgeschichtliche Definition im Sinn, sondern einen in die Alltagssprache eingegangenen, dem Publikum vertrauten Begriff des

---

[1] Die wichtigsten unter ihnen sind: Walter Jens: *Hofmannsthal und die Griechen.* Tübingen 1955. S. 25–30. Wolfgang Nehring: *Die Tat bei Hofmannsthal.* Stuttgart 1966. S. 30 f. Wyss, S. 50–52. Tarot, fortlaufend im Text als Referenz, S. 21–201. Siehe Register.
[2] Renate Böschenstein: *Idylle.* Stuttgart 1967.
[3] *Ebd., S. 109 f.*

Wortes: Eine „Schilderung friedvoll bescheidenen ungetrübten Daseins harmlos empfindender Menschen und natürlichen alltäglichen Land- und Volkslebens."[4]

Beginnt man das Gedicht von diesen Gesichtspunkten aus zu lesen, so ergibt sich schon aus dem ersten Satz ein ironischer Überraschungseffekt: Das Vasenbild, das hier wie auch oft in der klassischen Idylle zum Vorwurf des Geschehens dient, enthüllt gar keine ungetrübt friedvolle Szene, sondern zeigt einen Zentauren mit einer verwundeten Frau.[5]

Auf die erstaunte Frage des Lesenden antwortet ein Neueinsatz: Die Beschreibung des Schauplatzes „im Böcklinschen Stil." (GLD 57) Nun scheint sich die vor den inneren Augen erscheinende Szene dem Vorstellungsbild der Idylle anzugleichen in der Beschreibung einer ländlichen Familie. Doch die typischen Rollen des Bildes sind vertauscht: In der Schillerverehrung des ausgehenden 19. Jahrhunderts durch pflichtschuldiges Auswendiglernen des *Lieds von der Glocke* geschult,[6] erwartet der Leser den Mann, zurückgekehrt vom „Hinausgehn ins feindliche Leben," ausruhend zuhause, umsorgt von der das Herdfeuer schürenden, tüchtig „schaltenden Hausfrau und Mutter der Kinder," die, sofern sie nicht arbeitet, zumindest „das Kind an der Brust hat," so wie sie Goethes *Wanderer*[7] vorfand. Doch man sieht den Mann an der Arbeit, als Schmied buchstäblich das Herdfeuer schürend, die Frau müßig mit den Augen in die Ferne schweifend und das Kind für sich allein spielend am Boden. So hat der Dichter in feiner Ironie schon auf den Hauptkonflikt des kleinen

[4] Gero von Wilpert: *Sachwörterbuch der Literatur*. Stuttgart 1964. S. 292.
[5] „Nach einem antiken Vasenbild: Zentaur mit einer verwundeten Frau am Rand eines Flusses". (GLD 57) In der Inselausgabe der *Kleinen Dramen* und in der Steinerschen Ausgabe ist diese Angabe durch besonderen Druck von der ihr folgenden Szenenbeschreibung unterschieden. So darf man wohl auf eine Betonung dieser Anfangszeilen im Manuskript des Dichters selbst schließen. Vergl. hierzu die Ausführungen über Sinn und Form am Ende des Kapitels.
[6] Die Interpretin hat sich als kleines Kind selbst davon überzeugt, als eine Verwandte, die der selben Generation wie Hofmannsthal angehörte und weder höhere Schulbildung noch literarische Neigungen hatte, ihr Schillers „Glocke" noch im Alter frei aus dem Gedächtnis rezitierte. Dieses barocke Anspielen auf den Gedächtnisschulkasten des Lesers und der Humor, der in ihm liegt, wird in der modernen Interpretation leicht übersehen.
[7] Paul Requardt hat in seiner Studie über Hugo von Hofmannsthal auf die Verbindung zu Goethes „Wanderer" hingewiesen, hat aber die Ironie, die sich in dieser Anspielung ausdrückt, nicht erfaßt: Hugo von Hofmannsthal. In: Otto Mann, Wolfgang Rothe: *Deutsche Literatur im 20. Jahrhundert*. Bd. 2, *Gestalten*. Bern 1967. S. 64.

Werkes hingewiesen, indem er wohl alle Requisiten des traditionellen „Idylls" versammelte, aber sie im „Lebenden Bild" so zusammenfügte, als hätten die Darsteller einen Fehler gemacht.[8]

Auf diese Weise hat der Dichter die häusliche Szene geradezu elektrisch geladen, und die so versammelte Spannung bricht sich Bahn im Dialog. Die Kritik des Mannes geht eben von diesem verletzten Ideal der Häuslichkeit aus und gibt in den scharf gezielten Adjektiven „sinnend," „feindselig" und „leise zuckend" seinen Gefühlen Raum.

Die Tiefe der Versunkenheit, in der die Frau untergetaucht ist, zeigt sich meisterhaft in ihrer Antwort: Sie scheint die spitzen Pfeile des ehelichen Angriffs kaum zu empfinden und antwortet nur auf die Frage selbst mit der Beschreibung der Vasenbilder ihres Vaters, des Töpfers, die sie in ihrer Schönheit mit sich fort ziehen, bis sie sich auf einmal der Gegenwart wieder bewußt wird und aus ihrem Traum erwachend ihre Fremdheit der Wirklichkeit ihres Lebens gegenüber empfindet. Als sie diese Gedanken ausdrückt, spricht aus dem Wort „Ausgeschlossene" deutlich der Schmerz über die Tatsache dieses Zustandes. (GLD 58)

Wenn man die Antwort ihres Mannes bedenkt, (GLD 58 f) so ist es erstaunlich, daß bisher keine der Interpretationen den Schmied anders als nur im positiven Licht des wackeren Tuns betrachtet hat. Die Hinweise Hofmannsthals auf sein kleines Werk, die wohl als Beweise für diese Bewertung gedient haben, wie z. B. seine Bemerkungen, die den Übergang von der „Präexistenz" in die „Existenz" betreffen und so von einem „Verschulden" der „Frau des Schmieds" sprechen, (A 216) erfassen nur einen der wichtigen Bedeutungsschwerpunkte des Dramas, weil sie die Verbindungslinien zu anderen Werken andeuten wollen. Doch sie entheben den Interpreten nicht der Mühe, von der Betrachtung des gesamten Werkes aus weitere Folgerungen zu ziehen, besonders, da der Begriff der „Praeexistenz" bei Hofmannsthal keine klar umrissene Bedeutung hat[9] und

---

[8] Es tritt also hier gedanklich schon das Bildfeld des Welttheaters in Erscheinung, das dann, in die Metaphern des Dialogs selbst eingefügt, im *Weissen Fächer* eine wesentliche Rolle spielen wird. In beiden Fällen wird ein Teil des Konflikts darauf zurückgeführt, daß der Spieler die ihm von der Gesellschaft zugewiesene Rolle nicht spielt, die „Stichworte" nicht spricht und selbst „improvisiert". Die Frage, ob die zugeteilte Rolle von gesellschaftlichen Schablonen geprägt oder eine vom göttlichen Meister bestimmte Stufe der „Ordo" ist, geht noch bis in die innersten Konflikte des *Grossen Welttheaters*.

[9] Die Aufzeichnungen des *Ad Me Ipsum*, in denen die Frau des Schmieds erwähnt wird, schließen sich alle an Reflektionen an, die Hofmannsthal anhand des Buchs *Der Garten der Erkenntnis* vornahm, in dem sein Freund Leopold von Andrian so treffend die menschlichen und künstlerischen Probleme seiner Zeitgenossen beschrieben hatte. Die zwei Seiten

der Dichter ihm verschiedene Schattierungen gibt, die erst aus der Gesamtsituation des jeweiligen Werkes erhellt werden müssen. Vor allem beweist die Andeutung, die sogar mit dem Zusatz „bedenklicher Zustand" die „Verschuldung" der Frau abmildert, noch nicht, daß der Schmied infolgedessen unschuldig ist.

Wohl ist er, wie die Interpreten betonen, dem praktischen Leben zugewandt und es ist wahr, daß ihre Kindheit keine gute Schule dafür war. Doch das Urteil des Schmieds zeigt in seiner schulmeisterlichen Härte zugleich seine Fühllosigkeit für die Natur seiner Frau.

In der Art, wie sie die Vasen beschreibt, lebt noch das Erinnern an einen warmherzigen, gütigen Vater, der, obwohl er Gegenstände des alltäglichen Gebrauchs schuf, doch ein echter Künstler war und dem Kind, das ihm bei der Arbeit zusah und seine Liebe zu den schönen Dingen ererbt hatte, die schmückenden Gestalten auf den Krügen und Vasen im Erzählen ihrer Schicksale lebendig machte.

Das rügt der Schmied, ihre Liebe zum Vater und sein Andenken verletzend, nun als Anleitung zum Müßiggang. Auch er lobt die Schönheit seiner Arbeit, doch seine Tüchtigkeit, nicht die Bewunderung des Erschaffenen, ist ihm das Wichtige daran, ein erster Hinweis darauf, daß er seinen Beruf als treuer Arbeiter, nicht als Künstler ausübt.[10]

Wenn daraufhin die Gatten ihr Verhältnis zur Flamme beschreiben, zeigt sich der Kontrast ihrer Persönlichkeiten und der Bruch, der sich durch ihre Ehe zieht: Sie sieht darin wechselvolle Berauschung, er Ungebändigtheit, die zur Unterwerfung aufruft. (GLD 597)

Sein Ideal der bürgerlichen Hausfrau ist ihm eisernes Gesetz, an dem er seine warme, schönheitsdurstige Frau mißt. Die Flammen seiner Schmie-

---

(A 213-215) kreisen um das Mühen des künstlerischen Menschen, ins Leben zu gelangen. Er faßt diese Situation im September 1928 rückblickend nochmals zusammen: „Das Hauptproblem dieser sehr merkwürdigen Epoche liegt darin, dass Poldi vollständig, (ich weniger vollständig, sondern ausweichend, indem ich eine Art Doppelleben führte) das Reale übersah: Er suchte das Wesen der Dinge zu spüren — das andere Gesicht der Dinge beachtete er nicht". (A 244) Es ist wesentlich, den bewußt beispielhaften Charakter dieser Darlegungen zu beachten.

[10] Das von oben her kommende Urteil, man könnte es fast ein „Abkanzeln" nennen, gleicht mehr der Rede eines Vaters an eine irrende Tochter als der eines Gatten. Vielleicht will der Dichter hier auf einen erheblichen Altersunterschied anspielen? Dann gehörte sie in die Reihe derer, die von den Eltern oder der Familie an einen weit älteren Mann verheiratet worden sind, ohne selbst gewählt zu haben und gesellte sich so zu Frauen wie Dianora und Sobeide, deren Schicksal gerade durch diesen Altersunterschied bestimmt wird. Die Möglichkeit, daß das Mädchen, das sehr mit dem Vater verbunden war und ihn früh verlor, in der Ehe eine Vaterbindung einging, ist ebenfalls denkbar.

de sind das einzige Feuer, das er bei sich duldet, und auch da nur, um es zu unterwerfen. Er hat seine Frau nie so völlig mit Liebe und Wärme erfüllt, daß ihr die Gegenwart mit ihm schöner und reicher wurde als die Gestalten auf den Vasen ihres Vaters, auch nicht in der Vereinigung, der das Kind entsprang. So ist sie die Fremde, Ausgeschlossene geblieben, die von Mysterien der Liebe auf Vasenbildern träumt, die der Schmied ihr in der Ehe nie erschloß. Er hungert nicht nach Erlebnissen und Abenteuern, sondern ist es zufrieden, daß die Geräte, die er geschaffen hat, mit denen, die sie gebrauchen, auf Erlebnisse und Abenteuer ausgehen. (GLD 59) Wohl hält er so die Welt umwunden, doch sie ist eine kleine, enge Welt.[11] Der feinfühlig differenzierten Beschreibung der Vasenbilder von Seiten der Frau antworten seine abgebrauchten Phrasen von „klirrendem Männerstreit" und „liederwerter Männlichkeit," und hinter dem griechischen Kostüm zeichnet der humorvolle Dichter treffend den Stammtisch mit Kriegsgeschichten, Jagdlatein und Männerchor.

Auf das Gespräch, das kein Mittel der Verständigung wurde, sondern die Kluft zwischen beiden nur noch stärker betonte, folgt die Regieanweisung „Pause." Der Dichter malt humorvoll eine Stille der Irritation, nicht die Schweigsamkeit zweier Menschen, die sich liebend so vertraut sind, daß eins mit dem andern allein sein kann.

Diese Pause unterbricht nun die Ankunft des Zentauren, des „Gottes und Tieres,"[12] eines, der den Speer führt, den der Schmied nur in Gedanken zum Kampf ausschickt. Der Schmied bekundet erneut sein völliges Unverständnis für die Natur seiner Frau, er sieht ihr Verlangen nur als Marotte an, die man mit ein paar Abenteurergeschichten wieder für eine Weile befriedigen kann. Indem er den Zentauren zum Erzählen auffordert, überantwortet er seine Frau selbst dessen Zauber und Magie. So kann man ihn wohl nicht, wie Tarot, als „Treuen" dem „ungetreuen" Zentauren entgegenstellen,[13] denn wahre eheliche Treue ist ja nicht Treue

[11] Das wird mit Recht von den Interpreten als weise Beschränkung ins Leben gesehen, doch ohne die ironische Betonung der ängstlichen Kleinlichkeit dieser Beschränkung kann der Schluß des Dramas nicht verstanden werden. Es ist bezeichnend, daß die Interpreten diesen Schluß, den Speerwurf des Schmieds, wohl erwähnen, aber nicht in die Gesamtdeutung des Werks einordnen. Daß diese Beschränkung des Schmieds keine Weisheit der Reife nach der jugendlichen Erfahrung des wirklichen Lebens ist, zeigt sich auch klar in Verbindung mit den späteren Werken, am schönsten in der Gestalt des Kapitäns aus *Cristinas Heimreise*, dem die Erfahrung der weiten Welt Verstehen für die menschlichen Schwächen gegeben hat.

[12] „Ein schöner Gott mir scheinend, wenn auch halb ein Tier". (GLD 59)

[13] „In Zentaur und Schmied treffen zwei Daseinsformen aufeinander, die einander ausschliessen wie Schamlosigkeit die Scham und Untreue die Treue". Tarot, S. 131.

zu einem Idealbild, sondern zur wirklichen Person des Andern, um deren Gefährdung man weiß, und die man nicht leichthin der Versuchung überläßt.[14]

Die symbolische Bedeutung des nun erfolgenden Kredenzen des Trunkes (GLD 60) wird von den Interpreten im Werk Hofmannsthals immer wieder betont. Die Beispiele ziehen sich durch seine Dichtung von der lyrischen Begegnung der *Beiden* bis zu den Spätwerken *Die ägyptische Helena* und *Arabella*.[15] Genau wie das Ideal der Ehe zeigt sich auch die symbolische Begegnung von Mann und Frau, die später untrennbare leibliche und seelische Gemeinschaft ausdrücken wird, zum ersten Mal in der Ironie: Die Frau des Schmieds reicht dem Zentauren den Becher der Erfrischung, und der erotische Unterton des Symbols des Trunkes wird humorvoll betont, indem die Frau nicht Wein, sondern sauren Most kredenzt, ein Zeichen dafür, daß man sich weder im kargen Haushalt des Schmieds, noch in seiner Ehe dem berauschenden Genuß überläßt.

Im Hinweis auf die „bessere Schale," „schön're Frau" und den „heißeren Saft" schwingt hinter der Koketterie das Verlangen und die Unerfülltheit der Frau. Ihr Aussehen wird nicht beschrieben, doch man ahnt, daß sie schön ist und daß der Mann die Bewunderung dieser Schönheit nie hatte lautwerden lassen. Er erscheint wie einer der Ehemänner, die nur zur Sprache bringen, was ihnen nicht paßt.

Die Erzählung des Zentauren, (GLD 60 f) die nach dem Willkommenstrunk beginnt, ist für den Verlauf des Geschehens nicht nur dadurch wesentlich, daß er von den Naturwesen erzählt, deren Ungebundenheit die Frau entzückt und den Mann wiederum zum warnenden Sittenredner macht, sondern auch, weil sie enthüllt, daß der Zentaur bisher das Getriebe der Menschen gescheut hat und ganz Naturwesen war. Er hat

---

[14] Das ist immer wieder im Werk ausgedrückt, in der Forderung an die Ehegatten, sich vom Idealbild ihrer Gattin zu lösen und zum wirklichen Menschen vorzudringen: Scherzhaft ironisch im Mann der Antoinette Hechingen im *Schwierigen*, tragisch im Mann der *Sobeide*, dem Färber in der *Frau ohne Schatten* und im Menelaus der *Ägyptischen Helena*. Dieser Vorgang der Desillusionierung findet sich auch bei weiblichen Gestalten, doch hier bedarf meist das Bild des Liebhabers der Zurechtrückung (vergl. hierzu das Schicksal der Sobeide und der Vittoria in den folgenden Kapiteln). Als Ehefrauen scheinen sie klar zu sehen.

[15] Eva-Maria Lenz gibt darüber auf S. 59 ihres Buches über die *Ägyptische Helena* eine kurze Übersicht. Treffend interpretiert sie den Becher als „Dingsymbol" der „Gemeinschaft": „Die Geliebte ist eigentlich der Becher, aus dem eigentlich nur Einer trinken dürfte". Die Ironie, die in der „Idylle" dem oberflächlichen Lesen noch verloren geht, wird dann im zweimaligen Kredenzen des Trunkes für Menelaus im Libretto des Spätwerkes bühnenwirksam fundiert: *Hugo von Hofmannsthals Mythologische Oper „Die ägyptische Helena".* Tübingen 1972.

seinem tierischen Teil nach gelebt, sich flüchtig mit Geistern der Natur gepaart. Doch wenn er auf die Frage der Frau hin berichtet, wie er dem Flötenspiel des Pan gelauscht hat, zeigt er im Sehnen nach Alleinheit, im vereinten Drang „von allem Tiefsten, was die Seele je durchbebte," das Verlangen dessen in ihm, das ein Menschenantlitz trägt. Nur wenn man auch den Zentauren als Wartenden und Verlangenden sieht und nicht nur seine tierische Seite betont, werden die Versuchung und der Entschluß der Frau in ihrer Tiefe erkenntlich.

In der Reaktion des Schmieds, „Verbotenes laß lieber unberedet sein" (GLD 61) zeigt sich genau wie am Anfang, als er auf das Geschick der Semele hinwies, (GLD 58) neben dem Entschluß zu nüchterner Begrenzung beinah ein Zug geheimer Furcht, ein zweiter Hinweis darauf, daß die Gestalt des Schmieds wohl nicht so ganz eindeutig „eins im Denken, Fühlen und Tun" ist, wie es zunächst erscheint.[16] Man glaubt zu erkennen, daß er um ein geheimes Etwas in der menschlichen Natur weiß, das auf dieses Erlebnis des Rausches und der Alleinheit hinzielt, und es entschlossen zurückdrängt.

In feinsinniger Art ist in der metaphorischen Gestaltung der Dreierkonfiguration thematisch wiederum das Problem der Ehe des Paares angedeutet: Der Zentaur erzählt.

> Und stampfte nachts das Heidekraut dahin im Duft
> Das hyazinthene Dunkel über mir. (GLD 61)

und daraus strömt der Frau die Wirklichkeit dessen, was sie zuvor in den Bildern der Vasen gesehen, aber nur im Traum erlebt hat, wo der

> . . . Purpurtraubensaft
> Aufsprühte unter der Mänade nacktem Fuß. (GLD 58)

Auch bei ihren zögernden Worten der Verabschiedung wird das Motiv wieder aufgenommen:

> Dich führt wohl nimmermehr der Weg hierher zurück
> Hinstampfend durch die hyazinthene Nacht, (GLD 63)

---

[16] Nehring, S. 31.

Annemarie Chelius-Göbbels hat mit Recht darauf hingewiesen, daß in *Idylle* schon die ersten Ansätze mittelbarer Darstellung gegeben werden,[17] wie schon die Interpretation des Szenenbildes am Anfang des Stückes zeigte. Hier erreicht Hofmannsthal nun in Adjektiven sehr geschickt sinnliche Eindrücke bei dem das Drama erlebenden Leser. Auf den Gegensatz des sauren Mosts und der süßen Trauben wurde schon hingewiesen, und gegen den betäubenden Duft — bewußt springt der „hyazinthene" Duft des „Heidekrauts" aus dem Bildbereich, um das Umnebeln der Sinne zu malen — stellt sich die Rede des Schmieds, in der er die Geliebte beschreibt, die das „kühle grüne Gras" betritt:

Und die Geliebte trats, da quollen duftend auf
Die Veilchen, schmiegend unter ihre Sohlen sich. (GLD 62)

Humorvoll ironisch zeigt sich hier, daß die Ehegatten nicht das Gegenüber, sondern ihr Idealbild geheiratet haben. Sie hat, wie Mörikes Mädchen vom machtvollen Schwingen und Klingen des Hammers bezaubert, hinter dem Sprühen der Flammen nicht den hausbackenen Banausen gesehen, der sich nicht für künstlerisches Schaffen begeistern kann. (Die Metapher von Flut und Wasserball weist bewußt ironisch auf die dem Dichter geweihten Zeilen aus Goethes Westöstlichem Divan.[18]) Der Schmied hat hinter dem in Träume verlorenen leidenschaftlichen Mädchen falscherweise die „sanfte holde Maid" erblickt, die nicht einmal das Gras zertritt und von den bescheidenen, leise duftenden Veilchen als Schwester begrüßt wird.

Hier gibt der junge Dichter erneut einen Hinweis darauf, daß das Lebensbild des Schmieds ebenfalls nicht in der Existenz gegründet ist, sondern daß jede seiner Regungen in eine von bürgerlichen Vorstellungen geprägte Schablone paßt: Von der schaukelnden Wiege über des Nachbars Baum bis hin zu den alten Eltern könnte man für jedes Bild ein Volkslied oder ein Sprichwort als Quelle finden. Genau so wie seine Vorstellung

[17] Annemarie Chelius-Göbbels: *Formen mittelbarer Darstellung im Werk Hugo von Hofmannsthals.* Meisenheim am Glan 1968. S. 73.
[18] „Schöpft des Dichters reine Hand,
     Wasser wird sich ballen".
Aus: „Lied und Gebärde", Hamburger Ausgabe. Hamburg 1949. Bd. II, S. 16. Paul Requardt weist auf diesen Bezug ebenfalls hin (S. 65), aber aus der genaueren Interpretation der Gestalt des Schmieds, die hier vorgenommen wird, scheint ersichtlich, daß Hofmannsthal bewußt mit der ironischen Bedeutung der Zeilen gespielt hat.

von der Hausfrau scheint auch die der „ersten Zeit der jungen Liebe" wie geprägt von Schillers zum Volksgut gewordenen *Lied von der Glocke*.[19] Damit ist die Gestalt des Schmieds treffend gezeichnet, doch wohl nicht ohne einen Zusatz der Ironie von Seiten des jugendlichen Dichters.

Wenn man das nun erfolgende Ausbrechen der Frau aus dem häuslichen Kreis einfach als Untreue und Abenteuerlust sieht,[20] wird man dem kleinen Drama nicht voll gerecht. Ehe und Haus haben ihr nie wirklich eine Heimat geboten, so wie sie die Idylle in Wahrheit beschreibt.[21] Ihr Mann ist ihr und sie ihm innerlich fremd geblieben. Das Kind, das für sich allein am Boden spielt, scheint das Zufallsprodukt einer solchen Gemeinschaft zu sein, oder dem Grund, daß zu einer gutbürgerlichen Ehe eben Kinder gehören, seine Existenz zu verdanken: Weder Vater noch Mutter schenken ihm ein besorgtes, zärtliches oder mahnendes Wort und nicht die kleinste, liebende Gebärde.[22] Es ist kein Bindeglied zwischen Mann und Frau geworden und hat seine Mutter nicht enger mit dem Leben verknüpft.

Man kann die rätselhafte Gestalt dieser Frau und Mutter nur richtig verstehen, wenn man etwas mehr über das nachdenkt, was schon einer der ersten Interpreten Hofmannsthals, Karl Naef, empfunden hat, der sie mit der Dianora zusammen als eine von denen sieht, die das Dasein „vielleicht am falschen Platz hat aufwachsen lasesen."[23] Damit ist richtig

[19] Grete Schaeder hat in ihrem Hinweis, der die „ethische Besinnung des Schmieds" dem Untermenschentum des Zentauren entgegenstellt, die feine Ironie des Dichters in der Charakterisierung des Ehemanns völlig übersehen. Grete Schaeder-Waranitsch: Hofmannsthals „Hochzeit der Sobeide", *Neue Schweizer Rundschau* 23, Nr. 5 (Mai 1930). S. 364.

[20] Nehring, S. 31: „Er rächt ihren Versuch, die Grenzen ihres Daseins zu sprengen und dem Zentauren in die Welt des Abenteuers zu folgen, mit dem tödlichen Speer". Wyss, S. 50: „Man hat es hier mit der ‚impressionistischen Untreue' zu tun, der Untreue aus ‚innerer Berechtigung', weil diese Frauen nun einmal . . . von jedem neuen Eindruck bestimmt werden". Jens, S. 28: „Dabei wird ersichtlich, daß Hofmannsthal die Frau offenbar als eine jener haltlos Untreuen aufgefasst haben will, denen der Übergang von der Präexistenz in die Existenz nicht gelungen ist".

[21] Deshalb kann die Idylle auch im Grunde nicht „aus ihrer eigenen Mitte tragisch zerstört werden", wie Renate Böschenstein es sieht, (S. 110) sondern der subtile Reiz des Werkes besteht darin, daß, wie von Anfang an bildlich angedeutet, ein innerlich morsches Gebilde bürgerlichen Lebens sein wahres Gesicht enthüllt. Das ist charakteristisch für Hofmannsthal, bei dem viele Werke „Enthüllungsvorgänge" darstellen.

[22] Man sollte die Dreierkonfiguration, die Requardt und Jens betonen, eigentlich zur Viererkonfiguration ausweiten, denn das nicht beachtete Kind, das bis zum ängstlichen Schreien des Schlusses völlig im Hintergrund der Handlung bleibt, gibt ein wichtiges Beispiel „mittelbarer Darstellung".

[23] Karl Naef: *Hugo von Hofmannsthals Wesen und Werk*. Zürich 1938. S. 65. Auch Esselborn sieht die meines Erachtens dringende Notwendigkeit, das psychologische Problem der Frau,

angedeutet, daß die Art, wie sie ihre Jugend verlebt hat, etwas mit ihrem Entschluß zu tun hat: Die Schönheit der Kunst, die ihr durch des Vaters Hand vermittelt wurde, hatte sie in ihrem ererbten Sensorium für das Schöne so stark in sich aufgenommen, daß ihr nie der kindliche Zustand der naiven, reflektionslosen Verwandtschaft mit allen Dingen der Natur zuteil wurde, der sonst dem Kind als Geschenk auf den Lebensweg gegeben wird und dessen schuldlose Unbegrenztheit für Hofmannsthal die Grundlage zur ethischen Grenzziehung des Erwachsenen in der „Existenz" bedeutet.

So ist sie in der Tat eine vom Leben Ausgeschlossene, wie sie es anfangs ausdrückte, denn in der Vereinigung mit ihrem Mann hat sie das Versäumte nie in allumfassender Liebe nachholen können, die sie zum täglichen Tun ihrer ehelichen und häuslichen Pflichten bereit gemacht hätte.

Im Zentauren aber kommt ihr nun ebenfalls ein Hungriger entgegen, auch ihm ist sie Ersehnte, denn nur ein menschliches Wesen kann dem Teil in ihm, der das Flötenspiel des Pan belauschte, wirklich „Gefährtin" sein. So ist auch sein Wort an sie, „verdammt von dir zu scheiden," (GLD 63) als er es ausspricht, wahrhaftig und nicht nur schmeichelhafte Verführungsrede. Doch das „Tier" in ihm deutet in tragischer Weise an, daß eine dauernde Gemeinschaft für ihn nicht möglich ist. So wurde die alte Sagengestalt des Zentauren vom Dichter treffend gewählt für das erste Erscheinen des Abenteurers, dessen Gestalt durch sein gesamtes Werk geht,[24] und der, gespalten in „Gott" und „Tier", erst in die Einheit und Verantwortung des wirklichen Menschseins finden muß.[25]

Indem sie nun, der Sehnsucht des Gottes antwortend, sich dem Tier preisgibt, will die Frau zum ersten Mal rauschhaft die Alleinheit erleben, die ihr das Kindsein versagt hat, doch durch die tragische Verspätung dieses Tuns wird sie zur selben Zeit schuldig. Sie wird sich zum ersten Mal selbst treu, findet in den Strom des Lebens, an dessen Rand sie seither zuschauend gestanden hatte, indem sie ihrem Mann die Treue bricht.

das mit ihrem Leben in der Praeexistenz verbunden ist, anhand des Textes genauer zu definieren: „Und diese tiefere, vorwegnehmende Ahnung eines ‚andern' Lebens liess sie zuletzt zur Fremden in der wirklichen Welt werden". Hofmannsthal und der antike Mythos. München, 1969. S. 86.

[24] Vergl. hierzu die im Vorwort erwähnten Arbeiten von Grether und Rey.

[25] Das Problem der gespaltenen Persönlichkeit ist besonders wesentlich im Romanfragment Andreas und lebt in engster Verwandtschaft mit der Figur des Zentauren weiter in der Helena des Librettos, das Nicht-in-der-Zeit-Stehen dieser Gestalten wird besonders betont durch die Überzeitlichkeit des „Gottes in ihnen".

In dieser Flucht des Zentauren mit der Frau, in der schillernden Ambivalenz ihres Zustandes, zeigen sich so, dem flüchtigen Lesen fast völlig verborgen, schon die Keime der wesentlichen Motive und Probleme des Spätwerks. Das Bild der Frau, die an den bronzenen Oberkörper des „Gottes" geklammert, auf dem Rücken des „Tieres" reitend in den Strom taucht, zeigt gleichsam visionär „formidable Einheit" von den Jugendjahren bis hin zur Helena.

Das ängstliche Schreien des verlassenen Kindes unterstreicht die Intensität des Dranges, dem die Frau folgte: Sie verleugnet darüber den mütterlichen Instinkt, der selbst bei den Geschöpfen der Natur dem Paarungstrieb an Stärke überlegen ist. Dieser Eindruck wird noch verstärkt durch ihre merkwürdig flüchtige Entgegnung: „Wie könnt ich Gatten, Haus und Kind verlassen hier?" (GLD 63) Die Sorge für das Kind steht am Schluß, noch hinter dem sicher nicht großen weltlichen Besitz. Der Dichter zeigt hier in feinfühliger Weise, daß das leibliche Mutterwerden die Frau des Schmieds keinesfalls wirklich zur Mutter gemacht hat,[26] wiederum ein Zeichen ihrer Trennung vom Leben.

So darf man dieses Motiv sicher als erstes Auftauchen des „Weinens" der Ungeborenen bezeichnen, die sich überall dort regen, wo ihnen durch Mangel an Gemeinschaft oder ihrer Zerstörung der Zutritt ins Leben verbaut wird, in das ironische Timbre des Stückes sehr gut eingefügt, weil ein schon Geborenes und nicht Aufgenommenes sich protestierend beklagt.[27]

Mit Recht ist auf die Verbindung des Schmieds mit der Gestalt des Färbers in der Frau ohne Schatten hingewiesen worden,[28] doch auch hier ist der Schwerpunkt ironisch verändert: Die einfache Rechtschaffenheit des Färbers hat beim Schmied der Idylle Züge kleinbürgerlichen, moralisierenden Banausentums. Das Richtschwert, das dem Färber aus der Höhe zukommt,[29] ist hier in tragisch ironischer Weise die Waffe des Zentauren (ein Spiel mit dem erotischem Symbol des Speers, das im Spät-

---

[26] Die der Frau des Schmieds thematisch verwandte Gestalt des Kaisers in Kaiser und Hexe, der wohl Kinder hat, aber kein wirklicher Vater ist, zeigt die weiterführende Variation dieses Motivs.
[27] Wesentlich ist dieses Motiv dann in Märchen und Libretto der Frau ohne Schatten.
[28] Jens, S. 29.
[29] Vergl. Hofmannsthals zusammenfassende Inhaltsangabe des Librettos. (DII 493)

werk *Die ägyptische Helena* wieder verwandt werden wird[30]. Tragisch, weil in der Paarung des Menschen mit der Wildheit des Tiers die Frau zerstört werden wird, wie auch der Kult des Dionysos, des Gottes rauschhafter Vereinigung, ein todbringender ist; ironisch aber, weil der Gatte als vermeintlicher Richter zum ersten Mal Jäger wird, die Waffe braucht, die er vorher nur mit anderen auf den Weg schickte.

Das wird im Text selbst zugrunde gelegt: Als er von seiner Arbeit erzählt, erwähnt er die Spitze der von ihm geschmiedeten Waffe:

Wo zwischen stillen Stämmen nach dem scheuen Wild
Der Pfeil hinschwirrt und tödlich in den Nacken schlägt. (GLD 59)

Das Motiv wird wieder aufgenommen in der epischen Beschreibung des Schlusses, als er den Speer schleudert,

der mit zitterndem Schaft einen Augenblick
im Rücken der Frau steckenbleibt.[31] (GLD 64)

Auch der Schmied wird, als er zum ersten Mal aus der von Tradition geprägten Tat zur Tat gelangt, die eigenes Wollen lenkte, in der Bildersprache des Dichters ein Schuldiger. Wohl verzieh ihm die bürgerliche Ordnung, der er unterstand, das Rächen der verletzten häuslichen Ehre. Doch die Fliehende hatte sich ja noch nicht des eigentlichen Ehebruchs schuldig gemacht, und er gab der im Affekt Handelnden keine Möglichkeit zur Besinnung und Umkehr.

Das ist wieder ein Zeichen dafür, daß er nicht als Kontrastfigur der Lebensverbundenheit, sondern ironisch ebenfalls als geheimer Flüchtling des Lebens gezeichnet worden ist. Im späteren Werk werden gerade die

---

[30] Lenz verfolgt die Motive des Jagens und Gejagtwerdens, verbunden mit der Bedeutung von Schwert, Speer u. Pfeil des Jägers (S. 89 ff). Wichtig ist in diesem Zusammenhang auch die Gestalt des Heiligen Sebastian, der die Pfeile nicht aussendet, sondern sich selbst zum Opfer darbietet (S. 71).

[31] Daß hier ein bewußtes Spiel mit dem Bild bezweckt war, scheint durch einen Hinweis von Lenz bestätigt, die in anderem Zusammenhang (S. 21) eine ins vollendete Libretto der *Ägyptischen Helena* nicht aufgenommene Stelle aus einem bis jetzt unveröffentlichten Manuskript für Carl Burckhardt zitiert. Sie motiviert, wie Menelaus, von Helena und seiner Liebe zu ihr aufs Neue überwältigt, die Treulose während des Schiffbruchs nicht getötet, sondern mit dem Todesschwert in der Hand gerettet hat:

Deine Schulter / über den Wellen / glänzte wie der junge Mond / Wie ein Betörter / Ich Verstörter / habe deiner aufs neue geschont!

starken, einfachen Männer, der Kapitän aus *Cristinas Heimreise* und der Gärtner der *Sobeide* ihre wahre Lebensverbundenheit dadurch bekunden, daß sie der Frau erbarmend den Weg zur Rückkehr offenhalten.

So haben sich nun auch beim Schmied gerade *die* Impulse Bahn gebrochen, die er zuvor sorgfältig aus seinem Leben verbannt hatte, weil sie zum Geheimen, Gefährlichen des Daseins hindrängten. Der bürgerliche Zuschauer hat sich tragisch-ironisch selbst zur Schar der todbringenden Mänaden gesellt, weil sich die geheimnisvollen Kräfte auf die Dauer nicht verleugnen ließen.

Im Bogen der vollendeten Dichtung wird auch dieses Motiv wieder aufgenommen im Ruf des Wahnsinnigen des *Kleinen Welttheaters*, der sich leise spottend zu Arzt und Diener wendet, die ihn vom Sprung in die Fluten zurückhalten wollen:

> Bacchus, Bacchus, auch dich fing einer ein
> Und band dich fest, doch nicht für lange! (GLD 316)

Ein weiteres ironisches Seitenlicht zum Verhalten des Schmieds bietet das des Zentauren: Das Vasenbild des Eingangs, „Zentaur mit verwundeter Frau am Rand eines Flusses," (GLD 57) deutet darauf hin, und der Dichter greift das Motiv in der epischen Schilderung des Schlusses wieder auf: Die getroffene Frau schreit auf und stürzt rücklings ins Wasser. „Der Zentaur fängt die Sterbende in seinen Armen auf und trägt sie hocherhoben stromabwärts, dem andern Ufer zuschwimmend." (GLD 64) Die zu Tode Getroffene kann dem Verführer nicht in den dionysischen Rausch der Vereinigung folgen, nach dem sie sich beide sehnten. Doch er überläßt sie nun nicht in der Geste des Abenteurers, für den diese Episode seines Lebens erfolglos verlaufen ist, den Fluten des Stroms, sondern wird wirklich „Gefährte," fängt sie in seinen Armen auf und umgibt sie in den letzten Augenblicken ihres Lebens mit seiner Fürsorge.

Während also der bisherige Vertreter der Beharrung und Zucht sich seinen Instinkten überläßt, wird der dem Unsteten des Lebens hingegebene Abenteurer geadelt durch einen Augenblick uneigennütziger Hingabe und Treue.

Die tragische Ambivalenz im Schicksal der unglücklich-glücklichen, ungetreuen-treuen Frau des Schmieds fand so ihr leis ironisches Echo im Dasein der zwei Männer, die sie umgaben, des Schmieds und des Zentauren.

Walter Jens hat in der Einleitung zum Abschnitt „Idylle" seines Buchs *Hofmannsthal und die Griechen* darauf hingewiesen, wie ungerecht es ist, Hofmannsthal als Plagiator und Verfälscher der Antike anzusehen.[32] Zum Zurückweisen dieser Angriffe hätte er aber eben die genauere Interpretation von Text und Metaphern des kleinen Werkes heranziehen können, in dem der Dichter sehr geschickt überzeitliche eheliche Probleme im antiken Gewand darstellt und im leis ironischen Timbre dieser Imitatio zeigt, daß er sich nicht einfach dem Dionysoskult der Nietzschenachfolge seiner Zeitgenossen ergibt, sondern schon selbst wertet und urteilt.[33]

Verschiedene der Interpreten haben die Verbindung des kleinen Dramas mit anderen Werken der Frühzeit betont: Rolf Tarot interpretiert *Idylle* im Zusammenhang mit dem Problem von Kunst und Leben, das Hofmannsthal in der Entstehungszeit stark beschäftigte, indem er das Werk mit dem Essay *Gerechtigkeit* verknüpft.[34] Seine Arbeit versäumt es aber im Fall der *Idylle*, das kleine dramatische Gedicht zuvor in der Gesamtheit seiner Handlung und den sie malenden metaphorischen Bezügen genauer zu betrachten.

Wertvoll erscheinen die Hinweise von Hilde Cohn und Penrith Goff,[35] die beide in ihren Arbeiten ebenfalls die Zusammenhänge der Frühwerke und Essays in der Betrachtung der Probleme des Künstlertums besprechen und auf die im gleichen Jahr 1893 mit der *Idylle* erschienen Artikel über Gabriele D'Annunzio und Algernon Charles Swinburne hinweisen.[36]

Es handelt sich darum, daß der Dichter erst dann wirklich sein Amt verwalten kann, wenn er „ins Leben gelangt" ist, daß er aber dann für seine Mitmenschen den Dingen der Natur „ihre Namen gibt." Damit wendet sich Hofmannsthal als echter Jünger Goethes zu gleicher Zeit gegen den Ästhetizismus und den Naturalismus seiner Zeitgenossen, weil er im Gegensatz zum Ästhetizismus den Nachdruck auf die existenziellen

---

[32] Jens, S. 25 ff.

[33] Als erster hat Alewyn in seinem Aufsatz über *Tor und Tod*, der erstmals 1944 in den *Monatsheften für Deutschunterricht* erschien, auf die Bedeutung des Dionysischen für Hofmannsthal hingewiesen. Alewyn, S. 75 ff.

[34] Tarot, S. 127 ff.

[35] Hilde Cohn: Die frühen Essays des jungen Hofmannsthal. PMLA LXIII (1948). S. 1294–1313. Penrith Goff: Poetry and Life in the early criticism of Hugo von Hofmannsthal. In: Germaine Brée a. o.: *Literature and Society*. Lincoln 1964. pp. 213–226.

[36] Vergl. *Prosa I*, Bibliographie, S. 464.

Grundlagen der Kunst legt, aber dann dieses vom Dichter erlebte Leben nicht photographisch, sondern visionell geschildert haben will.

Davon spricht auch das Werk *Idylle*, in dem die Frau, die das Leben nur aus der Beschreibung der Kunst gekannt hatte, schuldhaft in den Strom des Lebens taucht, das sie, wie Hofmannsthal in seinen Aufzeichnungen sagt, „nicht vom vitalen Urgrund des Erlebnisses her" geführt hat. (A 241) Man sieht übrigens auch von dieser Auffassung her, daß es falsch ist, ihre Gestalt einfach vom Moralischen her als „treulos" zu interpretieren, weil, wie Hofmannsthal sehr feinsinnig darlegt, mit ihrer mangelnden Einsicht ins Leben auch Blindheit für seine moralischen Maßstäbe verbunden war.[37]

Trotz dieser inneren Verwandtschaft der Probleme der Frau mit denen der dichterischen Existenz ist es sicher verfehlt, diese Figur einfach als „Verkörperung des Dichters selbst" anzusehen. In ihr ist nur ein problematischer Zug der Menschen beschrieben, die ein besonders starkes Sensorium für das Schöne haben und so zum Künstlertum prädestiniert sind. Zugleich sieht Hofmannsthal klar, daß sie, die häufig nicht wirklich im Leben stehen, im verspäteten Versuch, diesen Schritt nachzuholen, oft tragischerweise am Nächsten und der Gesellschaft, die ihren Drang nicht versteht, schuldig werden müssen.

Das Motiv des künstlerischen Schaffens aus der so erreichten Fülle des Lebens heraus ist in der *Idylle* nur ironisch berührt durch das ablehnende Wort des Schmieds, das metaphorisch auf Goethe weist, wird aber dann im *Kleinen Welttheater* in den Worten des Wahnsinnigen, Schuld und Schönheit verbindend, seine Ausprägung finden:

> ...ich, im Wirbel mitten
> Reiß alles hinter mir, doch alles bleibt
> Und alles schwebt, so wie es muß und darf! (GLD 316)

In der humorvollen Art seiner Jugendjahre hat aber Hofmannsthal auch dieses wesentliche Problem seines Künstlertums, das Verlangen, wirklich ins Leben zu kommen, nochmals ironisch berührt, indem er so elegant mit der Form seiner Dichtung spielt, daß man an Brentano erinnert wird.

---

[37] „Gut und Böse hat keine Gewalt: Ich glaube sie nicht, weil ich sie nicht vom vitalen Urgrund des Erlebnisses her empfangen habe". (A 241)

In seinem Essay über Swinburne, beschreibt Hofmannsthal den berühmten Zeitgenossen und seine literarischen Gefährten, die „nicht von
der Natur zur Kunst" gehen, „sondern umgekehrt." (PI 99) Als Beispiel
dient ihm das 1865 erschienene lyrische Drama Swinburnes *Atalanta in
Kalydon:*

> Es war eine tadellose antike Amphore, gefüllt mit der flüssigen Glut
> eines höchst lebendigen, fast bacchantischen Naturempfindens. Nicht
> das zur beherrschten Klarheit und tanzenden Grazie emporerzogene
> Griechentum atmete darin, sondern das orphisch ursprüngliche lei-
> denschaftlich umwölkte. Wie Mänaden liefen die Leidenschaften mit
> nackten Füßen und offenem Haar ... Im Kybelekult flossen die Schau-
> er des reifsten Lebens und des Todes zusammen und Dionysos fuhr,
> ein lachender und tödlicher Gott, durch die unheimlich lebendige
> Welt. (PI 102 f)

Er faßt dann später diesen Kunsteindruck nochmals zusammen:

> Es ist der raffinierte, unvergleichliche Reiz dieser Technik, daß sie
> uns unaufhörlich die Erinnerung an Kunstwerke weckt und daß
> ihr rohes Material schon stilisierte, kunstverklärte Schönheit ist.[38]
> (PI 103)

Beide Hinweise, Beschreibung und Reflektion über den künstlerischen
Stil, zeigen sich nun in seinem Spiel mit der Form der *Idylle.* In einem
Stück, dessen Inhalt sich mit dem Problem einer Künstlerstochter beschäftigt, die das Leben nur aus Vasenbildern kannte, geht Hofmannsthal
elbst von der ausdeutenden Beschreibung eines Vasenbildes aus, benützt
abei, wie Böschenstein herausstellte, eine traditionelle Form und gesellt
ch scherzhaft mit zur Schar der Ästheten.
    Die Beschreibung des Schauplatzes „im Stil" des verehrten zeitgenös-
sischen Malers Böcklin verstärkt diesen Hinweis, besonders wenn man

---

[38] Es ergibt sich aus diesen Zusammenhängen, daß Klaus Günther Just nicht scharf genug
eobachtet hat, wenn er in Hofmannsthals Essay nur Bewunderung für Swinburne entdeckt:
ormen der Rezeption. Algernon Charles Swinburne und die deutsche Literatur der Jahrhundertwende. In: K. G. Just: *Übergänge, Probleme und Gestalten der Literatur.* Bern u. München
966. S. 214.

weiß, daß es tatsächlich ein Bild des Malers gab, das den Zentauren in der Dorfschmiede darstellte.[39]

Das Spiel mit Sinn und Form im warmherzigen Verstehen menschlicher Gegebenheiten, verbunden mit scharfsinnig selbstverspottender Einsicht in die künstlerischen Probleme fremder und eigener Existenz, sollte denen, die Hofmannsthal mit den Worten des ebenfalls mißverstandenen *Anatolprologs*[40] vorschnell den Müden und Traurigen zugesellen, mehr als deutlich sagen, wes Geistes Kind er war.

*Ergebnis und Ausblick*

Im Bild einer häuslichen Idylle, die in Wirklichkeit keine war, enthüllte der junge Hofmannsthal zugleich die Morschheit der gut bürgerlichen Fassade seiner Zeit: Der Mann hat in engstirniger Traditionsgebundenheit keine Toleranz und Weltweite, und so charakterisiert er zugleich die Haltung weiter Kreise der Gesellschaft zur Lebenszeit des Dichters selbst.

Die metaphorischen Bezüge der Reden des Schmieds und die epische Erzählung des Endes deuten darauf hin, daß der Dichter in der Gestalt des Schmieds nicht einfach Tüchtigkeit und Treue malen wollte, er zeichnete ironisch das scheinbar „auf dem Boden der Wirklichkeit" stehende Bürgertum, das sich den „weltfernen Ästheten" entgegenstellte, aber in Wahrheit auch nicht wirklich im Leben stand, sondern in seiner der Schablone verhafteten Existenz ihm in geheimer, anderer Art ebenfalls fremd blieb.

In der weiblichen Hauptgestalt wird sich zugleich die Frau ihrer selbst bewußt und beginnt ihr ungelebtes Leben zu beklagen. Am Ende des 19. Jahrhunderts wird so ein Problem aufgezeigt, das dann im kommenden zur Krise für Ehe und Familie führen wird.

---

[39] Vergl. den Artikel von Hans Hinterhäuser: Zentauren in der Dichtung des Fin de Siècle. *Arcadia* 4 (1969). S. 66–86, der auf S. 70 Hofmannsthals *Idylle* und den Einfluß Böcklins erwähnt.

[40]    Also spielen wir Theater,
     Spielen unsere eigenen Stücke
     Frühgereift und zart und traurig
     Die Komödie unserer Seele. (GLD 44)
Gerade die Interpretation des *gesamten* Prologs zeigt deutlich die Intention, sich ironisch selbstverspottend mit den Worten der Wiener Kritik zu umgeben und ist völlig im Einklang mit dem, was die genauere Interpretation der *Idylle* erarbeitete.

44

Der Dichter steht also, trotzdem er sein kleines Werk ironisch ins Gewand der antiken Mythologie gekleidet hat, ganz in der dichterischen Tradition der Avantgarde. Man sieht den Zusammenhang des Werks mit der Ibsenbegeisterung des Wiener Kreises, die durch das Gastspiel der Duse in Ibsens *Nora* im Jahr 1892 neu entfacht worden war.

Eine starke innere Verwandtschaft zeigt sich auch zwischen der *Idylle* und dem Drama *Paracelsus* von Hofmannsthals Freund Arthur Schnitzler. Dort wird ebenfalls der fragwürdige Hintergrund einer gutbürgerlichen Ehe enthüllt.

Die genauere Interpretation der Motive und der sie ausmalenden Bilder bestätigte an allen wichtigen Punkte des Dramas die „formidable Einheit des Werks." Der Aspekt der Konfession wird ironisch im Spiel mit der Form betont. Die klare Sicht der Problematik künstlerischen Schaffens, die sich in dieser Ironie ausdrückt, steht im Gegensatz zum Ästhetizismus der Zeitgenossen. Daß er sich über diese Versuchung klar ist, ihr bewußt widersteht und zugleich die Gefährlichkeit der Auseinandersetzung voll erkennt, beweist seine künstlerische Gestaltung des Schicksals und des Todes der Frau des Schmieds.

Faszination der schönen Dinge, Drang ins Leben und Furcht vor den Folgen der Entscheidung kämpfen miteinander. Der Schritt hinüber ist gedanklich vollzogen, zu leisten bleibt die Verwirklichung in der Existenz.

## IV. DIE FRAU IM FENSTER

*Zur Problemstellung*

Zwischen 1893, dem Entstehungsjahr der *Idylle,* und dem Neueinsatz des dramatischen Schaffens im Sommer 1897 liegen vier bedeutungsvolle Jahre[1] im Leben des jungen Hofmannsthal, in denen er auch die meisten seiner Gedichte schrieb.

Peter Szondi hat im Rahmen einer kleinen Studie[2] das im Jahr 1896 erschienene Gedicht „Dein Antlitz war mit Träumen ganz beladen" einer Untersuchung unterzogen und es treffend als „Ausbrechen aus dem ästhetischen Bannkreis" charakterisiert.[3] Seine Forschung scheint darauf hinzuweisen, daß man, sofern man überhaupt von einer entscheidenden Wendung in Hofmannsthals Schaffen sprechen will, diese Wandlung nicht in der „Chandoskrise," sondern in der inneren Entwicklung der Jahre zwischen 1893 und 1897 sehen sollte. Während dieser Zeit scheint der Dichter jenen Schritt getan zu haben, von dem die letzten Worte des vorhergehenden Kapitels sprachen.

Dianora, die Frau im Fenster, nimmt die wesentlichen Motive der *Idylle* wieder auf, doch ihre Gestalt gibt zugleich die Kunde einer existenziellen Wandlung. Sie soll nun in einer Interpretation der Eheproblematik und der sie begleitenden Bilder verdeutlicht werden.

[1] Vergl. Günther Erken: Hofmannsthal-Chronik. Beitrag zu einer Biographie. In: *Literaturwissenschaftliches Jahrbuch* III (1962). S. 239–313. Die Jahre 1894–1897 sind auf S. 250–256 behandelt. 1894 brachte neben der Übersetzungsarbeit der *Alkestis* sein erstes juristisches Staatsexamen und die Krankheit und den Tod der von ihm sehr verehrten alten Freundin Frau von Wertheimstein. Am 1. Oktober beginnt er sein Freiwilligenjahr bei den Dragonern. In das Dienstjahr fällt die Arbeit am *Märchen der 672. Nacht,* und die bedeutenden Gedichte „Traum von grosser Magie", „Ballade des äußeren Lebens", „Terzinen II–IV" werden bekannt. Das Jahr 1896 bringt neben weiteren Prosaarbeiten den Druck der Gedichte „Lebenslied", „Die Beiden" und „Unendliche Zeit". Waffenübungen in Galizien bringen ihn in enge Verbindung mit den abstoßenden Seiten des Lebens. Während dieses Jahres schreibt er in einem Brief an Andrian den bedeutungsvollen Satz: „Ich glaube, das schöne Leben verarmt einen". (BI 185)
[2] Peter Szondi: Lyrik und lyrische Dramatik in Hofmannsthals Frühwerk. In: *Satz und Gegensatz.* Frankfurt 1964. S. 58–70.
[3] Ebd. S. 65.

46

Das Problem der Frau, die aus einer unerfüllten Ehe ausbricht, wurde in *Idylle* bis zum Punkt dieses Ausbrechens geführt. Der Augenblick der eigentlichen Liebeserfüllung blieb ihr versagt. Der Tod aus der Hand des rächenden Gatten ereilte sie auf der Flucht. Nur die Sprache der Bilder, die in der Interpretation verdeutlicht wurde, ließ erahnen, daß sie noch im Tod die Fülle des Lebens erfuhr, dem sie zuvor fremd gegenübergestanden war.

Das Drama *Die Frau im Fenster,* in drei Tagen, vom 24. bis 27. August 1897 in Varese, Oberitalien, während der schöpferisch reichsten Zeit des Dichters entstanden, nimmt das Problem wieder auf. Auch dieses Drama endet mit dem Tod der Frau von der Hand des Gatten. Doch es beschert ihr zuvor einige Wochen heimlicher Vereinigung mit dem Geliebten.

Der Schauplatz wird von der Antike in die Renaissance verlegt, das dörfliche Paar verwandelt sich in ein hochgestelltes. Die Gestalt und das Schicksal Dianoras sind einem Drama Gabriele D'Annunzios entnommen,[4] ihre Herkunft, die Hofmannsthal dazuhin erwähnt, fügt seine Reiseerlebnisse des Sommers in sein Drama ein: Am 24. August besichtigte er in Bergamo die Kapelle, „in welcher der berühmte und große Söldnerkapitän Bartholomäus Colleoni, seine Tochter Medea und ihr zahmer Sperling begraben liegen."[5] Sie werden als Vater und Schwester Dianoras im Dialog erwähnt. (DI 75, 76)

Aus dem Inhalt des Dramas ergibt sich, daß Dianora ein Kind alter Eltern war. Die Erinnerung an die Mutter, die früh starb, schließt keine zärtliche Gebärde, kein über das Kind gebeugtes Gesicht ein, nur eine welke Hand in einem dunklen Krankenzimmer. Die Gestalt des Vaters verbindet ihr Alter und Müdigkeit mit der blitzhaft erfaßten Schönheit seiner Rüstung, die der Schwester Medea Flüchtigkeit und Lebensferne. (DI 76)

Die Ehe der Fünfzehnjährigen wurde wohl aus politischen Gründen geschlossen: In Dianoras Bericht von den Vettern und Verwandten, die sie als Tochter eines Mächtigen gleichsam als kostbar geschmücktes Pfand

---

[4] Als Vorwurf dient, wie das Motto zeigt, das Drama Gabriele D'Annunzios: *Sogno d'un mattino di primavera.*

[5] Den Reisebericht gibt er in einem Essay, „Die Rede Gabriele D'Annunzios". Der italienische Dichter hatte damals politische Ambitionen. (PI 288–299) Der Besuch in Bergamo ist auf S. 289 erwähnt.

der Verbindung ins Haus eines anderen großen Herrn überführten, weist der Dichter darauf hin, daß ihr in der Wahl des Ehegatten wohl keinerlei Einspruch zugestanden worden war. (DI 77)

Aus der Kindheit des Gatten berichtet das Drama keine Episoden. Braccios politische Macht zeigt sich darin, daß er es anscheinend wagen durfte, den Gesandten der mächtigen Stadt Como schimpflich zu verhöhnen und grausam zu töten, ohne deshalb in einen Rachefeldzug verwickelt zu werden. (DI 67 ff) Diese Stellung brauchte sicher einige Jahre der Befestigung, nachdem Braccio Haupt der Familie geworden war, so stand er wohl im besten oder reifen Mannesalter. Die Gestalt des Bruders Silvio, der als jüngerer von beiden die grausamen Taten Braccios bewundernd bejaht, deutet ebenfalls auf diese Tatsache hin. (DI 68, 79) Dianora ist also wohl zehn bis fünfzehn Jahre jünger als ihr Mann.

In den fünf Jahren, die Dianora mit Braccio verheiratet war,[6] hat sie ihm kein Kind geboren, wie sie in dem Gebet für die Ihren erwähnt, das sie in der Todesstunde spricht. (DII 76 f) Es wird sonst weder von ihr, noch von Braccio oder der Amme darauf hingewiesen, daß sie kein Kind hat, seine Abwesenheit wird nicht beklagt, keine Sehnsucht nach ihm wird ausgesprochen. Das ist seltsam, denn die Verbindung der Familien wurde gerade im Erben, in der Vereinigung beider Linien, besiegelt.

Im Alter von zwanzig Jahren verliebt sich nun die Frau bei einem Hochzeitsmahl in einen der Gäste, Palla degli Albizzi. (DI 79 f) Sie trifft sich zwölf Wochen lang heimlich mit Palla, der in den dunklen, mondlosen Nächten auf ihr Zimmer kommt. Dann wird sie von Braccio überrascht, als sie die Strickleiter für den Liebhaber aus dem Fenster hängt und wird zur Strafe für ihren Ehebruch mit derselben Strickleiter erdrosselt.

Hofmannsthal verlegt den Einsatz des Dramas auf den späten Nachmittag von Dianoras letztem Lebenstag. Die Erzählung der Vorgeschichte, sofern sie nicht aus Dianoras Monolog selbst hervorgeht, wird in zwei retardierenden Szenen in das Geschehen eingebaut: Von der machtvollen Stellung und grausamen Gestalt ihres Gatten und der Begegnung mit Palla berichtet Dianoras Gespräch mit ihrer Amme, (DI 62-69) die Geschichte ihrer Kindheit und einige bedeutsame Anekdoten aus ihrer Ehe und der Zeit mit Palla erfährt man während ihrer Konfrontation mit Braccio.

---

[6] (DI 74) Braccio: „fünfzehn und fünf. Du bist zwanzig Jahre alt".

Das Drama erhält so völlig andere formale und thematische Schwer-punkte als das der kleinen *Idylle*, in der die Frau des Schmieds gleich am Anfang aus ihrer Kindheit erzählt und betont, daß sie von der Fülle des Lebens ausgeschlossen ist. Keine Szene zeigt sie allein im Selbst-gespräch, das dem Leser-Zuschauer Gedanken enthüllen kann, die man mit anderen nicht austauscht. In der *Frau im Fenster* aber zeigt Dianora, während sie Palla erwartet, im lyrischen Monolog, der den größten Teil des Dramas ausfüllt, die geheimsten Tiefen ihrer Seele. Ihr Geliebter Palla tritt nicht auf, seine Gestalt wird dem Zuschauer, abgesehen von ein paar kurzen Bemerkungen der Amme, nur von Dianora in der Schilderung ihrer Begegnung vermittelt. In der Unterredung mit Braccio weiß sie sich von Anfang an dem Tod verfallen und zeigt hier ebenfalls mehr von ihrer eigenen Natur, als es in einem alltäglichen Gespräch der Fall gewesen wäre. Der schweigsame Gatte unterbricht sie nur mit wenigen Worten, so erscheint auch diese Begegnung zunächst fast wie ein Monolog. Das in der Mitte des Dramas stehende Gespräch mit der Amme hat denselben Charakter: Durch Dianoras völlige Versunkenheit und ihr Erfülltsein von ihrem Liebeserlebnis und der Person Pallas werden die Worte der Amme, selbst die in ihnen gegebenen Warnungen, gleichsam nur als „Stichworte" in die Gedankenassoziationen der Dianora eingebaut.

Es ist darum nicht erstaunlich, daß das Drama zuerst *Donna Dianora* genannt wurde.[7] Schon im Motto aus dem Drama D'Annunzios, „kennst du die Geschichte von Donna Dianora..." (DI 55) klingt die balladesk süße Traurigkeit ihrer Geschichte an. Dieser Punkt wird unterstrichen durch den Prolog, in dem Hofmannsthal die Entstehung des Dramas beschreibt. Er war von ihrer Gestalt so angezogen, daß er ihr Wesen bis in seine Tiefen ergründen wollte, ja, es gleichsam in sein eigenes Leben aufnahm:

> Dies Fühlen, das mir ihren jungen Leib
> In mich hinein so legte wie in eine
> Bewußte fühlende belebte Gruft, (GLD 135)

Aus diesem Grund hat sich auch in der Interpretation das Hauptinteresse auf die Gestalt der Frau gelegt. In jüngster Zeit hat Gerhart Pickerodt

---

[7] (BI 236) Der erste Titel hieß: „Donna Dianora, eine Ballade dramatisiert".

dem Drama seine Aufmerksamkeit zugewandt und es einer genaueren Analyse unterzogen.[8] Daß seine in weiten Teilen sehr feinsinnigen Auslegungen, von deren Wiederholung diese Arbeit deshalb absieht, doch die eigentlichen Tiefen des Dramas nicht erfaßten, liegt wohl an seiner Arbeitsmethode, die er im ersten Abschnitt seines Buches darlegt.[9]

Pickerodt scheint aber dieser Methode selbst untreu zu werden, wenn er beobachtet, wie sich die Sprache Dianoras im Lauf des Dramas verändert und deshalb eine formale dramatische Desillusionierung lyrischer Sprache entdecken will.[10] Er hat in seiner gründlichen Analyse ganz richtig die Zerstörung einer Illusion entdeckt, doch erst die genauere Beobachtung der Bilder hätte ihm Aufschluß darüber geben können, was diese Enttäuschung mit dem Gesamtgeschehen des Dramas zu tun hat. In ihr enthüllt sich am Schicksal der Hauptgestalt die tiefste Botschaft des Dramas, die nun anhand einiger wesentlicher Motive und Bilder verdeutlicht werden soll.[11]

[8] Pickerodt, S. 58–73. Er hat allerdings mehrere vorausgehende Arbeiten unerwähnt gelassen, die mithalfen, die Interpretation des Dramas zu erschließen. Im Literaturverzeichnis nicht berücksichtigt sind Emil Sulger-Gebing (*Hugo von Hofmannsthal, eine literarwissenschaftliche Studie.* Breslau 1905), der S. 35–39 schon den Hintergrund der Renaissance und die Verbindung mit D'Annunzio betonte. Grete Schaeder (*Die Gestalten.* Berlin 1933. S. 42 ff.) und Wyss, (S. 72 ff), die den Zusammenhang mit dem Dionysischen hervorhoben, sowie Naef, der sie in seinem Kapitel „Lebenstüchtige und Todeseroten" in den inneren Zusammenhang des Frühwerks stellt. Im Literaturverzeichnis erwähnt, aber im Text nicht berücksichtigt sind die wichtigen Beiträge von Nehring (besonders die Gestalt des Braccio, S. 107 f) und Rey (Motiv des Abends, siehe im Folgenden).

[9] Pickerodt, S. 9–13. Siehe bes. S. 10 f. Es scheint mir fragwürdig, ob diese philosophisch begründete „offene Analyse" im dichterischen Werk Hofmannsthals erfolgreich angewendet werden kann, denn es lebt als Spätling barocker und Erstling moderner Dichtung aus der Assoziation der Bilder und Motive, die sich in Echo und Variation in der Tiefe des dramatischen Geschehens verknüpfen und die durch ihre Bezüge im vollendeten Werk weitere aufschlußreiche Varianten erhalten. Auch seine historische Bedeutung und die weiten Kreisen der Forschung nun so wesentlichen soziologischen Implikationen können nur von einer genaueren Betrachtung dieser Bezüge her erschlossen werden.

[10] Ebd., S. 62.

[11] Günther Erken hat in seinem Buch schon auf einige dieser Bilder hingewiesen und besonders den Aspekt der Spiegelung betont. Eine zusammenfassende Deutung der Bezüge innerhalb der einzelnen Dramen lag aber nicht im Rahmen seines Werks. (*Hofmannsthals dramatischer Stil.* Tübingen 1967.) Im Register Hinweise unter „Frau im Fenster", Jagd, Spiegelung.

Das Geschehen auf der Bühne konzentriert sich, wie schon gezeigt, völlig auf Dianora. Sein dramatischer Erfolg ist an die Gestalt einer großen Schauspielerin, etwa der Duse,[12] geknüpft, die, ohne sich vom Ort ihres ursprünglichen Auftretens — dem balkonartigen Fenster des Schlosses — auch nur einmal zu entfernen, ihr fiebernd erfülltes Leben über die gesamte Bühne ausstrahlt und das Leben der Natur[13] und die ihr nicht eigentlich verbundenen Aktionen einiger Menschen im Vordergrund und Hintergrund der Bühne dynamisch in das Wogen ihrer Empfindungen einschließt.[14]

Auch das Geplauder der Amme bietet dem Zuschauer zunächst nur einen Moment entspannender Auflockerung, denn bald erwecken die von ihr berichteten Episoden aus dem Leben Braccios, verbunden mit ihren Abschiedsworten, die Antizipation des tragischen Endes.[15] Darauf erscheint der Ehemann Braccio, kontrastiert in der mächtigen Grausamkeit seiner Gestalt die feinnervigen Emotionen der Frau und bringt ihr den Tod.

Man kann so dem Stück ein nicht geringes Maß unmittelbarer Bühnenwirksamkeit nicht absprechen, doch seine tiefere Bedeutsamkeit kann nicht allein vom Geschehen auf der Bühne her erschlossen werden, denn auch die Beschreibung des Schauplatzes und die Regieanweisungen, welche Reaktionen und Bewegungen der Dianora, der Amme und des Gatten aufs Genaueste bestimmen, stehen in ihren Bildern und Motiven mit

---

[12] Das Leben von Eleonora Duse war für lange Zeit mit dem des Dichters Gabriele D'Annunzio eng verbunden. Sie hat aber bei der ersten Aufführung des Dramas nicht die Hauptrolle gespielt.

[13] In seinem Essay über den neuen Roman D'Annunzios, *Die drei Schwestern* (PI 239 f) deutet der Dichter darauf hin, welch wesentliche innere Aufgabe das Bild der Landschaft für den Sinn des Dramas hat, indem er auf das Wortspiel D'Annunzios hinweist: Er hat „ein und dasselbe Wort für die Sträucher, die ihre Frucht gebären, und für die Seelen, die ihre Kraft in einer Handlung an den Tag bringen: beides heißt esprimere. *So dürstet wie der Held die ganze Landschaft nach dem Tun*". Dionoras dynamisch bewegte Landschaft bildet übrigens den direkten Gegensatz zur Landschaft der drei Schwestern aus D'Annunzios Roman, die vom Leben ausgeschlossen sind. Doch auch die Frau ist ja nicht in der Landschaft, sondern im Schloß, ein tiefer Hinweis auf ihre innere und äußere Situation, wie gezeigt werden wird.

[14] Auch Wolfram Mauser betont im Hinblick auf Hofmannsthals eigene Worte aus PII („Glück der Rhythmen", S. 163) diese Ausdeutung: *Bild und Gebärde in der Sprache Hofmannsthals*. Wien 1961. S. 26 f: „Bewegung und Glücklichsein gehören zusammen".

[15] Pickerodt gibt eine ausführliche Analyse des Gesprächs, S. 67 f.

dem Geschehen des Dramas in engster Verbindung. Diese beträchtliche Verschiebung der formalen Achse ins Epische, die auch im Schluß der *Idylle* zum Ausdruck kam, aber in diesem kleinen, im Voraus zum Lesen bestimmten dramatischen Gedicht nicht schwerwiegend war, hat schon früh zu kritischen Urteilen über das Werk geführt.[16]

Genau wie bei *Gestern* stellt also auch bei diesem Drama der Besuch der Aufführung selbst nur einen kleinen Teil der Mitarbeit dar, die der Dichter von seinem Publikum erwartet, und auch eine Interpretation, welche die Eheschicksale der Dianora eingehender verfolgen will, muß sich dieser Arbeit unterziehen.

Es scheint bedeutsam, daß der Titel des Dramas geändert wurde: Aus *Donna Dianora* wurde *Die Frau im Fenster*. Frau *im* Fenster ist ungewöhnlich im idiomatischen Sprachgebrauch. Man steht entweder *am* Fenster oder lehnt sich *aus* dem Fenster. Doch der Titel besteht zur Recht und unterstreicht den Standort Dianoras im Rahmen des Fensterbalkons des Renaissancepalastes, den sie ja nie verläßt. Das Bühnenbild weist so gleichsam emblematisch auf das Geschick der Frau, die zwischen den beiden Männern steht und zu keinem von ihnen ganz gehört: Das Haus ist das Reich ihrer Ehe mit Braccio, die Landschaft, die es umgibt, ist Palla und ihrer Liebe zugeordnet.

Der Palast wird sogleich als „ernst" beschrieben. (DI 57) Seine Grundmauern bestehen aus „unbehauenen Quadern:" Die vom menschlichen Werkzeug unberührten Steine zeichnen den wilden animalischen Charakter Braccios, wie er aus der Erzählung der Amme spricht und im Auftritt der Gestalt bestätigt wird. Der „kahle Streif" des Marmors setzt darauf den kühlen Hochmut des großen Herrn, und das Bild des Löwen, des Königs der Tiere, der im Medaillon unter jedem Fenster den Ausblick ins Freie bewacht, verbindet tierische Wildheit mit der Größe des geborenen Herrn.

Die Ausdeutung der Bilder könnte fragwürdig erscheinen, denn man findet diese Bauweise in vielen der Herrensitze Oberitaliens, und der Löwe ist ein altes lombardisches Wappentier. Doch verschiedene Tatsachen im Zusammenhang des Dramas sprechen dafür, daß Hofmannsthal diesen oft als modischer Schauplatz zeitgenössischer Dramen dienenden Renaissancepalast bewußt zur metaphorischen Sinngebung gewählt hat: In der

---

[16] Schon Grete Schaeder sieht als negativ an, daß „eine Überfülle von Regieanweisungen" ... „der Dichtung selbst zu Hilfe kommen müssen". (*Die Gestalten.* S. 45.)

Art, wie Braccio dem Gesandten von Como nachjagt und wie er ihn tötet, zeigt sich die Grausamkeit eines Tieres und nicht die Haltung eines hohen Herrn auf der Jagd, selbst wenn er in übermütiger Laune sein sollte.

Als Braccio dann auftritt, beschreibt der Dichter sein Gesicht: „Er hat eine übermäßig große Stirn und kleine dunkle Augen, dichtes kurzgeringeltes schwarzes Haar und einen kleinen Bart rings um das Gesicht." (DI 73) Er sieht also wirklich wie ein Löwe aus. Seine dahinschwelende Wunde, die Braccio am selben Tag erhielt, an dem Dianoras Ehebruch begann, erinnert an die vielen Geschichten, die von der Tücke des verwundeten Löwen erzählen. Mit den Hinweisen auf diese Wunde, die sich durch das Stück ziehen, fühlt man die wachsende Wut des Königs der Tiere, bis er am Schluß „mit der Sicherheit eines wilden Tieres auf der Jagd" (DI 81) sein Opfer erlegt.[17]

Neben dem Medaillon des Löwen, der den Blick ins Freie bewacht, zeigt jedes Fenster einen „Vorhang gegen das dahinterliegende Zimmer." Dort herrscht Dämmerung, ein Zeichen dafür, daß auch Dianora im Haus Braccios dahindämmert, noch nicht zu vollem Leben erwacht ist.[18]

Der Garten vor dem Haus gehört zugleich Palla und der Welt des Bacchus-Dionysos an, dessen Kult in Verbindung mit den Bildern des Weinbaus auch in den Metaphern der *Idylle*, die das Ausbrechen der Frau aus der Ehe und das Nachholen der ungelebten Kindheit beschrieben, eine wichtige Rolle spielte. Es ist die Zeit der Weinlese und der reifenden Früchte. Die Winzer, die Dianora beschreibt, (DI 57) sammeln die dem Gott geweihten Trauben. In der Erinnerung der Frau verschmilzt die Gestalt des Geliebten mit der des Gottes, der den tanzenden Kreis der Mänaden anführt und mit kühnem Sprung auf die Häupter der Faune und Tritonen der Fontäne selbst seine Apotheose vollzieht.[19] (DI 71 f)

Die Fülle der Landschaft entspricht der Fülle des Lebens, in die Dianora durch die Liebesbegegnung mit Palla zum ersten Mal versetzt wird. Wie

---

[17] Man könnte diese Wut und die dahinschwelende Wunde auch dahin interpretieren, daß er noch kein Kind von Dionora hat und vom Tag ihrer Begegnung mit Palla sich nun ständig fragen muß, ob dieser ihr wohl das Kind schenkt, das Braccio anscheinend mit ihr nicht zeugen konnte. Kinderlosigkeit nach fünfjähriger Heirat war für einen mächtigen Herrn besorgniserregend.

[18] Für die Bedeutung der Dämmerung im Werk Hofmannsthals siehe auch Tarot, S. 392.

[19] In der Art, wie er auf die Figuren der Fontäne springt, könnte sich auch der bei Hofmannsthal damals so wichtige Begriff des Vorrangs des Lebens über die Kunst andeuten. Vergl. hierzu auch die problematischen Erörterungen Pickerodts, S. 69.

sie rückblickend vom Erleben des Tages erzählt, erscheint in ihren Gebärden hinter der liebenden Frau zugleich das ungeduldige Kind. Pikkerodt hat diesen Tag, den sie in der Erinnerung vor dem Zuschauer ausbreitet, (DI 57-62) ganz richtig als ihren „Lebenstag" angesehen.[20] Wenn sie später ihre Kindheit erwähnt, weist, genau wie bei der Frau des Schmieds in der *Idylle*, ihre Jugend auf ihr tragisches Schicksal hin: Auch Dianora hatte, wenn auch auf andere Art, die Einheit und Fülle alles Lebendigen nie erfahren, denn ihre Kindheit war karg an Freude und liebearm.

In der Begegnung mit Palla wird sie nun zum ersten Mal ein wirkliches Kind: Sie darf im mädchenhaft offenen Haar in Wahrheit alles Einengende von sich abtun, so wie die Ringe, die sie abstreift — auch den, der die Ehe mit Braccio besiegelte. Ihre Finger sind „froh wie nackte Kinder, die des Abends / Zum Bach hinunter dürfen, um zu baden." (DI 59) Sie will wie ein Kind ohne Schwindel auf der Mauer entlanglaufen. Alle Dinge der Natur stehen ihr freundlich gegenüber, und sie antwortet ihnen mit dem furchtlosen Vertrauen des Kindes, so wie sie die Spinne sorglos auf ihrer Hand des Wegs ziehen läßt. (DI 60 f)

Tragisch deutet das Bild des Fiebers an, daß das Nachholen dessen, was die Kindheit hätte bescheren sollen, im Zusammenfallen mit dem Rausch der Liebe nicht das Natürliche ist, so wie durch ihren Körper jagt dieses Fieber durch ihr Leben und verzehrt es mit seinem beschleunigten Pulsschlag.[21]

So hat sich in den zwölf Wochen, die für Monate gelten mußten, das „Jahr ihres Lebens" gerundet, es ist verflogen wie der Tag, den sie in der Erinnerung erlebt hat. Die Landschaft ihrer Seele steht nun „angefüllt mit Abendsonne," bevor die Nacht und das Ende hereinbrechen. Das Symbol des Abends, in dem sich für den Dichter die von den Bienen aufgesammelte Frucht des Lebens aufweist „wie schwerer Honig aus den dunklen Waben,"[22] korrespondiert mit den reifenden Früchten der Landschaft, wie sie das Szenenbild beschreibt, in denen der Duft der Blüte und die Wärme der Sonne sich sammeln und weiterleben.

---

[20] Ebd., S. 61.

[21] „Hinunter muss der fieberhafte Tag" (DI 59) . . . „Und dem Nachgefühl / geliebter Finger fiebernd angefüllt" (DI 60) . . ." und fängt wieder zu reden an, in einem fast deliranten Ton" (DI 80).

[22] Vergl. zu diesen Gedanken Wiliam H. Rey: Die Drohung der Zeit in Hofmannsthals Frühwerk. In: *Euphorion* 48 (1954). S. 280–310. Jetzt in: *Hugo von Hofmannsthal*. Hrg. von Sibylle Bauer. Darmstadt 1968. S. 193.

Die Seligkeit Dianoras, die ihr ganzes Wesen erfüllt und über sie hinaus in ihren Worten die ganze Landschaft belebt, verführt dazu, daß man auch den Charakter Pallas mit ihren Augen sieht. Doch ihre Gestalt im Zwischenbereich, „im Fenster," aus der Dämmerung ans Licht getreten und doch unfähig, das Freie zu gewinnen, mahnt in ihrer Eindrücklichkeit und ihrem tragischen Ende zu schärferem Nachdenken. Wohl hat ihr Palla zum ersten Mal mit der Fülle des Lebens auch die Fülle ihres Wesens erschlossen,[23] doch in einer eigensüchtigen und leichtsinnigen Weise. Genau so wie der Lorenzo des *Gestern* ist er der geborene Frauenkenner, Gourmet der Tafel wie der Liebe, der im geeigneten Moment die verbotene Frucht darbietet, so wie er damals bei der Hochzeit des Francesco Chieregati Dianora die goldene Schale mit den Pfirsichen reichte, (DI 79) ohne Gedanken an die Folgen.

Der Stolz, die Wildheit und die Rachgier Braccios sind so wohl bekannt, daß sich sogar die Diener darüber aufhalten, wie die Geschichte der Amme bezeugt. Trotzdem setzt Palla die Geliebte der Rache des Gatten aus und vertieft das Prickeln des Abenteuerlichen noch dadurch, daß er auf der Strickleiter ins Zimmer der Geliebten kommt und dem Ehemann in seinem eigenen Haus die Hörner aufsetzt. Da er Dianora nur in ein Liebesabenteuer verflicht und nicht die Entschlossenheit besitzt, der Frau wirklich den Weg ins Freie zu öffnen und sie aus dem Haus des grausamen Gatten zu entführen, steht er noch unter dem Zentauren, der zunächst weit wilder und triebhafter erscheint. Doch der hat nach der Frau als „Gefährtin" verlangt und ist ihr in den letzten Augenblicken zur Seite gestanden. Die sterbende Dianora bleibt allein, ja man kann sich sogar ausmalen, daß Palla, als er zum Stelldichein kam und Braccio auf dem Balkon erblickte, sich still und schleunigst wieder aus dem Staub machte.

Dieses gewissenlose Genießertum Pallas, das der Vorlage des D'Annunziodramas entnommen ist, hat Hofmannsthal bildhaft betont, indem er Dianora als Wild und Beute zwischen zwei Jäger stellte: Braccio ist das „wilde Tier auf der Jagd," doch auch für Palla ist die Frau Beute seines erotischen Verlangens, das auch in anderen Werken des Dichters mit dem Bild der Jagd gezeichnet wird.[24] Sie selbst ist dieser Jagd verfallen:

---

[23] Im *Buch der Freunde* (A 48) sagt der Dichter: „Wenn Liebe einen ‚Zweck' hat, transzendent gesprochen, so müsste es der sein, dass in ihrer Glut der beständig in innerste Teile auseinanderfallende Mensch zu einer Einheit zusammengeschmolzen wird".
[24] Für das Motiv der Jagd vergl. auch Erken (Register unter Jagd) und Lenz, S. 89 ff. Von einer genaueren Interpretation der Frühwerke her werden aber die Bezüge noch weit differenzierter. Das Motiv der zwei Jäger wird auch scherzhaft noch einmal aufgenommen

„Ja! Igel, käm nur auch mein Jäger bald!" (DI 61) Doch der Tod erreicht sie aus den Händen des anderen, nicht erwarteten Jägers. Diese Motive fallen tragisch-ironisch zusammen in ihren Worten: „. . . und seine Schritte / sind leichter als der leichte Wind im Gras / und sichrer als der Tritt des jungen Löwen." (DI 73) Sie selbst sieht es in ihrer Liebesseligkeit nicht, doch der Dichter deutet es leise an, auch der Geliebte ist ein Löwe: Zwischen der Wildheit und Raubgier des dunklen Braccio und der Lebenskunst des Palla bestehen ganz wie zwischen dem jungen und dem verwundeten alten Löwen nur Gradunterschiede. Ihre Grundeinstellung ist die selbe: Beiden ist die Frau nur Beute und noch nicht das Du, die einmalig geschaffene Person, deren Kostbarkeit zur Sorge verpflichtet.

Hofmannsthal hat dieses Problem in seinem Werk weiter verfolgt. So ist z. B. der Mann der Kaiserin im Märchen und Libretto der *Frau ohne Schatten* auch ein Jagender, der die richtige Art des Liebens noch nicht gelernt hat, denn als Jagender ist er nur „eifersüchtig genießend,"[25] oder, wie die Amme sagt: „Er ist ein Jäger / und ein Verliebter / sonst ist er nichts." (DIII 151)

Vom vollendeten Werk her ist so auch die „Liebeserfüllung" der Frau in Frage gestellt, ironischerweise ist ja auch kein Dialog der Liebenden gezeigt. Man wird durch den Monolog der Dianora an die Worte Hofmannsthals aus dem ersten Essay über D'Annunzio erinnert:

Diese Liebe ist wie gewisse Musik, eine schwere süße Bezauberung, die der Seele Unerlebtes als erlebt, Traum als Wirklichkeit vorspiegelt. Es ist keine Liebe zu Zweien, sondern ein schlafwandelnder wundervoller Monolog, das Alleinsein mit einer Zaubergeige oder einem Zauberspiegel. (PI 154)

Es ist aber wesentlich, zu betonen, daß diese ethischen Gesichtspunkte erst in den Spätwerken, den Dramen und Librettos erscheinen, sie zeigen

im *Rosenkavalier*, wenn Oktavian sagt: „Der Feldmarschall sitzt im crowatischen Wald und jagt auf Bären und Luchsen / und ich sitz hier, ich junges Blut, und jag auf was? / Ich hab ein Glück, ich hab ein Glück". (LI 291)

[25] Vergl. Hofmannsthals Zusammenfassung des Inhalts der Oper: . . . „doch hat die eifersüchtige geniessende Liebe des Kaisers den Kreis des Menschlichen nicht um sie geschlossen. Sie steht zwischen zwei Welten, von der einen nicht entlassen, von der andern nicht aufgenommen: dafür trifft ihn, nicht sie, der Fluch, denn er hat es selbstsüchtig liebend verschuldet". (DIII 479 f) Das Bild der Frau „zwischen zwei Welten" ist eine direkte Wiederaufnahme des Hauptmotivs der *Frau im Fenster*.

in diesem frühen Drama noch eine völlig andere Ausprägung. Auch die Haltung der Dianora ihrem Schicksal gegenüber drückt es aus: Sie erwähnt die Liebe Pallas noch in ihrer Todesstunde voller Dank für das, was er ihr geschenkt hat, ganz ohne ihn zu beschuldigen, genau so selbstverständlich, wie sie den Gatten als Richter anerkennt. Pickerodts Hinweis, daß der Dichter dem historischen Charakter des Vorwurfs treu bleibt,[26] ist also berechtigt.

Doch schon Grete Schaeder hat die modernen Züge bemerkt, die dem Renaissancedrama anhaften.[27] Auch darin zeigt sich die Feinfühligkeit des Dichters, der das historische Milieu dieses Dramas nicht einfach als Modeform benutzte,[28] sondern ihm Seelenzustände ablauschte, die er als Äquivalente der Moderne erkannte:

Im Zeitalter der Renaissance, in der das Individuum sich seiner selbst bewußt wurde,[29] spiegelt sich nun das Bild der Mädchenfrau und ihrer unerfüllten Ehe. Sie erwacht durch ihr Liebeserleben zur Person, tritt dem Mann als Ebenbürtige gegenüber und besteht „ihren eigenen Tod."[30] Ihr Schicksal wird so zum Ausdruck dessen, was im Leben der Frauen im Zeitalter des Dichters selbst geschieht. Das Enthüllen des „Double-standards," um das die Werke vieler Zeitgenossen kreisen, soll den Weg bahnen zur Personenwerdung der Frau in der Moderne.

Eine berühmte Interpretin dieser modernen Frauengestalten auf der Bühne, Eleonora Duse, hatte den Dichter schon 1892 während eines Gastspiels in Wien zutiefst beeindruckt, und ihre Persönlichkeit war von da an in seinen Gedanken mit dem Lebensproblem der Frau verbunden.[31] Ein Brief aus den Entstehungstagen des Dramas zeigt, wie er in seiner

---

[26] Pickerodt, S. 72.

[27] Schaeder: *Gestalten*, S. 42.

[28] Vergl. hierzu Walter Rehm. Der Renaissancekult um 1900 und seine Überwindung. In: *Zeitschrift für Deutsche Philologie* 54 (1929). S. 296–328.

[29] Tarot weist im Zusammenhang mit *Gestern* auf die Bedeutung der Renaissance für Hofmannsthal hin. (S. 55) Auch Sulger-Gebing und Schaeder betonen diesen Aspekt.

[30] Der Begriff des „eigenen Todes" war schon dem ganz jungen Dichter wichtig. Aus Anlaß einer Gedächtnisausstellung der Bilder des Malers Theodor von Hörmann schreibt er 1895 in der *Wiener Allgemeinen Zeitung*: „Und ist er nicht wahrhaftig seinen eigenen Tod gestorben? ,An einer Erkältung, zugezogen durch Freilichtstudien im Schnee'. Man hat dafür eine beiläufige Phrase: ,Wie der Soldat am Schlachtfeld'. Viel deutlicher müßte man das sagen: ,Wie der geborene Soldat in seiner notwendigen, gerade nur von ihm geschaffenen Episode einer großen Schlacht'. Und viel schöner müßte man das sagen, um eine so große Sache nicht zu erniedrigen". (PI 227) Von hier aus gehen wichtige Verbindungslinien vom Werk Hofmannsthals zum Werk Rilkes.

[31] Vergl. Seine Berichte über ihr Gastspiel. (PI 72-86)

Erinnerung ihre Gestalt erneut vor sich sah,[32] und ihr Einfluß reicht bis hin zu den Bewegungen der Dianora in seinen ausführlichen Regieanweisungen.[33]

Das Spiel der Duse gibt dem jungen Dichter auch die Inspiration für den Gesamtcharakter des Dramas, der im Gegensatz zur Tendenz vieler zeitgenössischer Dramen in seiner Zurückhaltung, die feststellt und nur in Bildern anklagt, dem treu bleibt, was er an der großen Künstlerin bewundert hatte: „Die Duse scheint in Nora nicht mehr spielen zu wollen als die Seelengeschichte einer kleinen Frau; und was sie gibt, ist die große Symbolik der sozial ethischen Anklage." (PI 69)

Gerade dieser Aspekt der Personwerdung, der die Frau wirklich als Individuum sieht und ernst nimmt, zeigt sich auch in der Bildersprache des Dramas und weist den Weg zum Verstehen der tiefsten Bedeutungsschicht des Geschehens: Dianoras innere Entwicklung spiegelt einen wesentlichen existenziellen Schritt Hofmannsthals um die Mitte der Neunzigerjahre, der auch in den Gedichten und Essays seine Spur hinterließ: Der Dichter hat erfahren und innerlich bejaht, daß mit der Schönheit und Fülle des Lebens auch sein Leid und seine Grausamkeit unlösbar verbunden sind.

Deshalb wird man auch dem Drama der *Frau im Fenster* nicht gerecht, wenn man seine Heldin ganz im Licht des Dionysischen sehen will, wie z. B. Wyss es tut,[34] denn man erkennt tatsächlich, wie Pickerodt andeutet, eine Enttäuschung im Verlauf des Dramas.

[32] Am 27. August schreibt er aus Varese an seine Mutter: „Um den Tisch im Garten, wo ich schreibe, spielen den ganzen Tag mit furchtbarem Geschrei drei kleine Mädeln. Sie genieren mich aber absolut nicht, wo wenig wie Spatzen, und es ist doch sehr komisch, wie stark einen ihre Bewegungen an die Duse erinnern. Eine davon ist unglaublich klein, wie eine Puppe". (BI 227)

[33] Diesen inneren Einfluß zeigt die Beschreibung der Szene zwischen Dianora und ihrem Mann. Als sie aus ihrer Todesangst auftaucht, sich in der Würde ihrer Familie zugleich ihrer selbst bewußt wird und Braccio als Ebenbürtige entgegentritt, nimmt Hofmannsthal seine Beschreibung des darstellerischen Stils der Duse in Dianoras Worten und den Regieanweisungen wieder auf, so wie er ihn einst in seinem Essay in der Begegnung der Duse-Nora in Ibsens Drama gesehen hatte: „... Wie sie aus dem Fieberrhythmus ... mit einem Ruck in die Starrheit der tödlichen Angst zurückfällt, erbleicht sie, der Unterkiefer fällt herab, und die gequälten Augen schreien stumm auf ... da malt sie das Werden der Erkenntnis, das Zerbröckeln des inneren Truges, das schmerzliche Reifen des Notwendigen. ... In Leid geläutert steht sie dann dem Manne gegenüber: Ihre Stimme, früher kinderhaft und gaukelnd, ist klar und kalt und hart: die runden Lippen und die weichen Schultern sind hochmütig und starr geworden: es ist eine eisige, unerbittliche Hoheit um sie ... ". (PI 69) Auch die Beschreibung des Dionysischen zeigt Parallelen. Vergl. PI 72.

[34] Wyss, S. 72 ff.

Das unterstreicht der Dichter, indem er Dianora gewissermaßen „zwei Todesstunden durchleben läßt," eine imaginäre, derem Bildbereich des Dionysischen auch die Gestaltung des Lebensendes in *Tod und Tod* und *Idylle* zugehört, und die zweite, wirkliche Todesstunde, die in ihrer Unerbittlichkeit und Härte seine neu gewonnene innere Einsicht widerspiegelt.[35]

Das ist auch psychologisch im Geschehen des Dramas begründet: Dianora erlebt im ersten Teil des Monologs im dionysischen Fieber ihrer Erwartung zugleich ihre Kindheit. Mit dem Hereindringen der Nacht unterbricht sie die Amme, eine Figur, die neben der dramatischen Funktion, die schon erwähnt wurde, für die tiefere Sinngebung des Dramas eine ähnliche Aufgabe hat, wie die Großmutter im *Weißen Fächer*. So wie sie den lyrischen Strom der Verse mit ihrer Prosaerzählung unterbricht, hat sie auch die Realität des Lebens erfahren. Sie versteht den Drang alles Kreatürlichen („Die Sonne muß glühen, der Stein muß auf der stummen Erde liegen, aus jeder Kreatur geht ihre Stimme heraus, sie kann nicht anders, sie muß," (DI 69) aber kennt auch die völlige Unberechenbarkeit des Schicksals, das diese Stunde der Fülle und Schönheit schenkte („Ja, morgen, gnädige Frau / wenn uns der liebe Gott das Leben schenkt." DI 71)

Dieser Hinweis auf ein jähes, unerwartetes Lebensende stellt sich im dramatischen Geschehen ironisch neben Dianoras Erfahrung ihrer dionysischen Todesstunde: Aus dem Fenster blickend fühlt sie sich in die Landschaft versetzt, die still in sich selbst ruhend in der Tiefe des an sie grenzenden Wassers wiedererscheint. Sie wird zur Landschaft von Dianoras Seele, und im geheimnisvollen inneren Geschehen der Spiegelung wird die Frau an den Tod erinnert. Wesentlich ist bei diesen Visionen, daß sich Dianora hier noch ästhetisch selbst zuschaut, nur im Frösteln, das sie plötzlich überfällt, haucht sie dann zum ersten Mal der wahre Tod an, in dessen Bitterkeit und Härte man nur noch Handelnder, kein Zuschauer mehr sein kann.[36]

---

[35] Schon in *Tor und Tod* und *Idylle* war die Ambivalenz des Todes im dionysischen Rausch und ethischen Gericht im Keim vorhanden. (Vergl. hierzu Rey, S. 189) Doch bei Dianora macht sich ein bewußter Schritt in die Realität des Lebens bemerkbar, weil sie selbst diese Entwicklung durchmacht, ihr nicht nur ambivalent ironisch im Augenblick des Todes unterworfen wird.

[36] Nach Abschluß dieses Kapitels erschien das Buch von David H. Miles: *Hofmannsthals Novel Andreas. Memory and Self* Princeton 1972, dessen Kapitel „The neoplatonic looking glass, The past as escape" (pp. 13–23) *Die Frau im Fenster* nicht erwähnt, das sich aber in

Es wäre vermessen, die Vielfalt der Beziehungen, die sich in den Bildern dieser Spiegelung enthüllen, voll ausdeuten zu wollen. Ihre Schönheit liegt gerade im paradoxen Ineinander und Gegeneinander dieser Bezüge. Sie gleicht dem Brechen des Spiegelbilds im tiefen Wasser, das ja nie völlig unbeweglich ist und sich im wandelnden Licht ständig verändert: Das Gefühl der Vereinigung des Getrennten im Augenblick der Liebe und die blitzartige Vision der Gesamtheit des Lebens im Augenblick des Todes steht gegen die Erkenntnis des Alleinseins noch im höchsten Augenblick der Vereinigung und damit die Erinnerung an den höchsten Moment des Alleinseins, den Tod. Das Narzißmotiv klingt an, Eitelkeit des Augenblicks steht gegen die Enthüllung des Skeletts in der fliehenden Zeit, und zugleich begegnet im Sinn des Leitmotivs des *Ad Me Ipsum* das zeitliche dem ewigen Ich.[37]

Dianora ist so in ihrem Traum befangen, daß sie die dunklen Abschiedsworte der Amme völlig überhört, (DI 71) sie verfolgt nur das an ihrer Rede weiter, was sie an den Geliebten erinnert, und im Hinuntergleiten der Strickleiter ergibt sie sich ihm schon in ihrer Erwartung ganz. (DI 73)

Hier unterbricht sie nun Braccio, der sie aus ihrem Traum erweckt und in seinem strengen Gericht Bezahlung für die Stunden des Glücks fordert, und sie muß die Angst des wirklichen Todes erfahren.

Die Bewegung des Dramas von der Fülle des Lebens zu seiner unerbittlichen Härte findet ihre Parallele in einem der wichtigsten Gedichte Hofmannsthals aus der selben Zeit, *Der Jüngling und die Spinne.*[38] (GLD 37–39) Auch hier fühlt sich der Sprecher zuerst in dionysischen Bildern der Trunkenheit[39] als Teil der beglückenden Einheit alles Geschaffenen. Doch

der Untersuchung des Bildbereichs der Spiegelung ausgezeichnet in die hier dargestellten inneren Vorgänge fügt. Die Beobachtungen von Miles werden durch die genaue Interpretation des Dramas im inneren Weg der Dianora bestätigt. S. 26 faßt er folgendermaßen zusammen: „For towards the end of his lyric decade Hofmannsthal's images of mirror and well chronicle, in almost unconscious fashion, his growing awareness of the dangers inherent in a life devoted solely to the magical moments of passive, aesthetic communion with the past".

[37] Diese Ausführungen werden bestätigt durch den Bildbereich, den Eckhart Krämer für die Lyrik erarbeitet hat: *Die Metaphorik von Hugo von Hofmannsthals Lyrik.* Gedruckte Dissertation. Marburg/Lahn 1963. S. 211 ff.

[38] Auch Grete Schaeder weist auf die Verbindung beider Werke hin, doch ihre Ausdeutung scheint den Parallelvorgang der Desillusionierung nicht zu sehen. (Sobeide, S. 361).

[39] Die Motivverwandtschaft zeigt sich bis hin zur Verbindung der Sterne mit der Trunkenheit. (GLD 37 vs. DI 72 f) Das Gedicht weist ebenfalls auf das Weinlaub als Symbol des Dionysischen hin. (GLD 38)

die genauere Beobachtung des Geschehens in der Natur[40] zeigt auch ihm deren andere, bisher verborgene Seite. Wie der Jüngling es ausdrückt, „Die Welt besitzt sich selber, o ich lerne!" (GLD 38) so erkennt auch Dianora die ihr bisher verhüllte Seite des Lebens: „Wie dünn ist alles Glück! Ein seichtes Wasser: / Man muß sich niederknien, daß es nur / Bis an die Schultern reichen soll." (DI 79) Doch auch sie sagt dann wie der Sprecher des Gedichts noch im Augenblick des Todes das Ja zum Leben, das über ihn hinausreicht, indem sie sich ihm in ihrer letzten Bewegung der Hingabe gleich dem Geliebten entgegenwirft.

So ist der Rächer Braccio, als er sein Gericht vollzieht, auch nicht der wahre Sieger.[41] Doch seine Condottieregestalt des großen Herren, in der Macht, animalische Grausamkeit und sichere Kraft zusammenfließen, bekommt nun, als er mit der Schattenseite des Lebens identifiziert wird, ihre innerste Berechtigung, die von der tieferen Bedeutungsschicht des Dramas her gesehen weit über die historische und sozial-ethische Grundlegung der Figur hinaus das Können des jungen Dichters bezeugt: So wie Palla, der junge Löwe, die Fülle und Schönheit des dionysischen Traums erschloß, enthüllte der alte, verwundete Löwe seine bittere Grausamkeit. Nicht nur Palla, sondern auch Braccio ist das Leben.

Von dieser Sinngebung her erschließt sich nun auch die besonders rätselhafte Sprache der Worte, Bewegungen und Bilder, die mit Dianoras Haar und der Strickleiter in Verbindung stehen. Die Worte D'Annunzios, dessen Gestalt und Schicksal mit der Lebenserkenntnis Hofmannsthals in den Neunzigerjahren eng verbunden war, wiesen selbst den Weg und schwangen vielleicht mit in jenem unausdeutbaren Moment der dichterischen Inspiration und der für Hofmannsthal überraschend eruptiven Art der Entstehung.

Diese Verbindung zeigt sich zuerst im Bildbereich von Netz und Haar: „Ihr Gesicht ist wie eine Mandel mit halboffener Schale, in deren Grund die zarte Frucht erscheint. Ganz umhüllt vom glänzenden Haar, wie von einer Schale bis zum Kinn, und die Haare sind umschlossen von einem Netz,"[42] dann in der Erwähnung der Strickleiter: „Aber derselbe Strick,

[40] „Indem tritt unter seinen Augen aus dem Dunkel eines Blattes eine grosse Spinne mit laufenden Schritten hervor und umklammert den Leib eines kleinen Tieres. Es gibt in der Stille der Nacht einen äusserst leisen, aber kläglichen Ton und man meint, die Bewegungen der heftig umklammernden Glieder zu hören". (GLD 38)

[41] Ironischerweise hat er auch im Bezeugen seiner Macht zugleich eines ihrer Hauptfundamente verloren: Mit Dianoras Tod wird das Familienbündnis mit den mächtigen Colleonis hinfällig, und er hat sich zugleich der Hoffnung auf den Erben beraubt.

[42] Zitiert nach Sulger-Gebing, S. 178.

an dem er hinaufstieg zu deinem Mund, wo alles Licht der Sterne sich im Verlangen deiner weißen reinen Zähne sammelte, schloß sich nun schnell um deinen Hals..."[43]

Das Motiv des Netzes, das ausgeworfen wird und in dem man dann den Fang heimbringt, wird in den Dramen und Essays Hofmannsthals mehrfach variiert: Es kann, wenn der Blick auf das im Netz Zusammengebrachte gerichtet wird, das in seinem Reichtum die Fülle des Geschaffenen enthält, als Zeichen der dionysischen Einheit mit allen Dingen des Lebens gelten. Man ist glücklich und geborgen in ihm, auch der Tod ist nur ein Teil dieser Alleinheit: „In Gottes Netz, im Lebenstraum gefangen, / Die Winde liefen und die Vögel sangen / ... Im Leben lag mein Herz, in Tod und Traum."[44] (*Ich ging hernieder*, GLD 510)

Aber wenn sich das Verstehen für die im Netz gefangene Kreatur vertieft, verändert sich das Bild: Das Netz der Bergung wird zur Falle, zum Spinnennetz, in dem man sich verstrickt und von der tückischen Spinne grausam getötet wird, ganz so, wie es der Jüngling des Gedichts in der Natur beobachtet hatte.

Diese Wandlung der metaphorischen Sinngebung zeigt sich nun auch im Drama *Die Frau im Fenster*. Im Spiel der Dianora mit ihrem Haar gleich zu Beginn des Dramas, als es nicht einmal bis zum Löwen der Fensterbrüstung reicht, (DI 60) klingt das Märchen der Rapunzel an,[45] stellt sich ironisch neben die Wirklichkeit des Lebens in Gestalt von Dianoras Gatten und läßt so im Kommenden die Strickleiter wie einen Teil von Dianora selbst erscheinen: Sie ist das Netz ihrer Sehnsucht, „feiner als Spinnweb," das sie auswirft, um sich ihr Glück zu fangen. (DI 62)

Nachdem sie die Leiter zuerst ungeduldig ausgeworfen und wieder zurückgezogen hat, macht sie einen Knoten in ihr Haar, (DI 62) — gerade als sie die Realität in Gestalt der Amme zum ersten Mal unterbricht — und deutet so tragisch ironisch auf ihren Tod: Mit derselben Bewegung

---

[43] Eigene Übersetzung mit Hilfe von Ron Mittino, Instructor for Italian, Chaffey High School, Ontario.

[44] GLD 510. Erwähnt auch von Rey S. 178.

[45] Auch Pickerodt erwähnt dieses Märchenmotiv (S. 63). Es ist m. A. nach wesentlicher als das Melisandemotiv, das Schaeder und Sulger-Gebing erwähnen, weil es dem „mitarbeitenden Leser" vertrauter ist.

wirft dann Braccio am Ende des Dramas die Strickleiter um ihren Hals im Knoten, der den Tod bringt.[46]

Als sich Dianora nach dem Weggehen der Amme erneut ihrem Traum überlassen hat, wirft sie die Leiter wieder aus und diese hängt sich wie ein Netz über die Zweige: „... so sicher, / als leise raschelnd jetzt ich sie hinter, / hinunter gleiten lasse, als sie jetzt, / verstrickt ist im Gezweig, nun wieder frei, / so sicher als sie hängt und leise bebt, / wie ich hier hänge, bebender als sie." (DI 73) Hier hat sie sich voll Vertrauen dem Netz des Lebens hingegeben, ganz wie das zuvor erwähnte Gedicht aus dem Jahr 1893. In diesen Zusammenhang fügt sich auch ihre dionysische Todesstunde, die das dramatische Geschehen kurz zuvor bildhaft gezeichnet hat, auch die Szene mit der Spinne, die sie so vertrauensvoll auf ihrer Hand laufen läßt. Ironisch ist dabei angedeutet, was der Frau in den Stunden des Glücks verborgen bleibt: Genau wie die Spinne mit jeder Bewegung, die sie ausführt, im Geheimen ihr Netz spinnt, so ist auch an den sonnigen Stunden des Lebens seine dunkle, grausame Seite unsichtbar beteiligt.

Als Braccio dann erscheint, wird das Lebensnetz wirklich zum Spinnennetz. Dianora fühlt sich darin gefangen und verwirrt, so wie ihr Haar, das sie sich von der Dienerin auskämmen lassen will. (DI 76) Ihr Mann aber wird in seiner tückischen Schweigsamkeit gleichsam zur Spinne, die sich am Anblick des gefangenen Opfers weidet, bevor sie es tötet.[47]

Doch als er sich dann auf die Beute stürzt, geht er im Geheimen doch mit leeren Händen aus: Dianora erhebt sich über ihre Angst. Während sich ihr Mann nun völlig zum Tier erniedrigt, wird sie zum ersten Mal wahrhaft zum Menschen: Im dionysischen Gefühl der Liebe hatte sie die Verschwisterung alles Geschaffenen im Rausch und Traum erlebt, nun aber sagt sie wirklich „Bruder," indem sie in ihrer letzten Stunde ihre Versündigung gegen die Schwächsten und Kleinsten des Lebens in Gestalt des Bettlers[48] erkennt und bereut. (DI 77 f)

---

[46] „...fasst er die Leiter, die daliegt wie ein dünner dunkler Strick, mit beiden Händen, macht eine Schlinge, wirft sie seiner Frau über den Kopf und zieht den Leib gegen sich nach oben". (DI 81)

[47] „Braccio tritt wieder aus der Tür, mit der Linken trägt er einen Sessel, stellt ihn in die Türöffnung und setzt sich seiner Frau gegenüber. Sein Gesicht ist unverändert. Von Zeit zu Zeit hebt er mechanisch die rechte Hand und sieht die kleine Wunde auf der Innenfläche an". (DI 74)

[48] Tarot weist in einer Anmerkung (S. 268, Anm. 74) auf die zentrale Bedeutung der Anteilnahme am Menschlichen für Hofmannsthal und erwähnt auch die Rede des jungen Herrn aus dem *Kleinen Welttheater*, der genau dasselbe Bild benützt, (GLD 303) wie Dianora.

Als sie dann herausfordernd Braccios brütende Wut zur Tat entfacht und, sich aus der Gefangenschaft des Netzes befreiend, selbst den Augenblick ihres Ende heraufbeschwört, (DI 80) zeigt sich gezeichnet mit Ehrlichkeit und Feingefühl[49] noch einmal die Dianora des ganzen Lebenstags: Neben der Demütigen zugleich die Stolze und Berauschte, die Angstvolle und das waghalsige Kind, das von der Mauer in zwei aufgespannte Arme fliegen will.[50] Sie gibt sich der Ganzheit des Lebens hin, sagt das Dennoch auch zu dieser, seiner dunkelsten Seite, so wie es Lavinia im *Tod des Titian* bei Böcklins Totenfeier ausdrücken wird:

Grüße du das Leben!
Wohl dem, der von des Daseins Netz gefangen
Tief atmend und nicht grübelnd, wie ihm sei,
Hingibt dem schönen Strom die freien Glieder (GLD 533)

In Dianoras letzter Bewegung der Hingabe, im Bild des über die Brüstung des Fensters flutenden Haares, in der Strickleiter, die noch als Werkzeug des Gerichts zugleich die Erfüllung der Sehnsucht und die Stunden der Liebe geheimnisvoll aufbewahrt, ist zugleich das Ja des Dichters an das Leben, auch seine dunkelsten und grausamsten Seiten, nochmals symbolisch ausgedrückt: „Ich liebe das Leben, vielmehr ich liebe nichts als das Leben." (*Poesie und Leben*, PI 266)

*Ergebnis und Ausblick*

Die genauere Interpretation des Dramas zeigte, daß die im Hinblick auf das Frühwerk geäußerten und in der Einleitung dieser Arbeit erwähnten Urteile von Naumann und verschiedenen anderen Interpreten nicht zutreffen. In der Haltung der Hauptgestalt spiegelt sich ganz unverkennbar ein Wandel.

---

[49] Ein Dichter mit geringerem Feingefühl hätte Dianora in der Haltung der Siegerin sterben lassen. Hofmannsthal bleibt in der Schilderung ihrer inneren Verfassung der Todesangst ganz ehrlich, und doch versteht man in der Überblendung der Bildbezüge, daß sie die wahre Siegerin ist.
[50] „Ich könnte gehn am schmalen Rand der Mauer / und würd so wenig schwindlig als im Garten. / Fiel ich ins Wasser, mir wär wohl darin: / Mit weichen kühlen Armen fings mich auf". (DI 60 f)

Er war zwar nicht voll im Dialog ausgedrückt, aber zeigte sich deutlich in den vom Dichter verwandten Bildern, die diese Wandlung im Zusammenhang von Wort, Pantomime und Bühnenbild sorgfältig malten. Auch dieses Drama zeichnete im Anspiel auf die Gestalt und das Werk D'Annunzios wie die *Idylle* die Gefährdung des ästhetischen Lebens. Doch gerade im Blick auf das vorhergehende Werk des Jahres 1893 erkennt man einen wesentlichen Unterschied: Die Hauptgestalt des Dramas sieht das Leben nicht nur in seiner dionysischen Fülle, sondern auch in seiner Härte und Grausamkeit.[51] Wohl war auch die Frau des Schmieds der dunklen Seite des Lebens ausgeliefert, doch ihr Ende wurde im Drama noch im Sinne des dionysischen Todes gesehen. Bei Dianora zeigt sich in der Wendung der Hauptgestalt selbst zugleich der klare Wille des Dichters, diese dunkle Seite des Lebens als seinen von der Schönheit untrennbaren Teil ebenfalls hinzunehmen.

Ganz wie in der *Idylle* erweist sich auch hier, daß Hofmannsthal den historischen Umkreis des Stückes nicht als „Kostüm" verwandt, sondern die geistige Tendenz dieser Epoche bewußt gewählt hat, um sie als Äquivalent eines sozialen Anliegens seiner eigenen Zeit dramatisch auszuwerten. Dieses Anliegen wird aber im Gegensatz zu den meisten Dramen seiner Zeit, die sich mit Sozialproblemen beschäftigen, nicht durch die Tendenz der offenen Anklage oder in psychologisch durchgeformten Begegnungen und Dialogen gezeigt, sondern malt sich hauptsächlich in der Sprache der Bilder als „Symbolik der sozial ethischen Anklage."

Wie bei den vorhergehenden Dramen kann aber nur die intensive Mitarbeit des Zuschauers, der sich auf das Geschehen auf der Bühne in gründlichem Lesen vorbereitet hat und es in der inneren Mitarbeit des „fühlenden Denkens" mit literarischen und soziologischen Fragen seiner Zeit in Verbindung bringt, diese tiefste Botschaft des Dramas erschließen.

---

[51] Der Dichter hat nun erfahren: „ ...nur mit dem Gehen der Wege des Lebens, mit den Müdigkeiten ihrer Abgründe und den Müdigkeiten ihrer Gipfel wird das Verstehen der geistigen Kunst erkauft". (PI 267) Daß sich aber dem, der sich im Opfer den Härten des Lebens hingegeben hat, dessen Fülle im Augenblick der Inspiration geheimnisvoll wiederschenkt, hat er am Schluß des Essays über D'Annunzio ebenfalls ausgesprochen (in der Wiederbelebung der Metaphorik Ovids), in dem im Blick auf die großen Dichter auch die Bilder des Netzes und Weinbaus wiederkehren: „...schaffen sie nicht jenen seligen schwebenden Zustand der deukalionischen Flut, jene traumhafte Freiheit, ,im Kahn über dem Weingarten zu hängen und Fische zu fangen in den Zweigen der Ulme.' " (PI 241) Der Spott Karl Kraus' tut der Schönheit dieser Form der Imitatio keinen Abbruch: *Die Fakel*, I (1899) Nr. 1. S. 26 f.

In der *Hochzeit der Sobeide* werden dann die in der *Frau im Fenster* aufgeworfenen Fragen in der Ausgangssituation wieder aufgenommen und weiter variiert. Schon in der *Frau im Fenster* war die Gestalt des mächtigen Braccio — über seine Rolle des rächenden Gatten hinaus — bildhaft mit der grausamen Seite des Lebens identifiziert. In der *Sobeide* wird Hofmannsthal weiter und tiefer nach diesen dunklen Verbindungen der Macht mit den Schattenseiten des Lebens forschen und auch in dieser Frage die „Symbolik der sozial ethischen Anklage" finden.

*

# V. DER WEISSE FÄCHER

*Zur Problemstellung*

In früheren Arbeiten über das Drama *Der weiße Fächer* haben verschiedene der Interpreten schon herausgestellt, daß sein wesentliches Thema das Spiel mit der Treue ist.[1] Dieses Thema war, wie gezeigt, schon 1891 im Erstlingswerk *Gestern* ironisch in Beziehung zur Ehe gesetzt worden und hatte dann 1893 in einer wirklichen Ehesituation der *Idylle* im Schicksal der treuen-ungetreuen Frau des Schmieds zum ersten Mal die Tiefe seiner Problematik enthüllt. Derselbe Konflikt wurde nach der Wiederaufnahme des dramatischen Werkes im Sterben der Dianora 1897 im Drama *Die Frau im Fenster* erweitert und variiert.

Von den Werken, die demselben fruchtbaren Jahr entstammen oder in ihm ihre grundlegende Skizzierung erfuhren, sind *Der weiße Fächer* und *Die Hochzeit der Sobeide* unmittelbar mit der Frage verbunden, ob und wie es möglich ist, einem Du in engster Lebensgemeinschaft die Treue zu halten, welche Konflikte sich dabei ergeben, und worin diese Treue, die in den Worten Claudios aus *Tor und Tod* „der Halt von allem Leben ist," (GLD 211) im Rahmen dieser Gemeinschaft eigentlich bestehen soll.

Während sich die *Sobeide* durch ihre Ausgangssituation und ihren Gesamtcharakter direkt an das Drama *Die Frau im Fenster* anschließt, nimmt *Der weiße Fächer* das ironische Timbre des Erstlingswerks wieder auf und bekommt sein besonderes Gesicht dadurch, daß zugleich mit der Treue auch mit ganz verschiedenartigen Möglichkeiten der Ehe gespielt wird. In diesem Miteinander und Gegeneinander der Varianten menschlicher Bindungen und der ihnen adäquaten Formen der Beständigkeit wird die Ironie des Dramas weiter unterstrichen und zugleich seine Form in Eleganz und Tiefsinn mit dem Geschehen verknüpft. Es soll nun versucht werden, diese Verbindungen aufzuspüren.

[1] Die beiden wichtigsten sind: Peter Szondi: Hofmannsthals „Weisser Fächer". In: *Neue Rundschau*, 75 (1964). S. 81–87. Erwin Kobel, Der weisse Fächer. In Kobel: *Hugo von Hofmannsthal*, a. a. O. S. 44–65. Siehe besonders S. 52 ff. Weitere Arbeiten werden im Lauf der Interpretation erwähnt werden.

Das vollendete Ebenmaß des Baues hat schon Karl Konrad Polheim in seiner ausgezeichneten Arbeit über den *Weißen Fächer* betont.[2] Auf sie sei nachdrücklich verwiesen. Hier soll strukturell nur das hervorgehoben werden, was direkt zur Erhellung der zu besprechenden Problematik beiträgt.

Als sich nach der Wendung des „Prologs" an den Zuschauer der Vorhang hebt, entwickelt sich nun auf der eigentlichen Ebene des Spiels — um 1820[3] „vor dem Eingang eines Friedhofs, nahe der Hauptstadt einer westindischen Insel" (GLD 221) zuerst das Gespräch des Witwers Fortunio und seines Freundes Livio, das im Rückblick auf die Gemeinschaft Fortunios mit seiner jungverstorbenen Frau die erste Möglichkeit der Ehe präsentiert.

Daran schließt sich die Begegnung der beiden jungen Männer mit Fortunios Großmutter, die das Bild seiner Verbindung mit der Verstorbenen von einem anderen Gesichtspunkt her bereichert.

Zugleich gibt sie rückblickend in ihrem Lebensschicksal den Hinweis auf zwei weitere Ehen in ferner Vergangenheit: Die erste ließ sie 1775 als Witwe zurück, (GLD 229) die zweite schloß sie in ihrem fünfundzwanzigsten Lebensjahr mit Fortunios Großvater. (GLD 228)

Zwischen die weit zurückliegenden Ehen der Großmutter und die jüngstvergangene des Enkels schiebt sich skizzenhaft das Bild einer weiteren: In ihren Worten über das Verhältnis Fortunios zu seiner Kusine Miranda (GLD 231) ersteht das Bild einer spielerischen „Kinderehe" der zwei Verwandten. Zugleich verbindet die Großmutter damit die zwei Hauptgestalten des Dramas für sein Publikum.

Nach dem Abgang Livios und der Großmutter wendet sich Fortunio nach kurzem Selbstgespräch zum Grab seiner Frau, und der Vordergrund der Bühne gehört nun Miranda und der sie begleitenden Mulattin. Auch sie trauert um den verstorbenen Lebensgefährten und gibt so im Gespräch mit der Vertrauten den Rückblick auf eine weitere Ehe der jüngsten Vergangenheit. (GLD 233 ff)

---

[2] Karl Konrad Polheim: Bauformen in Hofmannsthals Dramen. In: *Sprachkunst* 1 (1970), Heft 1/2. S. 90–121. Siehe besonders S. 93–109.

[3] Die Regieanweisung der Steinerschen Ausgabe sagt etwas unklar: „Kostüm der zwanziger Jahre des vorigen Jahrhunderts". (GLD 221) Erst das Datum aus der Erzählung der Großmutter (GLD 229) zeigt, daß damit das 19. Jahrhundert gemeint ist und nicht das 18., wie man der Entstehungszeit des Dramas nach annehmen könnte.

Als die Mulattin sich entfernt hat, um der jungen Dienerin Catalina entgegenzugehen, treffen Fortunio und Miranda zusammen. Man erfährt das zeitliche Verhältnis ihrer Ehen zueinander (sie hat sich kurz vor ihm verheiratet) und in ihrem für das Drama entscheidenden Gespräch fällt zugleich das Licht wiederum auf Mirandas Ehe und auch auf ihre kindliche Verbindung.

Die sich einschiebende Szene zwischen der Mulattin und Catalina (GLD 247-250) hilft zunächst im Rahmen der Struktur dazu, daß sie als Beobachter Fortunios (GLD 247) und Berichterstatter für Miranda (GLD 252 f) den Schluß des kleinen Stückes vorbereiten. Doch darüber hinaus dienen auch sie dem Hauptthema, trotzdem sie keine Ehe beschreiben. Indem sie die Problematik der jugendlichen Verliebtheit besprechen, geben sie zugleich auch einen wichtigen Kommentar zur Frage: Gattenwahl und Treue.

Daraufhin endet das Hauptgeschehen in der Schwebe: In den bewundernden Worten Fortunios für die gereifte Miranda (GLD 247) und den Worten ihrer inneren Befreiung (GLD 253) ersteht das Bild einer Ehe in der Zukunft, dem Geschehen des Stücks zufolge nicht als Gewißheit, aber doch als beinah zwingende Antizipation.

Die Gestalt des Prologs bringt dann das Spiel auf der Zwischenebene des Epilogs zu seinem eigentlichen Ende.


*Die Möglichkeiten der Ehe*


Schon dieser erste kurze Überblick hat gezeigt, daß es auf der zeitlichen Ebene des eigentlichen Geschehens keine Verheirateten gibt. Es wird also keine Ehe — weder als positives oder negatives „Exempel" noch als „Casestudy" — dem Publikum direkt vorgeführt, und die Lebensverbindungen Fortunios und Mirandas, sowie die Gemeinschaft ihres Kinderparadieses werden dazuhin noch von verschiedenen Personen und Blickpunkten her beleuchtet.

In ironischem Spiel wirft also der Dichter hier seinem Publikum den Ball zu: Es soll die Argumente aufmerksam verfolgen und sich dann selbst sein Urteil bilden.

Die Akten dieses geheimen Gerichtstags über die Ehe sollen nun für die Fälle Fortunio und Miranda, die Gemeinschaft ihres Kinderparadieses und zuletzt im Rückblick auf das Leben der Großmutter verfolgt werden:

*Die Ehe Fortunios:* Man erfährt in Fortunios Worten nichts Genaues über die Dauer der jungen Ehe, die durch den Tod der Frau, wie es scheint, jäh abgebrochen worden ist: Sie muß ganz schnell gestorben sein, denn er erinnert sich nicht an ihr Krankenlager, ein langes Siechtum, oder ihren Tod selbst. Da war der letzte gemeinsame Weg den Weinberg entlang, das Belauschen der Natur, völlig ahnungslos und unbeschwert (GLD 232) und dann gleich das Grab.

Trotzdem sie Frau geworden war, hatte sich die junge Verstorbene ihre Kindlichkeit bewahrt, ihr intuitives Verhältnis zu allen Dingen in der Natur, aus dem ihr auch unreflektiert gerechtes Maß und Urteil zukam. (GLD 232, 225) In der ehelichen Gemeinschaft war sie ebenfalls nicht über die Schwelle getreten, die das Kind von der Frau scheidet, war noch nie in den Zwiespalt von Scham und Leidenschaft versetzt worden. (GLD 225)

Ihr In-sich-selbst-Ruhen, ihre Harmonie gab ihr zugleich als inneren Schatz das geheimnisvolle, undefinierbare Etwas, das ihr Mann an ihr liebte.

So erscheint dieses Bild zunächst kostbar und fleckenlos, und man kann Fortunios große Trauer um sie verstehen. Doch ihre Gestalt rein von seiner Sicht her zu interpretieren, nähme dem Charakter dieser verflossenen Ehe das ironisch Fragwürdige, mit dem sie der Dichter umgeben hat.[4] Man muß das Urteil der Großmutter neben das von Fortunio stellen.

Seinen Klagen um die Verstorbene hält sie ihren befehlerischen Spott entgegen: „Deine Frau war ein Kind, sie spielt im Himmel Ball mit den unschuldigen Kindern von Bethlehem. Geh nach Hause." (GLD 226) Und seiner Frage: „Sie war das schuldloseste kleine Wesen auf der Welt. Warum hat sie sterben müssen?" (GLD 229) stellt sich ihr hartes Wort: „Ich habe junge Frauen aus den ersten Familien des Landes ihre Ehre an einen Elenden verkaufen sehen, um ihre Männer vor dem Galgen und ihre Kinder vor dem Verhungern zu retten. Du hast sehr wenig erlebt, Fortunio." (GLD 229)

Sie sieht also die Unschuld und Kindhaftigkeit der jungen Frau nicht als bewunderungswürdig. Die Kinder von Bethlehem sind nach der bib-

---

[4] Szondi, S. 86. Wohl sieht er den Zusammenhang zwischen Ehe und Fortunios Unfähigkeit, im Leben zu stehen, aber er überhört völlig die Kritik der Großmutter und den mit ihr verbundenen Blickpunkt auf die Ehe. Auch Tarot sieht den Charakter der Frau nur im positiven Licht: Tarot, a. a. O. S. 274.

lischen Geschichte am selben Tag mit dem Christkind geboren und wurden nach dem Bericht der drei Weisen aus dem Morgenland auf Befehl des furchtsamen Königs Herodes ermordet. Im spottenden Bild der Verstorbenen im Ballspiel mit ihnen, die noch gar nicht zum Leben erwacht waren, deutet die Großmutter an, daß die Kindhaftigkeit der jungen Frau in ihrer Sicht ein Zurückgebliebensein an menschlichem Wachstum darstellte.

Die Kritik wird verstärkt in ihrem zweiten Ausspruch: Im Bild der Frauen, die sich aus Fürsorge für die Ihren den Siegern hingeben, zeigt die Großmutter, daß Unschuld für sie keinen Höchstwert in sich selbst darstellt und daß es Situationen im Leben gibt, in denen man nicht mehr zwischen Unschuld und Schuld wählen kann.

Diese wichtige Ansicht über die Anforderung des Schicksals und das zwangsläufige Schuldigwerden des Menschen in seiner Antwort an die Tyche, die der Dichter hier der Großmutter in den Mund legt, wird er in der Entscheidungssituation des Dramas *Der Abenteurer und die Sängerin* wieder aufnehmen und weiter vertiefen, hier klingt das Motiv zunächst nur beiläufig an.

Die Großmutter fügt bei: „Du hast sehr wenig erlebt, Fortunio" und weist darauf hin, daß die Unschuld der jungen Frau wohl ebenfalls vor keine große Bewährungsprobe gestellt worden war und deshalb auch als keine besondere Tugend gelten kann.

Die kurze Bemerkung Livios, des Freundes, wirft gleichfalls ein Licht auf die Gestalt der Frau: Den begeisterten Worten Fortunios, der versucht, das „Geheimnis," den besonderen Reiz seiner jungen Frau zu beschreiben, setzt er nach der Aufforderung zum Kommentar entgegen: „Sie war sehr schön. Sie war so wie ein Kind." (GLD 225) Als Mann ist er der Schönheit verfallen, doch auch für ihn sollte wohl eine Frau die Naivität des Kindseins abgelegt haben: Sein Nachsatz weist auf einen geistigen Vorbehalt hin, den er nur leise andeutet, weil er den Freund nicht verletzen will.

Es ist bezeichnend für Fortunio, daß er die Kritik dieser Worte nicht hören kann, denn, wie sich herausstellt, bedeutete gerade diese Seite seiner Frau die größte Anziehung für ihn. Er kommt dem Geheimnis ihres verlorenen Seins am nächsten in der Erinnerung seiner eigenen Kinderzeit:

Erlebte Dinge aus der Knabenzeit,
Kindische, halbvergessne, die wie Trauben,

Am Weinstock übersehen, in mir hängen
Und dörren ..." (GLD 224 f)

Das Bild des letzten Ganges mit seiner Frau über den Weinberg, das sich auch metaphorisch mit dem vorausgehenden Vers verknüpft, zeigt, wie sie es verstand, ihn auf Dinge aufmerksam zu machen, an denen sich die Kinder freuen und läßt ahnen, daß er erst durch sie das einfache, unreflektierte Schauen erlernte.

Wie sie dasaß ... und da ... am Weinberg wars
Das letztemal! Sie hatte offnes Haar ...
Sie sagte: „Still" ... da sah ich eine Maus,
Die kam und unter einem gelben Weinblatt
Vergessne Beeren stahl und mühsam trug. (GLD 232)

Die Faszination, die seine Frau auf ihn ausübte, kam also daher, daß sie ihn durch die eigene Kindlichkeit erst eigentlich voll zum Kindsein erweckte. Unter dem Einfluß ihrer Person geht er das eigene frühe Leben noch einmal durch und entdeckt seine verborgenen Schätze.

Durch das ironische Spiel der Worte der Großmutter und des Freundes enthüllt sich nun die geheime, andere Seite der scheinbar so idealen jungen Ehe: Fortunio hatte seine Frau im „Stand der Unschuld" erhalten und hatte über ihren bezaubernden Nachhilfestunden ihr eigentliches Du vergessen.

Sie ist wohl physisch, aber nicht existenziell zur Frau geworden. Weil er mit ihr Kind sein wollte, hat er sie nie wirklich zur Gattin gemacht. Auch hier ist das Bildfeld des Weinbergs bezeichnend, denn der Dichter betont zu dieser Zeit besonders die metaphorische Verbindung des Weins zur dionysischen Ekstase.[5] Fortunio teilt den Wein des Dionysos, die Stunde der Leidenschaft, nicht mit ihr, sondern genießt den süßen Trunk aus der Kelter der Erinnerung.

Der frühe Tod der Frau hat diese Ehe nie vor das Problem gestellt, welche Folgen sich bei einer längeren Verbindung für das Verhältnis der Ehegatten zueinander ergeben. Man sieht das Bild der Frau nur mit den Augen Fortunios, darf aber wohl annehmen, daß während der kurzen Zeit der Ehe die Naivität der Frau echter Ausdruck ihrer Natur war.

---

[5] Vergleiche die Ausführungen darüber in den Kapiteln „Idylle" und „Frau im Fenster".

Doch bei einem Bund längerer Dauer könnte diese Kindlichkeit auch eine besondere Art der Koketterie darstellen, die der Frau eine geheime Machtposition einräumt und ihr so einen Teil der Schuld an der mangelnden menschlichen Entwicklung ihres Mannes zufallen läßt.[6]

In Fortunios Reflektionen findet sich keine Schilderung des Sterbens seiner Frau. Man hat sogar den Verdacht, daß er diese Eindrücke unbewußt verdrängt, denn sie deuten auf eine Verschuldung, die er nicht sehen kann und will: Es gibt in jedem Alter des Sterbens ein Reifsein zum Tod, und Fortunio, der seine ihm zugedachte Aufgabe des Gatten nicht erfüllte, hat sein Amt an der so früh Abberufenen nicht versehen. So wird das spottende Bild der Großmutter, die Frau im himmlischen Ballspiel mit den Kindern von Bethlehem zugleich ein Bild seines Versäumnisses.

Fortunios übergroße Treue zur Verstorbenen zeigt sich so in ihren Abgründigkeiten nicht wirklich als Wendung zum Du, sondern als geheimer, unbewußter Zug zu Narzißmus und Eigenliebe.

*Die Ehe Mirandas*: Im Gegensatz zu Fortunio, der das wahre Bild seiner Ehe nicht sieht, hat Miranda offene Augen: Durch ihre eigenen Worte gibt sie von verschiedenen Blickpunkten her die Akten ihres Falles, die nur durch ein paar Bemerkungen der Mulattin und Fortunios ergänzt, aber in ihrer Evidenz nicht verändert werden.

Ihr Gespräch mit der vertrauten Dienerin zeigt, daß sie das Bild des verstorbenen Lebensgefährten nicht wie Fortunio in den Erinnerungen bezaubernder Augenblicke umschwebt, sondern sie beängstigend und unheimlich verfolgt. Sie verweilt nicht bei den glücklichen Stunden mit ihm, sondern sein Sterben und Gestorbensein geistert bis in ihre Träume, wird im zeitraffenden Alp durch das Bild der verdorrenden Pflanzen gespiegelt und grausam intensiviert. (GLD 233)

Zugleich erfährt man die Tatsache, daß sie ihre Ehe nicht mit einem Gleichaltrigen geführt hat: Im Traum erscheint ihr das Gesicht ihres Mannes „jugendlicher, als ich es je gekannt habe, funkelnd von Frische und Leben, und kleiner, dünkt mich, als in der Wirklichkeit." (GLD 233)

Es rekonstruiert sich damit das Bild einer Verbindung, in der ein junges Mädchen einen Mann geheiratet hat, der schon in reiferen Jahren stand und sie durch seine Persönlichkeit, die Macht seines „Gesichtes," angezogen hat, der also im Gegensatz zur Ehe Fortunios, den das „Kind" faszinierte, für sie eine Vaterfigur war. Auch Fortunios wenige Worte

---

[6] Das Drama *Der Kaiser und die Hexe* zeigt die konsequente Weiterführung dieser Gedanken.

73

über den Verstorbenen, die er später im Gespräch mit Miranda äußern wird, weisen auf dieses Autoritätsverhältnis. (GLD 238 f)

Miranda gesellt sich so zu Sobeide, deren Schicksal mit einem großen Altersunterschied zu ihrem Gatten verknüpft ist, und wie schon gezeigt, läßt auch die Figur des Schmieds in der *Idylle* und die des Mannes der Dianora, der *Frau im Fenster*, vermuten, daß es sich in diesen Fällen ebenfalls um eine solche Verbindung handelt.

Dieses Motiv, das die Eheproblematik mit einem betonten Altersunterschied der Gatten verbindet, war also ebenfalls in den frühen Stücken dramatisch angelegt, bevor es in den Werken nach der Jahrhundertwende erscheint.[7]

In allen diesen Fällen ist es charakteristisch für das Verhältnis der Ehegatten, daß die Heirat erfolgt ist, bevor sich das sexuelle Bewußtsein der Frau geregt hatte, daß aus irgend einem Grund der Mann die dann erwachende Frau nicht befriedigen kann und so den Konflikt heraufbeschwört.

So dringt man, von der Einheit des Werks her gesehen, tiefer in die Problematik von Mirandes Ehe ein, die man ohne diese Hilfe leicht mißdeuten kann. Im Gegensatz zur Versuchung durch einen vitalen Dritten, die in den Dramen *Idylle* und *Frau im Fenster* an die unbefriedigten Frauen herantrat, hat Miranda einen ganz anderen Kampf zu bestehen. Sie beschreibt ihn im Gespräch mit Fortunio (GLD 239-241) mit offenen und ehrlichen Augen:

Ihre Ehe war durch keinen menschlichen Verführer gefährdet worden. Der geheimnisvolle, schreckliche Dritte, den die Tyche sandte, war der Tod:

Im Gegensatz zum plötzlichen Sterben der Frau Fortunios hat Mirandas Mann ein längeres Krankenlager, in dem seine Kräfte langsam nachlassen, und die junge Frau findet sich in einer inneren Verfassung, die der Heldin in Schnitzlers Novelle *Sterben* gleicht. Am Bett des Mannes, dessen Vitalität dahinschwindet, überfällt sie ein ganz starker, ganz diesseitiger Lebens- und Liebeshunger.

Die Bildersprache des Dichters,[8] die ihren Bericht begleitet, ist hier besonders meisterhaft: In der abendlichen Szene an seinem Bett nimmt

---

[7] Es wird im Verhältnis Marschall-Marschallin des *Rosenkavaliers* und dem von Färber und Färberin in Libretto und Märchen der *Frau ohne Schatten* weiter variiert.

[8] Tarot übersieht diese Zusammenhänge und deshalb die Motive für Mirandas Verhalten nach dem Tod ihres Gatten: S. 279.

sie zuerst das Buch der heiligen Therese zur Hand, wird von der Angst vor dem Tod ergriffen und flüchtet sich zum Buch der großen Kurtisane. Hier ist nicht einfach Heiligkeit und Erdenlust beschrieben, sondern, wenn man das Werk des Dichters kennt, ein weit subtilerer Vorgang: Theresa stand ihm nicht einfach für erdabgewandte Heiligkeit, sondern für die Fähigkeit, in zwei Welten gleichzeitig zu leben.[9] Ein volles Leben soll Diesseitigkeit und Jenseitigkeit umfassen, denn so allein kann es mit dem Tod leben, der „im Garten des Lebens immer auf der Mauer sitzt."[10]

In dieser inneren Haltung hätte Miranda ihrem Mann beistehen und ihr von der Tyche aufgegebenes Amt verwalten können. Statt dessen flüchtigt sie sich in reine Diesseitigkeit, die sich für den Dichter in der Gestalt der Manon verkörpert.[11]

Der Sterbende fängt mit den Worten des Romans, den sie ihm vorliest, die ganze drängende Fülle ihres Hungers auf und spricht die bitteren Worte, die sich mit dem Hauptmotiv des Dramas, dem weißen Fächer, verknüpfen: „Laß, laß, . . . aber solange die Erde über meinem Grab nicht trocken ist, wirst du an keinen andern denken, nicht wahr . . . (GLD 241) Er empfindet, daß er, zu dem sie als Vaterfigur emporgeblickt hatte, seine Macht, sein „Gesicht," verloren hat. Der Lebenstrieb hat über das Du gesiegt. Seine Worte enthalten trotz ihrer Ich-Bezogenheit eine wichtige Warnung: Er sieht als Gefahr, daß die Stärke dieses Triebs, sobald die Frau durch seinen Tod frei wird, Miranda wahllos dem in die Arme treibt, der ihren Hunger zu befriedigen vermag.

Nur weil die Worte des Sterbenden in ihrer Klarsichtigkeit Miranda bis ins Tiefste treffen, haben sie für ihr Verhalten die Folgen, die das Drama beschreibt. Sonst könnten sie einfach als Teil seiner Krankheit, Ausdruck eines zum Tode Verurteilten, beiseite beschoben und vergessen werden. Seine Haltung der Verachtung und Bitterkeit wird klar gezeichnet, und deshalb kann man sein Sterben nicht dem Opfertod der *Alkestis* gleichsetzen, der ein freiwilliger war und wie auch das Opfer der *Frau ohne Schatten* mehr auf der dichterischen Ebene des Ideals steht.[12]

Miranda wird deshalb auch keineswegs vom „Opfertod" ihres Mannes schuldhaft überwältigt, — man sieht es ja auch in der Art, wie er sie

---

[9] Aufzeichnung vom Juli 1918: Theresa, die beim Fischebraten von einer Vision ergriffen wird, gibt sich ihr hin, läßt aber trotzdem die Fische nicht anbrennen. (A 187)
[10] Tagebuch vom 11.3.92. (A 97)
[11] *Buch der Freunde* (A 28)
[12] Szondi, S. 87. Daß Miranda durch den Tod ihres Mannes nicht wirklich befreit worden und ins Leben getreten ist, macht das Drama hinreichend klar.

aus dem Grab verfolgt, daß kein Idealbild aus dem Jenseits zu ihr her-überleuchtet — sondern sie wird überführt durch die Wahrheit. Wie später Vittoria im *Abenteurer* sieht sie sich zum ersten Mal hüllen- und fessellos ihren Trieben hingegeben und schämt sich. Der äußere Ausdruck dieser Scham ist wirklich das, was Fortunio sieht: „Miranda, dein Leben sieht dem Leben einer büßenden Nonne ähnlicher als dem Leben einer großen Dame." (GLD 243) Sie will sich so weit von der Versuchung und Gefahr dieses Triebs entfernen, daß sie alles aus ihrem Leben verbannt, was an ihn erinnern könnte: Ihr Haus bleibt öde und ohne Geselligkeit, der Garten ohne Wasser und Pflege, die schönen farbigen Gewänder und Zierrate sind in den Kammern weggesperrt. (GLD 234 und 235) Auch ihre Kleidung, das einfache weiße Mullkleid mit schwarzem Samt, (GLD 232) ähnelt der des Habits.

Doch es ist umsonst: Ironisch geht von der Unterhaltung mit Fortunio der Bogen zurück zu ihren ersten Worten an die Mulattin: Ihr Traum findet sie mit ihrem Fächer am Grab, an das Versprechen des Abwartens nicht nur durch das Wort des Sterbenden, sondern ihr besseres Ich ge-bunden, doch genau so wie sie fast unbewußt den Boden trockenfächelt, wird die Glut ihres Verlangens wiederum Herr über ihre Person, und sie weint. (GLD 234)

Aus diesem Teufelskreis kann sie sich selbst nicht lösen, und nur einer kann ihr dabei helfen: Fortunio. Ein gütiges Geschick führt ihr den Freund der Kindertage wieder in den Weg, der als verstehender Beichtvater zu-gleich zum Befreier wird.

*Miranda und Fortunio*: In der humorvollen Erzählung der Großmutter malt das Drama das Bild der kindlichen Verbindung von Vetter und Base und weist auf den entscheidenden Einfluß dieser Jugendtage auf das Leben von Miranda und Fortunio. Es ist bezeichnend, in welchem Zusammenhang dieser Bericht der Großmutter erfolgt: Das Vogelfüttern der alten Dame wird durch einen seltsamen Laut unterbrochen, und die Vögel zerstreuen sich. Weder Livio noch Fortunio verstehen, was ge-schehen ist. Sie wendet sich nun ihrem Enkel zu, und ihre Worte sollen ihrer Wichtigkeit wegen voll zitiert werden:

Ein Vogel! So hast du das noch nie in deinem Leben gehört? Ein junges Kaninchen wars, das von einem Wiesel gefangen wird. Was hast du mit deinen Bubenjahren angefangen, Fortunio, daß du das nicht kennst! Dir waren damals deiner Kusine Miranda kleine seidene

Schuhe wichtiger als die Fährte von einem Hirsch am Waldrand, lieber, beim Ballspielen ihr Kleid anzurühren, als bei der Hirschhetze mit der Stirn an feuchten raschelnden Zweigen hinzustreifen. So hast du dir damals das vorweggenommen, was für später gehört, und was du damals versäumt hast, holst du nie wieder nach. Was ist Jugend für ein eigensinniges Ding! Wie der Kuckuck, der aus allen Nestern das hinauswirft, was hineingehört, um seine eigenen Eier dafür hineinzulegen. Ihr jungen Leute habt etwas an euch, das einen leicht ungeduldig machen könnte. Wie ein Schauspieler seid ihr, der sich seine Rolle aus dem Stegreif selber dichtet und auf keine Stichwörter acht gibt. Später wird das anders. Alles, was du im Kopf hast, ist altkluges Zeug. Laß das sein, Fortunio. Willst du jetzt mitkommen? (GLD 231)

Man sieht also hier die Verbindung von zwei jungen Menschen, die dem Kleinkinderstadium entwachsen sind, aber noch nicht in der Adoleszenz stehen, und deren Verhalten nicht das erwartete ist. Die in diesem Alter wesentliche soziale Trennung der Geschlechter läßt den Jungen bei seinen Spielen in der Natur mit ihrer Schönheit auch ihre Grausamkeit erleben, während das Mädchen auf seine Weise genau so unbewußt die mütterliche Wärme und Fülle der Schöpfung begreifen lernt.

Durch ihre ungewöhnliche Anziehung aufeinander haben Fortunio und Miranda dieses wichtige Stadium des Lebens versäumt, wie es die zwei Bilder der Großmutter meisterhaft ausdrücken: Sie haben sich wie der Kuckuck, der asoziale Vogel der Natur, gegen die Gebräuche ihrer Gesellschaft gestellt,[13] haben im Theater des Lebens ihr Stichwort nicht abgewartet, sondern die ihnen zugedachte Rolle des „Könners" durch das Stegreifspiel des „Dilettanten" ersetzt.[14]

So haben sie das Spiel verwirrt, und das Leben hat dann ihre Kuckuckseier ausgebrütet: Ihr kindliches Gefallen aneinander war ein Geschenk, das einer späteren Zeit zugedacht war. Als sie dann kam, hatten

---

[13] Tarots Beobachtung einer „asozialen Phase" der Ambivalenz wurde also hier metaphorisch feinsinnig nachgemalt.

[14] Tarot zeigt die wichtigen Parallelstellen für dieses Motiv in *Tor und Tod*: S. 275.

die beiden Spieler ihr Stichwort schon vorweggenommen: Sie stehen sich gegenüber und haben sich nichts mehr zu sagen, und sind einander „wie Schatten."[15] (GLD 236 f)

In der Enttäuschung darüber suchte Miranda Schutz bei einer väterlichen Gestalt, die ihr mit der Autorität zugleich Güte und Wärme versprach, die sie in ihrer Kindheit nie voll gespürt hatte, und Fortunio nahm, wie zuvor charakterisiert, in seiner Ehe unbewußt Nachhilfestunden im wirklichen Kindsein.[16]

So hat sich in der Ironie des Dramas das Schicksal der beiden Hauptgestalten, das Problem ihres Verhältnisses zu ihren verstorbenen Ehegatten und der ihnen zustehenden Form der Treue, mit ihrer ersten Begegnung und ihrer Fehlhaltung gegenüber den Stichworten des Lebens verbunden und weist zugleich auf die schwebende Lösung des Endes:

In Miranda und Fortunio treten sich als Geschenk der Tyche die „Gatten" der „Kinderehe" nochmals entgegen. Das Leben hat sie beide schuldhaft das erfahren lassen, was sie in ihrer Kindheit versäumt hatten. Werden sie nun im Teatro Mundi ihre Stichworte „können?"

Der leise Spott Hofmannsthals richtet sich, wie oft in den frühen Dramen, auch hier auf die Gestalt des Mannes: Miranda hat sich dem Leben gestellt, sie erkennt sich selbst und ihre Gefährdung. Fortunio ist noch in seinen Träumen befangen, hat sich und seine Ehe nie mit offenen Augen gesehen.[17]

[15] Die Deutung Tarots, der in der Metapher des „Schattens" ein Zeichen außer-sozialer Daseinsform versteht und sie zugleich mit der Erzählung der Großmutter über die Verbannung in Zusammenhang bringt, wird also durch die genauere Interpretation der Kindheitsepisode bestätigt. Tarot, S. 277.

[16] Tarots ausgezeichnete Beobachtung der Antinomie von Rückwärts und Vorwärts in Fortunio und Miranda (Tarot, S. 276) wird im Blickpunkt dieser Arbeit, der Beobachtung der Ehen und der kindlichen Verbindung, in interessanter Weise variiert: In Miranda und Fortunios Ehen erscheinen die zwei Gefährdungen, denen der Mensch bei seinem Versuch, ins Leben zu kommen, ausgesetzt ist: In Miranda ist der Drang nach dem Leben überstark, deshalb flüchtet sie sich zu einer Vaterfigur, welche dieses Verlangen autoritativ in Zucht zu halten verspricht, wie das Stück zeigt, ohne Erfolg. In Fortunio zeigt sich der Versuch, vor dem Leben zu flüchten, weil seine dunklen Seiten zu unschön sind, als unzeitgemäße Rückkehr ins Kinderland. Vergl. hierzu Hofmannsthals Bemerkungen über den jugendlichen Zustand der Ambivalenz. (A 214 f) und das Kapitel „Der Kaiser und die Hexe".

[17] Ich halte es deshalb für verfrüht, im Widerruf Fortunios schon eine „existenzielle Wandlung" zu sehen (Tarot, S. 276 f). Ein Ansatz ist vorhanden, doch ein bitterer Kampf, diesen ersten Impuls weiter am Leben zu erhalten, erstreckt sich durch das gesamte Werk und ist in der Ironie — der Selbstironie — Hofmannsthals ausgedrückt, die die Gestalt des Ehemanns umgibt. Vergleiche hierzu besonders die Ausführungen zur Charakterisierung des Lorenzo Venier im Abenteurer.

Wohl hat die Tatsache, daß er Miranda zum Leben zurückführen kann, etwas mit seiner Person zu tun: Er ist nicht nur der Mann, nach dem sie sich sehnt, sondern auch der Vertraute der Kinderjahre, ein geliebtes Du, das hinter den „Schatten" der verlorenen Jahre wieder auftaucht. Doch seine Lebensweisheit ist nicht seine eigene, sondern die der Großmutter.

So legt sich in die Verheißung des Endes, daß die anscheinend „im Himmel geschlossene Ehe" nun auch auf Erden vollzogen werden wird, wiederum ein Schuß Ironie, die tiefe Kenntnis der wahren Welt verrät: Dieses Ende ist kein Happy End des Populärromans oder des Märchens. Hier tritt einer zur Liebe und Ehe gereiften Frau ein Mann entgegen, der, obwohl er seine Kindheit nun absolviert hat, noch immer in das Geheimnis verliebt ist und die Wahrheiten des Lebens noch nicht sehen kann.

Die Pfeile, die vor dem Auseinandergehen von Fortunio und Miranda in der Konversation hin und herschwirren, zeigen an, daß es in dieser Ehe noch manchen Kampf kosten wird. Miranda sagt es richtig, Fortunio redet wie ein Buch, er verbrämt die schlichten Lebensweisheiten der Großmutter. Wohl ist im Motiv der Jagd, der Grausamkeit der Natur — bewußt werden hier die Bilder aus der Szene mit der Großmutter wiederholt — (GLD 244) nun ein Funken seiner eigenen Erkenntnis. Doch dann ergreift er ihre Hand in Worten voll pseudoromantischer Sentimentalität,[18] (GLD 245) und Mirandas Antwort ist meisterhaft: Sie, die nun wirklich wie Theresa reif geworden ist, in beiden Welten zu leben, schlägt ihn mit seinen eigenen Waffen: Seiner Buchweisheit von der Schönheit des Lebens stellt sie ein Zitat aus Mörike entegen, das seine dunklen Seiten

---

[18] Sie verrät Hofmannsthals Kenntnis des Genres der Marlittromane, deren Ton er haargenau imitiert. Vergl. hierzu die Erinnerung Grete Wiesenthals an ein Gespräch mit dem Dichter, das hier voll zitiert werden soll, weil es interessante Lichter auch auf den Ausgang des Dramas wirft: „Aber auch über die Dichterin der Gartenlaube, die Marlitt, sprach ich mit ihm, diese ewige Jungfrau in ihren Romanen, die ihre Heldinnen nur bis zur glücklichen Hochzeit führte und vor der Ehe scheu haltmachte. Er hatte sie auch in seinen Knabenjahren gelesen und verstand mich gut, wenn ich ihm etwas beschämt eingestand, daß ich sie noch manchmal lese und dann — animiert durch sein Ergötzen darüber — ihn fragte: ‚Ist sie nicht vielleicht doch wie ein zartes verdrecktes Goldaderl im Gestein?' Darüber war er nun fast gerührt und jetzt auch interessiert, seiner Erinnerung an die Marlittromane nachzugehen, von mir natürlich lebhaft unterstützt, so daß wir schließlich uns beide lachend überboten in der Erinnerung an drollige Auswüchse ihrer Schreibweise und ich den Sieg davontrug, als ich einen der Liebeshelden der Romane zitierte, der zu seiner Braut sagt: ‚O süsses Weib, wie entzückst du mich ... .'" (Grete Wiesenthal, „Amoretten, die um Säulen schweben" in: Wohl ist im Motiv der Jagd ... ein Funken seiner eigenen Erkenntnis. Spiegel der Freunde, S. 187).

malt. Noch fehlt ihm die Fähigkeit zum Mitempfinden, zur wirklichen Anteilnahme am Menschlichen:[19] „Du redest über einen Menschen wie über einen Baum oder einen Hund." (GLD 246) Deshalb kann er auch nur sein Idealbild und nicht den wirklichen Menschen erkennen, und Mirandas Kritik, daß er mit dieser Haltung dem Leben gegenüber ihr wahres Du noch immer nicht sehen kann, ist hart, aber verdient. Dieses Motiv wird im Verhältnis von Vittoria und Lorenzo des *Abenteurers* wieder aufgenommen werden und geht noch bis in den Kampf auf Tod und Leben zwischen Helena und Menelaus in Hofmannsthals spätem Libretto.

So bleibt Fortunio zurück, wie der Andrea des Erstlingsspiels von der Ironie des Dichters umgeben. Noch immer ist ihm das Dasein ein Schattenspiel und die Liebe zur Frau eine Liebe zum Geheimnis. Doch dieses frauliche Geheimnis birgt nun nicht mehr die vergessenen Trauben der Kindertage, sondern ist das Geheimnis des Lebens „beladen mit dem Schein von vielen reifen Früchten." (GLD 246 f) Damit ist dieses Ende, wenn nicht ein Happy End, so doch eines der Hoffnung: Miranda ist bereit, und Fortunio ist unterwegs.

*Die Ehen der Großmutter:* In der Komposition und Struktur des Dramas[20] nimmt die Unterredung Fortunios und Livios mit der Großmutter eine entscheidende Stelle ein: Sie steht fest auf dem Boden der Wirklichkeit und konfrontiert den in Illusion und Erinnerung befangenen Enkel mit der Realität des Lebens. Zuerst weist sie den Witwer darauf hin, daß sie mehr Verluste zu beklagen hat, als er: Neben Fortunios Vater und Großvater hat sie viele Freunde und Freundinnen verloren. (GLD 226) Der Klage von der Größe seines Verlustes hält sie ihr Schicksal gegenüber, das ihr am gleichen Tag den ersten Mann und ihre zwei Brüder durch den Tod entriß. (GLD 228 f) Seinem Schmerz darüber, daß er kein Kind von der Verstorbenen hat, antwortet die Erinnerung an eine Episode ihrer zweiten Ehe, in der sie zu gleicher Zeit Eltern, Kinder, Heimat und Existenz verloren hat. (GLD 229) Doch ihre Liebe zum Leben hat über diese Verluste gesiegt, und sie kann trotz ihrer fröhlich sein. (GLD 230)

Daß sie die Toten nicht vergessen hat, zeigt sie durch ihren Gang zum Friedhof, der ein gewohnheitsmäßiger sein muß, denn sie nimmt

---

[19] Vergl. Tarot, S. 268 und meine Ausführungen darüber in der Wandlung der Dianora im Kapitel „Die Frau im Fenster".
[20] Vergl. Polheim, S. 98 f.

sich Vogelfutter mit und weiß, was ihre gefiederten Freunde bevorzugen. (GLD 230) Sie hat erkannt, „daß der Tod immer da ist." (GLD 230) Wie Theresa ist sie in beiden Welten heimisch und zu der Haltung dem Leben gegenüber gelangt, um die Miranda während des Verlaufs des Stückes ringt und die ihr am Schluß geschenkt wird.

Sie hat diese Haltung in zwei Ehen gelernt: Die erste war wohl eine sehr kurze, deren jähes Ende dem Schicksal der Ehe Fortunios glich, die zweite war lang genug, daß sie die Geburt und Heirat ihres Sohnes, die Geburt Fortunios und den Verlust und das Wiedergewinnen von Heimat und Existenz einschloß. (GLD, 226, 228, 229)

In spottendem Spiel mit den Möglichkeiten der Ehe stellt also hier der Dichter dem Motiv der „Ehe, die im Himmel geschlossen wird," — dem romantischen Ideal, gezeichnet in der „Kinderehe" Fortunios und Mirandas, die sich über den „Irrweg" des Lebens, das Schicksal der ersten Ehen, in der Zukunft verwirklichen wird — ein anderes entgegen: Es gibt nicht nur den „vom Himmel Bestimmten," sondern verschiedene Anrufe und Angebote der Tyche zum ehelichen Bund, die Möglichkeiten eines erfüllten Lebens in sich bergen.

Doch neben dieser ironischen Aufgabe hat das Schicksal der Großmutter, die in der Realität des Lebens steht, noch eine weitere Funktion in Sinngebung und Struktur des *Weißen Fächers*, die — von der Forschung bis jetzt unbeachtet — die schwebende Leichtigkeit des kleinen Dramas in der Tiefe verankert und seine einzelnen Teile und damit auch sein Spiel mit Ehe und Treue sinnvoll verbindet.

*Federball und Vogel*

Nach dem bisherigen Stand der Interpretation könnte das Drama gut ohne den Prolog und Epilog bestehen, denn schon sein Ende deutet auf die Möglichkeit der Verbindung von Fortunio und Miranda hin. Ist also diese Zwischenebene des Dramas nur sein modischer „Rahmen," oder ist sie mehr als nur eine liebenswürdige Plauderei mit den „guten Herrn und schönen Damen," (GLD 221) die durch das kleine Spiel unterhalten werden sollen?

Eine genauere Interpretation des Prologs und Epilogs gibt die Antwort auf diese Frage: Der Prolog, den man als „den Mitwisser der Gedanken des Dichters" oder den Dichter selbst erkennen soll, stellt einleitend fest, daß das kleine Stück einem Federball ähnelt und gibt dann sein Hauptanliegen kund: Er weist auf die jugendliche Schwäche hin, die, in wortreicher Illusion befangen, der Wirklichkeit des Lebens gegenüber versagt. Dann geht er vom Inhalt zur Form des Stückes über und befaßt sich hier ebenfalls mit dem Gegensatz von Illusion und Wirklichkeit.

Er erklärt, daß er in seinem Drama das Leben nicht beschreiben will, wie es wirklich ist, sondern nur „wie ein Federball, das Kinderspielzeug, / Den Vogel nachahmt." Es ist kein naturalistisches Drama, sondern spiegelt nur einen kleinen Teil des Lebens: „Vielmehr für unerfahrne Augen nur / Erborgts ein Etwas sich von seinem Schein." (GLD 221)

Darauf hebt sich der Vorhang zum Hauptgeschehen des Stückes. Als er an seinem Ende fällt, erscheint noch einmal die Figur des Prologs und wendet sich im Epilog ans Publikum: Der Dichter hat das Geschehen des Dramas entfaltet und darauf mit leichter Hand seine Schicksale gemalt, wie die zarten Dessins eines Fächers. Der Zuschauer soll nun in seiner eigenen Phantasie das Stück zu Ende spielen, er soll das Halbrund des Fächers durch seine Mitarbeit zur Rundung bringen, indem er sich die Vereinigung und Ehe Fortunios und Mirandas in der Zukunft ausmalt. Der Dichter selbst will sich nicht mit weiterem Inhalt belasten, und es scheint zunächst, als wollte er auch sein Publikum in dieser Atmosphäre spielerischer Leichtigkeit verabschieden.

Doch in seine letzten Worte mischen sich seltsame Klänge, die zum Aufhorchen veranlassen: Nach der Aufforderung, das Stück als kleines Fächerkunstwerk anzunehmen, „nicht für mehr" (GLD 255) deuten einige Punkte sein Zögern an, und er fährt mit einem beinah pedantischen „allein bedenkt" fort: „Unheil hat in sich selber viel Gewalt, / Das schwere Schicksal wirft die schweren Schatten, . . . . ." Die zwei abschließenden Zeilen nehmen den Fächer der Handlung nochmals auf, beladen ihn mit der Schwere des Schicksals, von dem er zuvor gesprochen hat. Er wird zusammengefaltet, die Malerei verschwindet, existiert nur noch in Gedanken und Traum der Zuschauer und wird der Flüchtigkeit des Glücks gleichgesetzt: „Doch was Euch Glück erscheint, indes Ihrs lebt / Ist solch ein buntes Nichts, vom Traum gewebt."

Prolog und Epilog haben also hier in ganz eigenartiger Weise Leichtigkeit und Schwere gemischt: Der Dichter gibt ein „leichtes" Stück, lädt den Zuschauer dazu ein und legt dann heimlich seine verborgene Schwere auf den Rücken gerade dieses Zuschauers. Das wurde bisher übersehen.

Man gab sich mit dem Federball und Fächer der Illusion zufrieden.[21] Doch es fragt sich, ob der Dichter nicht mehr erwartet.

Die Tatsache, daß er von „unerfahrnen Augen" spricht, die in seinem Stück nur ein „Etwas" von seiner Wirklichkeit erblicken, weist darauf hin, daß er „erfahrene" hat und sich unter seinem Publikum wohl auch einige wünscht, die als „Eingeweihte" tiefer in seine Gedanken eindringen, daß er also von ihnen mehr erhofft, als nur Amüsement über die Schönheit und Leichtigkeit des Fächerspiels.

Der Nachdenkliche unter den Zuschauern wird so nochmals auf den Weg durch das Stück geschickt und soll aus den Spuren, dem „Etwas" von dem „Schein des Lebens," das der Dichter hinterlassen hat, die Wirklichkeit rekonstruieren. Er soll, genau wie Fortunio und Miranda im Hauptgeschehen des Stücks, von der Illusion zur Wirklichkeit geführt werden und dadurch in seinem Menschsein reifen.

Auch bei diesem Vorgang spielt, wie im Stück selbst, die Großmutter die entscheidende Rolle, denn neben dem kurzen Hinweis auf den Schauplatz des Stückes in der Regieanweisung, der dem Lesen vorbehalten ist, helfen im Hauptgeschehen zunächst nur ihre Schicksale dazu, das zarte Stück, das sonst fast „überall und nirgends" spielen könnte, in einer historischen Wirklichkeit zu verankern.

Sie hat auf dieser „westindischen Insel," die in der Regieanweisung erwähnt wird, die schweren Prüfungen überstanden, von denen sie berichtet: Zuerst den Verlust des ersten Mannes und der Brüder, später nach der Wiederverheiratung in einer Katastrophe, die den zeitweiligen Verlust der Heimat zur Folge hatte, den Tod von Fortunios Vater und wohl auch der Freunde, deren Namen auf den Gräbern kaum mehr zu erkennen sind. (GLD 226) Sie spricht davon, daß Fortunio wenig erlebt hat, so darf man annehmen, daß der Tod seines Vaters entweder schon vor seiner Geburt oder während seiner Kleinkinderjahre erfolgt ist. Von Fortunios Mutter spricht das Stück nicht, sie könnte also noch am Leben sein, wenn man sie nicht in die Erwähnung der verstorbenen „Kinder" (GLD 229) mit einschließen will.

Beschäftigt man sich mit der zu dieser Zeit ungemein komplizierten Geschichte der westindischen Inseln, so zeigt sich aus diesen Zusam-

---

[21] Hamburger sieht das Stück als „das unbeschwerteste aller frühen Dramen Hofmannsthals: *Hugo von Hofmansthal. Zwei Studien.* Göttingen 1964, S. 51. Tarot zitiert ihn bejahend (a. a. O. S. 280). Auch Hilde Cohn sieht nur den Lustspielcharakter: Mehr als schlanke Leier. Zur Entwicklung dramatischer Formen in Hugo von Hofmannsthals Dichtung. In: *Jahrbuch der Deutschen Schillergesellschaft* VIII (1964). S. 280–308. Vergl. S. 291.

menhängen, sehr detailliertes historisches Wissen. Hofmannsthal dürfte wohl die Berichte Moreau de St. Mérys und des Abbé Raynal gelesen haben. Der Familienname des Livio, Cisnero, und der Vorname der Heldin Miranda deuten darauf hin, daß der Dichter in Verbindung mit seiner Arbeit am *Weißen Fächer* gründliche Geschichtsstudien getrieben hat, deren Hintergründe zu erhellen der literarischen Forschung noch vorbehalten ist.[22]

Hier soll in großen Zügen nur das hervorgehoben werden, was dem historischen Hintergrund nach[23] wohl für den Prozeß der Erkenntnis wesentlich ist, der für den Dichter und die Eingeweihten seiner Leser vor sich geht.

Westindien war im Jahrhundert, das vor den erwähnten Vorgängen liegt, hauptsächlich durch Zuckerplantagen, deren Bewirtschaftung im tropischen Klima nur der Import von Negersklaven möglich machte, in den Händen der weißen Kreolen zu einer bedeutenden Handelsmacht geworden. „Reich wie ein Westinder" hieß ein zeitgenössisches Sprichwort. Am Ende des 18. Jahrhunderts kommt nun diese Macht langsam ins Wanken: Die Unabhängigkeitserklärung der amerikanischen Kolonien wird in den unter spanischem oder französischem Mandat stehenden Inseln bekannt, und zugleich erfaßt der Geist der französischen Revolution die farbigen Sklaven und führt sie in blutigen Aufständen zur Rebellion. Auf der Seite der weißen Machthaber steht der royalistische Plantagenbesitzer dem liberalen Händler gegenüber und verstärkt Turbulenz und Konflikt. Neben diesen inneren und äußeren Auseinandersetzungen führt

---

[22] Livio stammt aus dem Geschlecht der Cisneros, (GLD 227) deren berühmter Spross, Diego Cisnero, die Einfuhrlizenz für religiöse Bücher nach den Kolonien hatte und dabei Revolutionsliteratur für die liberalen Kreise einschmuggelte. Der Name Miranda deutet nicht nur auf Shakespeare, sondern könnte auch eine Ehrung des berühmten Kreolen, des Generals Francisco de Miranda, bezeugen. Er wurde hauptsächlich in seiner Verbindung zu den Freiheitsbestrebungen Venezuelas bekannt und wirkte sein ganzes wechselreiches Leben lang für die Unabhängigkeit der Kolonien von den Mutterländern. Auch das Motiv, den Friedhof nahe einer Stadt anzusiedeln, in der sich die Häuser der Hauptpersonen befinden, zeigt diese Beziehung zur Welt des Handels und des „Erben". In oder nahe der Stadt wohnen entweder die Kaufleute, die mit Import und Export beschäftigt sind, oder die Plantagenbesitzer, die nicht mehr selbst ins rauhe Landleben verwickelt sind, die Plantagen einem Aufseher überlassen und sich den Luxus eines Hauses mit schönangelegtem Garten bei der Stadt erlauben können. (Vergl. die genau entgegengesetzte Bewegung in der *Sobeide*, wo die Enge des Lebens die dritte Generation aus der Stadt ins Offene drängt, ebenfalls ein Zeichen klarer soziologischer Einsicht).

[23] Folgende Bücher dienten mir zur Information über die Zustände in Westindien: W. Adolphe Roberts: *The French in the West Indies*. Indianapolis / New York 1942. J. Brown: *The History and present Condition of St. Domingo*. 2. Vol. Philadelphia 1837.

84

dann nach der Entdeckung des chemischen Prozesses der Zuckergewinnung der Anbau der Zuckerrübe in Europa und den Staaten zum Verlust des westindischen Handelsmonopols und der Machtstellung der weißen Kaufleute.

Wie in den folgenden Werken *Die Hochzeit der Sobeide* und *Der Abenteurer und die Sängerin* zeigt sich also auch im *Weißen Fächer* derselbe soziologische Hintergrund für die Gestalt des Ästheten: Er muß sich nicht um die irdischen Güter plagen, die seine Vorfahren in harter Arbeit errungen haben, das Geld des Handels arbeitet für ihn.[24] Zugleich aber steht diese Welt des Luxus kurz vor ihrem Niedergang.

Von diesen Zusammenhängen her gesehen, bekommt so die Wandlung Fortunios für die Augen des eingeweihten Lesers durch die Worte des Prologs eine weit tiefere Bedeutung: Das „schwere Schicksal," in dem sich seine Großeltern behaupten mußten, wartet auch auf ihn und Miranda. Nur wenn er an ihrer Seite das „Fechten mit leeren Worten" vergißt, wird er fähig sein, ihm stand zu halten, inmitten seiner Schläge „der Wirklichkeit zu trotzen" und wie die Großmutter das Leben dennoch zu lieben.

Es zeigt sich also hier erneut ein bisher übersehener Aspekt der Handlung, der sie mit der für Hofmannsthal charakteristischen Form der Spiegelung verknüpft. Dieser Eindruck wird noch vertieft, wenn man die psychologischen und soziologischen Beziehungen des Dichters zur Gestalt des „Erben" versteht und den Ästheten seiner Zeit ebenfalls von dunklen Schatten bedroht sieht. Hofmannsthal erkannte also in historisch-soziologisch orientierter Hellsichtigkeit schon sehr früh[25] die Gewitterwolken

---

[24] Vergl. hierzu die Ausführungen über die Doppelbedeutung des Wortes „handeln" und das System der drei Generationen des Geldes im Kapitel über *Die Hochzeit der Sobeide* und über die Bedeutung des Schauplatzes Venedig im Kapitel über *Der Abenteurer und die Sängerin*.

[25] Hanna Weischedels Feststellung, die anhand des essayistischen Werkes Hofmannsthal im Gegensatz zu Broch politische Hellsichtigkeit abspricht, wird also von diesen Entdeckungen her in Frage gestellt. In ihrem Aufsatz: Autor und Publikum. Bemerkungen zu Hofmannsthals essayistischer Prosa (In: *Festschrift für Klaus Ziegler*. Hrg. Eckehard Catholy und Winfried Hellmann. Tübingen 1960.) führt sie in der Betrachtung der frühen Essays aus: „Was diese ‚Kinder des Lebens' eigentlich bedrängt, die politischen, sozialen, ökonomischen Bewegungen, das wird von der Gegenwartsanalyse Hofmannsthals nicht erfaßt. Das Gefährdete, das Kraft- und Willenlose der Epoche sieht er zwar, aber der Zusammenhang dieser Problematik mit den Realphänomenen ist ihm zunächst nicht deutlich — ein Zusammenhang, wie ihn Hermann Broch aufdeckt zwischen den ästhetischen Phänomenen des Un-Stils der Dekoration einerseits und dem Wert-Vakuum und politischen Vakuum andererseits". (S. 297) Man sieht, daß er nicht erst 1912 die dunklen Jahre erkennt, die vor der Tür stehen. (S. 307) Auch zwischen den dunklen Tagen im Finanzwesen der Doppelmonarchie und ihren schwerwiegenden Folgen für die Privilegierten in der frühen Jugend Hofmannsthals — seine Familie

die sich über Europa und besonders seiner engeren Heimat Österreich-Ungarn[26] zusammenzogen.

Durfte und konnte der Dichter einen solchen Prozeß der Reflektion von den literarisch Gebildeten seiner Zeit erwarten und hat er ihn wirklich selbst geleistet? Die Diskussion dieses Problems führt tief in die Quellenfrage des *Weißen Fächers*, die gerade neuerdings wieder in den Blickpunkt des literarischen Interesses getreten ist. Die Forschung Ellen Ritters,[27] die das Motiv des weißen Fächers auf eine Erzählung der chinesischen Novellensammlung des *Kin Ku Ki Kwan* zurückführte, wurde in neuester Zeit durch die Arbeit Ingrid Schusters erweitert und korrigiert.[28]

Es bleibt aber trotzdem die Frage offen, warum das chinesische Motiv gerade im westindischen Lebensumkreis angesiedelt wurde. Die vorstehende Begründung, daß Westindien als soziologischer Lebenshintergrund des „Erben" Fortunio wichtig ist und in diesem Sinn vom Dichter gewählt wurde, könnte die Erklärung dafür geben.

In diesem Zusammenhang ist das dichterische Werk eines Zeitgenossen wesentlich, der Hofmannsthal und den literarisch Gebildeten unter seinem Publikum einen Einblick in diese Zusammenhänge geben konnte: Lafcadio Hearn.

Daß er Hofmannsthal lieb war, als einer, der „im Leben stand," zeigt sein Nachruf für den verstorbenen Dichter im Jahre 1904.[29] Hearn war aber nicht erst durch die von Hofmannsthal im Zusammenhang des Essays erwähnten Werke bekannt geworden, die er über seine Wahlheimat Japan schrieb, sondern hatte sich als Reporter in New Orleans intensiv mit folkloristischen, soziologischen und historischen Studien über das Leben der Kreolen beschäftigt. Sie führten zu Skizzenbildern in verschiedenen

---

verlor den Hauptteil des großen Vermögens — und seiner Charakterisierung des Ästheten und seines Hintergrundes bestehen Verbindungen.

[26] Die Parallele zwischen dem westindischen Völkergemisch und den unterdrückten, zur nationalen Identität drängenden Minoritäten in Österreich-Ungarn scheint mir nicht umsonst gewählt.

[27] Ellen Ritter: Die chinesische Quelle von Hofmannsthals Dramolett „Der weisse Fächer". In: *Arcadia* 3 (1968), S. 299–305.

[28] Ingrid Schuster: Die ‚chinesische' Quelle des „Weissen Fächers". In: *Hofmannsthal-Blätter*, Heft 8/9 (1972). S. 168–172.

[29] „Lafcadio Hearn". *Prosa II.* S. 104–110.

Zeitschriften,[30] dann, nach einer Reise nach Westindien, zu dem Erscheinen dreier Bücher: *Chita, Two Years in the French West Indies* und *Youma*.[31] Die Tatsache, daß Hofmannsthal diese Werke gekannt hat, konnte bisher aus den Tagebüchern nicht dokumentiert werden, doch sie scheint aus dem Inhalt der Bücher Hearns beweisbar: Schon das Anfangskapitel von *Youma* gibt eine prägnante Zusammenfassung soziologischer Zustände, die genau in die von Hofmannsthal betonte Situation passen, von der sich die dritte Generation des Geldes bedroht sieht: „... but with freedom came many unlooked-for changes: a great industrial depression due to foreign rivalry and new discoveries, — a commercial crisis, in brief, — accompanied the establishment of universal suffrage, the subordination of the white element to the black by a political upheaval, and the total disintegration of the old social structure." (p. 6) Auch die Reiseberichte geben detaillierte Beschreibungen der soziologischen Zusammenhänge, die das Leben in Westindien entscheidend beeinflußten und deren Kenntnis das Drama verrät.[32] Das Motiv des kreolischen Friedhofs, in dem das tropische Leben der Natur den Tod überwältigt und besiegt, findet sich zweimal in diesen Büchern. Die Textstellen, die im Anhang Nr. 1 gegeben sind, zeigen eine enge Verwandtschaft mit der Schilderung des Bühnenbilds bei Hofmannsthal und Motiven des Textes selbst.[33] Besonders

[30] Darunter auch in dem in Europa bekannten „Harpers Weekly". Information über den wechselreichen Lebensweg des Dichters gibt Elizabeth Bisland in ihrer ausführlichen Einleitung zu den Briefen des Dichters: *The life and letters of Lafcadio Hearn.* 2 Vol. Boston/New York 1906. Bd. 1. S. 3–162.

[31] *Chita: A memory of last Island,* veröffentlicht in „Harpers Magazine", April 1888. Als Buch: New York (Harpers) 1889. *Two Years in the French West Indies:*New York (Harpers) 1890. *Youma. The story of a West-Indian Slave:* New York (Harpers) 1890.

[32] Zustände in den Städten und Plantagen. Das farbige Kastensystem. Lebensbedingungen der Minoritäten. Die drohenden Seuchen. Schnellebigkeit und früher Tod vieler weißer Kreolen, besonders der Frauen.

[33] Vergl. anhand des Anhangs Nr. 1, in dem die für den Vergleich wesentlichen Stellen hervorgehoben sind, die Beschreibung des Schauplatzes: Die blütenbedeckte Hecke, die den Friedhof umsäumt (GLD 221) mit den Pflanzen, die in der Schilderung des Friedhofs von St. Pierre über die Mauer drängen. Auch hier ranken sich Blüten über die Grabhügel, wie in der Regieanweisung: „Auch er ist von einem Zelt blühender Kletterrosen verschleiert". (GLD 222) Die „Rows of majestic and symbolic trees", Palmen in Hearns Reisebericht, werden bei Hofmannsthal zu Zypressen, „Symbolen" der Trauer. Die Stelle bei Hearn „Death seems so luminous here that one thinks of it unconsciously as a soft rising from this soft green earth" hat Verwandtschaft mit der Traumvision Mirandas am Grab ihres Mannes. (GLD 233) Alle Berichte erwähnen die Schlingpflanzen und ihre übermächtige Kraft, Fortunio benützt sie in einer Metapher: „Diese übermässige Traurigkeit hängt an dir wie eine ungeheure Liane an einem kleinen Baum". (GLD 245) In *Chita* findet sich eine weitere Friedhofsszene, das Motiv des trauernden Witwers und die Vögel am Grab, ebenso das Leben, das in den Pflanzen auf den Gräbern den Tod überwindet.

wichtig ist die Beschreibung des Friedhofs in den Reisebildern: Er befindet sich auf der Insel Martinique, nahe St. Pierre, einer der bedeutendsten Handelsstädte Westindiens. Auf Martinique und in St. Pierre könnten sich aber auch die Ereignisse zugetragen haben, welche die Großmutter in den Schilderungen ihrer Ehen beschreibt.[34]

Das Buch *Youma* vermittelt das Verstehen für einen Teil des schweren Schicksals, von dem der Epilog Fortunio und Miranda bedroht sieht: Es endet mit dem blutigen Aufstand der Farbigen auf der Insel Martinique im Jahr 1848 (vergleiche Anhang Nr. 2), die die Häuser der reichen Weißen in der Stadt St. Pierre stürmen und in Brand stecken. Das Buch beschreibt diese Schreckensszenen aufs gründlichste, wobei die Gestalt der Youma die Hauptrolle spielt und dem Leser den soziologischen Hintergrund der „Da" übermittelt, (vergl. Anhang Nr. 3) die man in der Mulattin des *Weißen Fächers* wiedererkennt: Obwohl sie Dienerin im Haus der weißen Kreolen war, wuchs die Da meist mit den Kindern des Hauses zusammen auf, wurde ihre Dienerin und die Amme ihrer Kinder, wenn sie nach der Heirat das elterliche Haus verließen, die Trösterin in Schicksalsschlägen — das Buch beschreibt den schnellen Tod einer blutjungen, reichen Kreolin, der dem Sterben der Frau Fortunios gleicht — und die mütterliche und großmütterliche Ratgeberin der folgenden Generationen. So ist die eigenartige Mischung von Vertrautheit und der Herrin zustehender Ehrerbietung, die das Gespräch der Mulattin und Mirandas charakterisiert, von Hofmannsthal genauestens nachgezeichnet, und man erkennt eine weitere Spiegelung des *Weißen Fächers*, die bisher nicht hervortrat und

---

[34] Bei der Beschreibung St. Pierres heißt es: „... A population, fantastic, astonishing, — a population of the Arabian Nights". (p. 38) Über die Bedeutung des Stichwortes „Zauberwelt des Orients" vergl. das Kapitel „Die Hochzeit der Sobeide". Für den politischen Hintergrund des Jahres 1775 habe ich noch keine Quelle gefunden. In den 90er Jahren wechselte St. Pierre während der Angriffe der Engländer mehrmals den Besitzer. Dabei kam es zu blutigen Zusammenstößen zwischen liberalen und royalistischen Elementen der Bevölkerung, verbunden mit Aufständen der Farbigen. Die Namen Cisnero und Miranda legen die Hauptgestalten im liberalen Lager fest. Nach Einnahme der Insel durch die Engländer könnte es also gut zu der erwähnten Verbannung von der Insel gekommen sein, und die Rückkehr Martiniques unter französische Oberherrschaft nach dem Frieden von Amiens hätte tatsächlich die Rückkehr der Verbannten in die alte Heimat möglich gemacht. Solche Vorgänge haben sich aber auch auf anderen Inseln ereignet. Doch die Ruhe vor dem Sturm des Jahres 1848, die Hearn in „Youma" erwähnt und in die Jugend und Ehen Fortunios und Mirandas gefallen wären, war typisch für Martinique. Der Aspekt der Spiegelung geht sogar so weit, daß auch Fortunio und Miranda 1848 sich etwa in derselben Entwicklungs- und Altersstufe ihres Lebens befänden, wie damals die Großmutter und der Großvater, als das Unheil über sie hereinbrach. Vergleiche hierzu die im Anhang Nr. 2 abgedruckten Zitate aus *Youma*.

die von Polheim beobachtete Ausgewogenheit der Struktur noch vertieft:[35] Die Mulattin ist die zweite, geheime „Großmutter" des Stückes. Dem Trio Fortunio, Livio, Großmutter steht also das andere Miranda, Catalina, Mulattin gegenüber. Beide „Großmütter" sind „Ankerfiguren" in dem inneren Prozeß des Dramas, der von der Illusion in die Wirklichkeit des Lebens führt. Sie führen in ihren Gesprächen das Gegenüber zur klaren Sicht der Tatsachen, und während die zwei Ehen der Großmutter das romantische Ideal der Ehen, die im Himmel geschlossen werden, ironisieren, haben die Ansichten der Mulattin über das Ungestüm und die Wahllosigkeit jugendlicher Verliebtheit und die Unfähigkeit des jungen Menschen zur Treue dieselbe ironische Pointe.

Es scheint diesen Tatsachen nach klar erwiesen, daß Hofmannsthal den von Lafcadio Hearn beschriebenen Hintergrund Westindiens benutzt und in vielfacher Weise in sein Werk eingewoben hat. Die deutlichen Hinweise scheinen zu zeigen, daß er tatsächlich für das Detektivwerk der „erfahrnen Augen" Spuren[36] hinterlassen wollte, die zu Lafcadio Hearn und über ihn zu einer Entdeckung der soziologischen Bedeutung des Schausplatzes Westindien für das Geschehen des *Weißen Fächers* führen sollte.[37]

Man fragt sich, warum der Dichter, wenn er wirklich eine solche „Enthüllung" im Sinn hatte, es dem Zuschauer-Leser nicht leichter machen konnte. Anstelle des „Federballs" hätte er ihm etwas mehr von den wirklichen Verhältnissen im Leben Mirandas und Fortunios, den „Vogel" bieten können.

[35] Polheim setzt Catalina als Gegenüber der Großmutter als die, welche getröstet werden muß, im Gegensatz zur „Trösterin" Großmutter. (S. 98 f) Doch sobald man den soziologischen Hintergrund der Da versteht, ist das System der beiden großmütterlichen „Ankerfiguren" weit einleuchtender, da die Mulattin dadurch ins selbe Verhältnis zur Haupt- und Nebenfigur tritt, wie die Großmutter in ihren Szenen mit Fortunio und Livio.

[36] Eine eigenartige Assoziation, die vielleicht auch ein „Hinweis" sein könnte, ergibt sich aus dem Text seines Essays. Er spricht vom Inhalt der Bücher Hearns und benutzt den Ausdruck „und Worte, die Grossmütter zu Enkeln reden". (Prosa II, 105)

[37] Bemerkenswert ist in diesem Zusammenhang eine bisher nicht beachtete Tatsache, die Hofmannsthal neben den von Ritter und Schuster erwähnten Quellen zu der chinesischen Novelle geführt haben könnte: Hearn veröffentlichte ebenfalls eine Sammlung ziemlich freier Übersetzungen aus dem Chinesischen: *Some Chinese Ghosts.* (New York: Harper, 1887). Darin ist die Novelle des *Weissen Fächers* nicht enthalten, aber im Vorwort weist Hearn in Verbindung mit einer seiner Erzählungen auf die Sammlung des „Kin-Kou-Ki-Koan" und die bisher von ihm vorliegenden Übersetzungen hin. Diese Quelle zeigt als Einzige eine direkte Assoziation zwischen dem chinesischen Motiv und Westindien in der Person Hearns.

Auch zu dieser Frage gibt das kleine Stück in seiner Verbindung von Prolog und Epilog die Antwort: Nachdem im Hauptgeschehen des Dramas Fortunio und Miranda miteinander gesprochen haben, enthüllen sie in Selbstgesprächen etwas von ihren innersten Gedanken und Gefühlen: Beide sind verwirrt und kennen sich selbst nicht. Fortunio bezeichnet die Eindrücke seiner Begegnung mit Miranda, die Erinnerungen, die sie hervorriefen, als „fast nichts," das zugleich „den ganzen Stoff des Daseins" darstellt, das „Schattenspiel des Lebens und Sterbens" (GLD 246) Miranda fragt sich: „wer bin ich denn, welch eine Welt ist dies" und sieht die Einheit ihrer Person nur als Schein „Ich selbst mit meinem eignen Selbst von früher / Von einer Stunde früher grad so nah / vielmehr so fern verwandt als mit dem Vogel / Der dort hinflattert." (GLD 252)

Fortunio und Miranda glauben also beide nicht, daß es eine Möglichkeit gibt, ihre Gefühle und ihre Person eindeutig zu beschreiben. Für sie gibt es also keine naturalistische Studie „Ein Tag im Leben Fortunios und Mirandas auf der westindischen Insel Martinique."

Doch der Dichter ist weit davon entfernt, damit dem totalen Impressionismus das Wort zu reden.[38] In der Unterhaltung mit Fortunio sagt Miranda: „Es gibt Augenblicke, die einen um ein großes Stück weiterbringen, Augenblicke, in denen sich sehr viel zusammendrängt. Es sind die Augenblicke, in denen man sich und sein Schicksal als etwas unerbittlich Zusammengehöriges empfindet." (GLD 239) Darauf folgt ihre Erzählung der Szene mit den Büchern der heiligen Therese und Manon Lescaut und die Reaktion ihres sterbenden Mannes, deren Bedeutung hier schon interpretiert wurde.

Dieser Vorgang liegt aber bei der Unterredung von Miranda und Fortunio schon in der Vergangenheit, und man darf wohl annehmen, daß Miranda über die Begebenheit tief betroffen war, aber erst jetzt, im Rückblick, sieht, in welch entscheidender Weise das Ereignis ihr Leben geformt hat.

Es gibt also, trotzdem der einzelne Mensch sich nicht selbst erkennen kann, für den Dichter einen Kern der Persönlichkeit, der durch solche Anrufe der Tyche und die Art und Weise seiner Antwort geformt und

---

[38] Pickerodt, S. 57. Der Einfluß der Philosophie Ernst Machs auf diese Gedankengänge des Dichters steht fest, wartet aber noch auf eine eingehende Untersuchung. Vergl. die Ausführungen Gotthart Wunbergs in: Der frühe Hofmannsthal. Schizophrenie als dichterische Struktur. Stuttgart, Berlin, Köln, Mainz 1965. Abschnitte „Ernst Mach und die Jungwiener" und „Mach und Hofmannsthal", S. 23–40.

verändert wird, selbst wenn dem Menschen im Augenblick dieses Anrufs das Ausmaß und die Folgen dieser Entscheidung verborgen bleiben: So bringt der augenblickliche Eindruck der schicksalshaften Begegnung von Fortunio und Miranda zunächst Verwirrung, hat aber den starken Zug zur Wiedervereinigung zur Folge, der in der Zukunft zur Ehe führen wird. Sie können vielleicht ahnen wie Miranda „so wird noch alles gut," (GLD 253) aber nicht die Schatten sehen, die sich über ihrer Existenz zusammenziehen, noch weniger das kommende Unheil, das sie in seiner Gewalt nur durch ihre Verbindung zueinander und zum Leben überstehen können.

Der Dichter hat also seiner Lebensschau entsprechend das einzig Mögliche getan: In seiner Vision, die in der Schöpferkraft der „anderen Seite" des Lebens angehörte, hat er einen solchen Moment der Tyche erfaßt und gestaltet. Aus dem Stückwerk der Impression und Emotionen entfaltet sich in Verbindung mit der zarten Malerei der Metaphern, die vom Moment der Tyche aus zurück- und vorausweisen, der Fächer dichterischer Kunst, als Federball der Illusion dem Zuschauer zugeworfen, der im Auffangen die Handlung in seiner Phantasie vollendet.

In der dunklen Mahnung des Schlusses wird der Fächer zugeklappt, der „Federball" wird dem Bewunderer entzogen, er wird auf die Suche nach dem „Vogel" geschickt. Hinter dem „Traum," dem „bunten Nichts" des „Glücks" steht die Realität des Lebens, das Verstehen, was der Dichter mit dem *Weißen Fächer* wirklich beschreiben wollte: Nicht nur ein anmutiges Spiel mit den Möglichkeiten von Treue und Untreue, keinen Tag im Leben von Fortunio und Miranda in Westindien, sondern einen Moment des Schicksals, einen Anruf an das Leben von jedem Mann und jeder Frau. Hinter der liebenswürdigen Plauderei des Prologs mit seinem Publikum steht die Forderung des Dichters zur inneren Verantwortung und das zarte Spiel mit dem Fächer enthüllt sich als jugendliche Äquivalenz der dunkleren, viel deutlicheren Stimme des: „Jedermann!".

*Ergebnis und Ausblick*

In der Gestaltung des Dramas wurde auch inhaltsmäßig der Faden des Erstlingswerks wieder aufgenommen. Anstelle des tragischen Ausgangs des Konflikts, der in *Idylle* und *Frau im Fenster* gemalt wurde, tritt die ironische Auseinandersetzung mit der Problematik der Ehe selbst, indem der Repräsentant der freien Liebe, der Ästhet Andrea, als Ehemann Fortunio wiedererscheint. Im Gegensatz zur feinnervigen Gestalt der Dianora zeigt der Dichter nun in Miranda wachsende Tiefe und Wärme des Verständnisses für die Probleme der verheirateten Frau. Mirandas innerer Konflikt, sein Einbau in die Struktur des Dramas, verrät, daß sich die Lebensschau Hugo von Hofmannsthals erheblich geweitet hat.

Auch das wesentliche Motiv, das Schwierigkeiten in der Lebensverankerung des Erwachsenen in Versäumnissen der Kindheit begründet sehen will, wird stärker ausgebaut und vertieft.

In der Ehe und Gattenwahl stellt sich dem Ideal der ewigen Bestimmung der *Beiden* füreinander, dem „Pfad," „der anfangs von ihr weg zu vieler Prüfung führt / Und wunderbar verschlungen doch zu ihr zurück" (Der junge Herr im *Kleinen Welttheater*, GLD 305) ironisch ein anderes Bild gegenüber: Neben den „Irrungen" der ersten Ehen Fortunios und Mirandas, die ihr Stichwort verpaßten, stehen die zwei Ehen der Großmutter, die zeigen, daß es nicht nur eine Möglichkeit der Begegnung gibt, die zu einer guten Lebensgemeinschaft führt. Sie weisen darauf hin, daß sich für Hofmannsthal die Erfüllung der Ehe nicht in den Stunden des Glücks beweist, sondern in der durch diesen Bund gefestigten Fähigkeit, im Leben zu stehen und seine Schicksalsschläge zu meistern.

In der genaueren Interpretation des Prologs und Epilogs, die das Verhältnis des Dichters zu seinem Publikum verfolgte, zeigte sich in der Erhellung der Bedeutung des Schauplatzes Westindien zum ersten Mal die Einfügung dieser Eheprobleme in einen historisch soziologischen Hintergrund, wobei die Existenz des ästhetischen Menschen im Verhältnis zu der ihn umgebenden Gesellschaft kritisch analysiert wurde. Dieser Prozeß konnte aber nur durch das Postulat einer äußerst aktiven Mitarbeit des literarisch gebildeten Publikums verständlich werden. Der Dichter hat ihn in den folgenden Dramen *Die Hochzeit der Sobeide* und *Der Abenteurer und die Sängerin* weiter verfolgt und leichter zugänglich gemacht, wie die Interpretation dieser Werke zeigen wird. Von dieser ironisch subtilen Aufforderung zur Besinnung, die in ihrer Ausprägung dem feinfühligen Geschmack des Dichters der Form des lyrischen Dramas gegenüber entsprach und bis heute nicht verstanden wurde, führt eine direkte Linie zu wichtigen Motiven des *Jedermann*.

Das Spiel des Dichters mit Vogel und Federball der Handlung, das in seiner Begründung konsequent bis in die innersten Regungen der Personen des Dramas reicht, zeigt eine tiefgreifende Auseinandersetzung des jungen Hofmannsthal mit der inneren und äußeren Form, der Morphe, seiner Dichtung. Man sieht, daß die bewußte Ablehnung der naturalistischen Darstellung, die sich noch in seinen letzten Lebensjahren in einer brüsken Verurteilung der *Thérèse Raquin* äußert,[39] nicht nur Aversion gegen eine neue literarische Mode war, sondern Ablehnung einer Form, die nicht fähig war, den ganzen Menschen zu umfassen. „The whole man must move at once!"

[39] Willy Haas: *Hugo von Hofmannsthal*. Berlin 1964. S. 64 f.

# VI. DER KAISER UND DIE HEXE

*Zur Problemstellung*

Auf den ersten Blick hin scheint es fragwürdig, das Drama *Der Kaiser und die Hexe* in die Diskussion der Eheprobleme in den frühen Dramen einzubeziehen. Schon der Titel deutet auf die Auseinandersetzung der männlichen Hauptfigur, die ein Herrscheramt bekleidet, mit einer weiblichen Gestalt aus Sage, Märchen und Volksaberglauben.

Im Personenverzeichnis des Dramas erscheint der Name einer ehelichen Gefährtin nicht, obwohl die Gestalt der Kaiserin in diesem Spiel wesentlich ist, denn das Verhältnis des Kaisers zur Hexe wird im Drama als ein ehebrecherisches charakterisiert. Es besteht also wieder eine Dreierkonfiguration mit einem verborgenen Dritten, doch die ungewöhnliche Variante zeigt nicht, wie in *Gestern* und *Die Frau im Fenster,* einen unsichtbaren Liebhaber, sondern eine unsichtbare Ehefrau. Und nicht die Frau, sondern der Mann wird verführt.

Das Drama setzt auch hier nach der Verführung ein; eine weitere Variation des Themas ergibt sich aus der Tatsache, daß der Verführte sein Vergehen bereut, sich von der Verführerin getrennt hat und ihren listigen Angriffen standhaft widersteht.

Die Hexe wechselt Kleider und Mittel der Verlockung, um sich den Kaiser durch die Macht ihres Zaubers wieder hörig zu machen. Erstaunlicherweise erscheint sie ganz am Schluß des Dramas plötzlich im Gewand der Kaiserin. Sie hat sich also ins Lager der Gegnerin eingeschlichen und will sie mit ihren eigenen Waffen besiegen, eine paradoxe, nicht leicht verständliche Situation des ehelichen Konflikts.

Eine Interpretation des Dramas, die vom Aspekt des zunächst sekundär erscheinenden ehelichen Problems ausgeht, ist auch ratsam, weil sich die wissenschaftliche Diskussion vom primären Problemkreis her, der sich mit dem Verhältnis von Kaiser und Hexe befaßt, in der jüngsten Zeit in komplexen Argumenten festgefahren hat.

Nachdem in den wenigen Interpretationen der frühen Forschungszeit Gestalt und Verführungsgewalt der Hexe in gedankliche Spekulationen eingefügt worden waren, ohne die Deutung des gesamten Dramas zu berücksichtigen,[1] brachte die Arbeit Michelsens[2] die Bedeutung der Hexe in Verbindung mit dem von Hofmannsthal selbst betonten dichterischen Problem der Brentanos[3] und definierte so ihren Einfluß auf die Gestalt des Kaisers. Tarot hat das Drama anhand dieser Ergebnisse weiter untersucht,[4] ist aber im Verlauf seines Kapitels zu der Ansicht gekommen, daß man von diesen Gesichtspunkten her die Gestalt der Hexe nicht mit dem „schrecklichen Zustand der Ambivalenz" in Verbindung bringen kann,[5] die ihr der Dichter selbst im *Ad Me Ipsum* als wesentliches Charakteristikum zuspricht.[6]

Vielleicht ist diese Schwierigkeit einer aufs Werk gestützten Deutung zum Teil im Drama selbst begründet. Hofmannsthal war nicht zufrieden mit diesem Stück, hat es, wie Rudolf Hirsch berichtet,[7] 1919 wieder auf-

---

[1] In Webers Bibliographie findet sich bis 1963 außer einer italienischen Kritik im Zusammenhang mit anderen frühen Dramen im Jahr 1911 und der Rezension der Uraufführung von Fritz Lehner (In: *Schöne Literatur* XXVIII (1927): S. 42–44) kein Artikel über das Drama. Die Fehldeutung von Grete Schaeder *Die Gestalten*, S. 38 f) wird noch näher ins Auge gefaßt werden. Auch Karl Pestalozzi (*Sprachskepsis und Sprachmagie im Werk des jungen Hofmannsthal*, Zürich 1958.) sieht das Drama von diesem Blickwinkel aus. Vergl. bes. S. 103 f. Selbst eine Arbeit jüngerer Zeit, der man dem Thema nach reges Interesse an diesem Drama zusprechen sollte, unterzieht es keiner genaueren Interpretation (Manfred Hoppe: *Literatentum, Magie und Mystik im Frühwerk Hugo von Hofmannsthals*, Berlin 1968.). Die Arbeit Kobels gibt wertvolle Hinweise u. man bedauert, daß er dem Drama kein gesondertes Kapitel gewidmet hat.

[2] Peter Michelsen: Zu Hugo von Hofmannsthal „Der Kaiser und die Hexe". Die Bedeutung der Hexe. In: *Zeitschrift für Deutsche Philologie*, 83 (1964). Sonderheft, S. 113–131.

[3] (A 230) Hofmannsthal definiert das Problem als „ein Zu-viel im Reden, ein Übertreiben — und in diesem Zu-Viel ist eine Spaltung — ein Teil des Ich begeht was der andere nicht will — es ist dies Quer-hindurchschauen durch die übertriebene bizarre witzige Rede, die der ‚Zweite' in uns hält (Clemens Brentano). Er überläßt manchmal ‚seine Worte' (sagt er selbst) ‚ihrer inneren lebendigen Selbständigkeit und die Rede wirtschaftet dann auf ihre eigene Hand munter drauf los, während meine Seele in der Angst, Trauer und Sehnsucht liegt'. Es ist die Gefahr der ‚Aufwallung, der kein Tun folgt' ".

[4] Tarot, S. 263–270.

[5] Ebda., S. 264 f, wobei auf den Einfluß Walther Brechts hingewiesen wird.

[6] (A 215)

[7] „Erste Tagung und Mitgliederversammlung der Hugo von Hofmannsthal-Gesellschaft in Frankfurt am 28./29. September 1968" (Tagungsbericht). Zusammengestellt von Leonhard M. Fiedler. In: *Hofmannsthal-Blätter*, 2 (Frühjahr 1969). S. 79–90: „Ein anderes Phänomen ist die Variation des bereits vollendeten Werkes, vor allem aus zwei Ursachen: einmal dem Ungenügen, dem Willen zur Wiederholung auf einer anderen Ebene der Einbildungskraft — so wurden die *Sobeide* 1908 und *Der Kaiser und die Hexe* 1919 wieder aufgenommen; eine andere Ursache ist die Wiederaufnahme fürs Theater". (S. 80)

genommen, aber bei seinem Tod unfertig hinterlassen und hat seiner Uraufführung durch eine Laienspielgruppe des Schottengymnasiums in Wien,[8] die auf Initiative des Schriftstellers Terramare erfolgte, behutsam Widerstand entgegengesetzt.[9]

Doch im letzten bleibt das kleine Drama, selbst wenn seine Gestalt den Dichter nicht mehr befriedigte, die einzige vollendete Version des Stückes. Im Gegensatz etwa zum *Schüler* hat Hofmannsthal es nicht zurückgezogen,[10] sondern 1900 zum Druck freigegeben.[11] Wohl verwarf er später die Form, aber der innere Sinn war ihm so wichtig, daß er nach einem neuen poetischen Kleid verlangte. Der Dichter hat das Stück auch im *Ad Me Ipsum* und anderen seiner *Aufzeichungen* wiederholt mit anderen Jugendwerken in Verbindung gebracht und gerade bei ihm den Aspekt der „Konfession" besonders betont.[12]

So wird also dieses Kapitel, nachdem die so paradox dargestellten Eheprobleme näher beleuchtet und definiert wurden, weiterhin zu untersuchen haben, welche Stellung diese Probleme im Verhältnis zu den anderen hier diskutierten Werken einnehmen und welche Züge der „Konfession" sie enthüllen.

*Die Figur der unsichtbaren Kaiserin in der Struktur des Dramas*

Der Kaiser hat der Hexe für immer abgeschworen und muß nun in einer Abstinenz von sieben Tagen — dem Äquivalent der sieben Jahre seiner Hörigkeit — ihre Macht über ihn brechen. Das Drama setzt ein am Nachmittag des siebten Tages. (GLD 259) Die Hexe hat noch eine ganz kurze Zeit ihn wieder zurückzugewinnen, nur bis zum Untergang der Sonne.

---

[8] Am 16. XII. 1926 in der Wiener Urania mit Musik von Hans Pleß.

[9] Erwähnt von Nehring im Anhang seines Buches (*Die Tat bei Hofmannsthal*. Stuttgart 1966. S. 142 f.) in einem bisher unveröffentlichten Brief des Dichters an Terramare.

[10] Vergl. den Bericht Donald G. Daviaus: Hugo von Hofmannsthal's Pantomime: „Der Schüler", experiment in form — exercise in Nihilism. In: *Modern Austrian Literature*, Vol. 1, Nr. 1 (Spring 1968). S. 4–31. Biographische Fakten auf Seite 5.

[11] Zuerst veröffentlicht in: *Die Insel* (1899/1900) 2. Quartal, Heft 4 (Januar 1900). S. 1–47, dann als Buch mit Bildern des Worpsweder Künstlers Heinrich Vogeler. (Berlin: Verlag der Insel bei Schuster und Loeffler, 1900).

[12] A 238: „Das Bekenntnishafte: in ‚Kaiser und Hexe' ". A. 240: „ ‚Kaiser und Hexe" reines Bekenntnis". A 242: „Figur. Charakter. Das: Verbirg dein Leben. Autobiographisches überall: ‚Kaiser und Hexe,' Märchen, ‚Schwierige' ".

Als Mittel der Verführung wählt sie vier verschiedene Gestalten: Sie erscheint ihm zuerst „jung und schön, in einem durchsichtigen Gewand, mit offenem Haar," (GLD 258) dann als Taube, die sich, vom Dolch getroffen, in einen Jägerburschen verwandelt. (GLD 275)

Am Ende des Dramas steht die Totgeglaubte und schon Beerdigte (GLD 276–280) wieder auf und erscheint diesmal im Gewand der Kaiserin. (GLD 291) Die Täuschung muß ihr vollkommen gelungen sein: Tarquinius meldet dem Kaiser die Ankunft seiner Frau und zieht sich zurück. (GLD 291) Er glaubt wohl, daß die am Erscheinen Verhinderte, (GLD 284) die er zuvor im Auftrag des Kaisers in dessen Gegenwart rufen sollte, (GLD 263) sich nun doch frei gemacht hat. Auch der Kaiser glaubt dem Betrug der Hexe, die ihr Gesicht verhüllt hat, und spricht mit ihr, als wäre sie seine Frau. Erst die Entschleierung zeigt ihr wahres Gesicht. (GLD 292) Unter seinen letzten Worten des Widerstands sinkt die Sonne, und die Macht der Gegnerin ist gebrochen.

Die Interpretation der Problematik der kaiserlichen Ehe wird sich also hauptsächlich auf diese Begegnung des Kaisers mit dem Trugbild und auf die kurzen Befehle und Botschaften am Anfang des Dramas zu stützen haben.

*Das Trugbild und die kaiserliche Ehe*

In bisherigen Interpretationen zeigte sich die Begegnung des kaiserlichen Paares als vielfach umstrittenes Problem der Deutung.

Verschiedene Betrachter sehen die Erscheinung der Kaiserin ganz im Licht der Reinheit und Schönheit: Sie verkörpert „die einzige echte Bindung, die der Kaiser eingegangen ist, die zu Frau und Kindern."[13] „Sie steht für des Kaisers Wirklichkeit und bringt zugleich Dauer und Tiefe in seine Existenz."[14]

Doch einige der Interpreten beweisen, daß eine eindeutig positive Beleuchtung der Erscheinung nicht haltbar bleibt, denn der Dichter hat sie ganz klar in den Kampf der Hexe mit dem Kaiser einbezogen.

---

[13] Werner Metzeler: *Ursprung und Krise von Hofmannsthals Mystik* München 1965. S. 98 f.
[14] Margarete Schüssler: *Symbol und Wirklichkeit bei Hugo von Hofmannsthal.* Diss. Universität Basel 1969. Sie interpretiert das Drama auf S. 73–123. Das Zitat ist auf S. 117. Vergl. auch S. 76 und 115 für diese einseitig positive Interpretation der Figur der Kaiserin.

Grete Schaeder glaubte, die Problematik der Einordnung lösen zu können: „Die eigene Gattin wird demnach zur letzten Gefahr, die sich dem Erlösungskampf des Kaisers entgegenstellt. Die reinste irdische Liebesverbindung als Versuchung für den geistigen Menschen."[15] Sie verbindet darauf das Drama mit Motiven des *Bergwerks von Falun.*

Die mehr dem Text zugewandte Interpretation der jüngsten Zeit weist darauf hin, daß nicht nur das Herrscheramt des Kaisers, sondern auch seine Ehe neu werden muß. Michelsen führt aus: „Und indem er zu der in Gestalt seiner Gemahlin auftretenden Hexe als *Vater* seiner Kinder spricht (S. 292) gewinnt er die letzten Abwehrkräfte gegen die Magie."[16] Michelsens Interpretation wurde während einer Tagung vorgetragen, und seiner Rede folgte eine Diskussion, deren Verlauf, dem Aufsatz folgend, in Stichworten in der *Zeitschrift für Deutsche Philologie* ebenfalls abgedruckt ist. Auch in dieser Diskussion wurde klar darauf hingewiesen: „Der Kaiser hat seine Pflichten als Gatte und Vater nicht erfüllt."[17]

Es ist das Verdienst von Kobel und Tarot, dieses Versäumnis klarer definiert zu haben: Kobel erfaßt es rückblickend während der Interpretation der *Frau ohne Schatten:* „Der Kaiser erinnert an die Hauptfigur im lyrischen Drama ‚Der Kaiser und die Hexe:' Dieser Kaiser, auch ein Jäger, hat seine Frau ebenfalls in ihrem Mädchenwesen festgehalten, das ihn als altersloses Phantom umschwebt, so daß man sagen könnte, er betrüge fortwährend seine Frau mit seiner Frau."[18] Tarot bemerkt in einer Fußnote:[19] „Trotz seiner Heirat wird er jetzt erst wahrhaft Gatte und Vater, denn bis zu diesem Augenblick hatte die Kaiserin noch das Lächeln eines Kindes, ein Zeichen dafür, daß der Kaiser sie noch nicht aus einem Zustand kindlicher Unbefangenheit erlöst und zur Liebe geweckt hatte."

Dabei bleibt die Frage offen, warum die Hexe dann gerade die Person der Kaiserin als letzte, gefährlichste Versuchung gewählt hatte, wenn sie so dem Kaiser zugleich ein Versäumnis seines Lebens vor Augen hielt und den sowieso reuig gewordenen Sünder durch sein Schuldbewußtsein noch enger mit seiner Familie verknüpfte.

Man könnte ihren Angriff damit begründen, daß sie, die den Kaiser in den Gestalten der „Buhlerin" nicht dazu verführen konnte, sie wieder zu berühren, Porphyrogenitus im Gewand der legitimen Ehegattin zur

---

[15] *Die Gestalten,* S. 38.
[16] Michelsen, S. 127.
[17] Ebda., S. 131.
[18] Kobel, S. 272.
[19] Tarot, S. 268, Anm. 75.

Umarmung verleiten will und damit rechnet, daß er ihren Betrug nicht endeckt. Die Frage ist also: Worauf stützt sich diese Erwartung der Hexe, und wie und warum wird sie enttäuscht?

Sie, die durch das ganze Stück im Hinterhalt lauerte und auf Zeichen der Schwäche des Gegners wartete, hatte den Kaiser als Beistand in seinem Kampf nach Menschen, seiner Frau und seinem Kind rufen hören (GLD 263) und wußte durch die Botschaft der Kaiserin, die Tarquinius, der getreue Kämmerer, überbrachte, daß sie beschäftigt war: „Herr! die allergnädigste / Kaiserin läßt durch mich melden / Daß sie sich zurück-gezogen, / Weil die Zeit gekommen war / Für das Bad der kaiserlichen / Kinder." (GLD 284)

Sie nimmt nun die Gestalt der Kaiserin an und erwartet die Umarmung des Kaisers, der nach seiner Frau verlangt. Wie ist es ihr aber gelungen, sich der Erscheinung der Kaiserin zu bemächtigen? Märchen und Sage, in denen der zauberische Bereich des Dramas verhaftet ist, betonen immer wieder, daß das Böse keine Macht über die Unschuld hat.

Hofmannsthal selbst gibt im *Ad Me Ipsum* einen leisen Hinweis auf die Lösung dieser rätselhaften Zusammenhänge, indem er das Drama mit Problemen des *Weißen Fächers* in Verbindung setzt: Er spricht vom Zusammenkommen „aller Elemente des Höheren" zur Überwindung und Erlösung der Hexe und fährt fort: „Hier die Gestalt der Gattin seltsam und wichtig — Auch hier läuft es auf eine Geisterstunde hinaus. Auch dieser Kaiser ein junger Verheirateter (wie im ,Weißen Fächer')." (A 223)

Der Dichter sieht also in der jungen Ehe Fortunios und des Kaisers den Parallelvorgang einer „Geisterstunde," denn aus dem Zusammenhang darf man wohl entnehmen, daß sich „auch hier" sinngemäß auf den nachfolgenden Satz bezieht, und als das „dort" das Geschehen des *Weißen Fächers* sehen.

Was ist aber eine „Geisterstunde?" Ein Wesen, das im Grab keine Ruhe findet, kommt als Gespenst zurück und spukt so lange, bis man es erlöst. Die vorausgehende Interpretation des *Weißen Fächers* hat auch klar gezeigt, was hier mit diesem seltsamen Ausdruck „Geisterstunde" gemeint ist: Fortunio hat in seiner Faszination mit der geheimnisvollen Unberührtheit seiner Frau und in seinem Unvermögen, sie existenziell zur Frau zu machen, seine scheinbar so ideale Ehe, als narzißtischen Versuch enthüllt, aus der Realität des Lebens zu fließen. In der Ehe ist er dem Du nicht näher gekommen, er hat im Grunde nicht ihre Person, sondern das Geheimnis ihrer Kindhaftigkeit geliebt, das ihn noch nach ihrem Tod gleichsam als „Gespenst" umgibt, und die Worte der Großmutter und Mirandas halten ihm nun die Wahrheit vor Augen:

Du redest über einen Menschen
wie über einen Baum oder einen Hund. (GLD 246)

Das schwebende Ende zeigt ihn noch immer im Liebäugeln mit dem „Gespenst" des Geheimnisses, das aber mit Hilfe der echten Bindung an Miranda in der Zukunft wohl endgültig Ruhe finden wird.

Auch der Kaiser hat das gleiche Verhältnis zum Nächsten wie Fortunio, bezeichnenderweise erkennt er es aber selbst:

...daß ich Menschenschicksal
So gelassen ansehn kann
Wie das Steigen und Zerstäuben
Der Springbrunnen! daß ich meine
Eigne Stimme immer höre, (GLD 267 f)

Auch bei ihm steht dieses falsche Verhältnis zu den Menschen in Verbindung mit dem falschen Verhältnis zum nächsten Du, und die inneren Gründe sind die gleichen, wie der Bildbezug der Konfrontation mit der Hexe deutlich zeigt:

Das Trugbild erscheint mit Lilie und Schleier, den Attributen der Jungfräulichkeit, (GLD 291) ist so also Trägerin des „Geheimnisses," das wie Fortunio auch den Kaiser fasziniert. Wenn er nun die vermeintliche Kaiserin in *dieser Erscheinung* wiederum umarmte, so befestigte er gerade *die* Sphäre seiner Existenz, die der Wahrheit und dem Du entfremdet, ist, und diese Sphäre wird im Drama klar gekennzeichnet als Reich der Hexe.

Das Entscheidende bei der Begegnung ist nun, daß der Kaiser gerade das von der Hexe Erwartete nicht tut. Auch hier erkennt er, wie seine Worte zeigen, genau wie vorher in seinem Verhältnis zu den Mitmenschen, die Wahrheit über sein Verhältnis zum nächsten Du:

Wegen seiner Faszination mit dem „Geheimnis ihrer Mädchenhaftigkeit" verbringt die Kaiserin ihr Leben noch immer in der „Kinderkammer," in der die Gestirne der Nacht und des Tages und der Regenbogen als Chiffre der Verbindung von Zeitlichem und Ewigem die untrennbare Fülle dessen verkörpern, was Hofmannsthal unter der schuldlos-heilen

Welt der „Präexistenz" versteht. Diese Welt ist das Paradies der Kinder, doch die Mutter sollte der Wirklichkeit des Lebens angehören. Helena hat ihr „Amt" der Kaiserin und Frau nicht in die Ordnung des Tages eingeführt, die Pflege der Kinder wurde ihr zum Ritual, wie es tragisch-ironisch in dem Bild ausgedrückt wird, das in der Botschaft des Tarquinius das „Bad der kaiserlichen Kinder" gegen den verzweifelten Versuch der inneren Reinigung des Kaisers setzt. Sie ist auch nicht anwesend, als der verstoßenen Kaiser inmitten des Hofes wieder in seine Rechte eingesetzt wird, ein wichtiger Staatsakt, dessem Vollzug die Kaiserin hätte beiwohnen sollen. (GLD 284–90)

In der Art ihrer Existenz, die sie außerhalb der ihr zugewiesenen Ordo stellt, ist die Kaiserin die geheime Schwester der Frau des Fortunio, die im Kinderhimmel Ball spielt. Doch im Gegensatz zum Schicksal der jungen Frau hat die Ehe der Kaiserin länger gedauert; was bei Fortunios Gattin noch als liebenswerte Kindlichkeit gelten konnte, wurde in der Länge der Zeit bei der jungen Kaiserin zur traurigen Starre. Der Dichter benützt wieder den Bildbereich, um diese Tatsache ironisch zu beleuchten: Der zarte Schleier der Jungfräulichkeit ist nun ein „dichter goldner," (GLD 291) die Unschuld der Kaiserin ist gleichsam zum „Monument" geworden, sie trägt sie als „langstielige goldene Lilie" feierlich vor sich her. Doch dieses Zeichen der Unschuld scheint so morsch geworden zu sein, daß es, von der Hexe später im Zorn weggeschleudert, sogleich in „Qualm und Moder zerfällt." (GLD 294)

Selbst die Bilder, die von den Kindern des Kaiserpaars sprechen, enthüllen, daß der Kaiser seine Frau existenziell im Mädchentum erhalten hat, denn sie alle zeigen Metaphern, die sich bewußt von der Sexualität des Zeugungsakts wegwenden:

> Wie von einer kleinen Quelle
> Hergespült, wie aufgelesen
> Von den jungen grünen Wiesen,
> Die Geschwister ahnungsloser,
> Aus dem Nest gefallner kleiner
> Vögel sind sie ...

Diese Deutung der Metaphern findet ihre Bestätigung darin, daß der Dichter diese Bilder später in Beziehung zu ganz ähnlichen Problemen der *Frau ohne Schatten* wieder benützt.

Porphyrogenitus sieht also, daß die Kinder nie wirklich die seinen geworden sind und bekennt seiner Frau gegenüber die Wahrheit:

... Helena,
Weil es deine Kinder sind! (GLD 292)

Mit diesem Bekenntnis ist auch seine Bestrickung durch ihre „Unschuld," dem „Schleier," zu Ende, ihn verlangt, hinter dem „Geheimnis" das „Antlitz," das Du zu sehen. So muß sich enthüllen, daß auch diese Verbindung zum allernächsten Menschen im Geheimen dem Bereich der Hexe angehört hatte: Hinter dem zurückgeschlagenen Schleier gewahrt er im Vorgang des Exorzismus[20] das Gesicht der listigen Gegnerin, und auch hier ist ihre Macht über ihn gebrochen.

Hofmannsthal hat also in der Sprache seiner Bilder gezeigt, warum die Hexe Kaiserin spielen konnte, wodurch sie verführen wollte und wie das Gespenst dieser Ehe in der Geisterstunde beschworen und ausgetrieben wurde.

*Ehe und Kaisertum*

Für die Bedeutung dieser Ehe im Gesamtgeschehen des Dramas ist wesentlich, daß sie nicht die Verbindung zweier Alltagsmenschen ist: Auch der Kaiserin ist durch die Heirat ein Anteil an der Herrschaft zugefallen, die der Kaiser als Erbe antrat.

Neben dem Kampf mit der Hexe berichtet das Drama auch über die Regierungszeit des Kaisers: Er hatte wohl sein Erbe angetreten, aber sein Amt bisher nicht gewissenhaft versehen. Das Spiel enthüllt zwei Gebiete des Versäumnisses: Der Kaiser hat sich seinen Neigungen hingegeben — die erste Szene spricht von der Leidenschaft seines Jagens (GLD 256) — und sein Amt des Richters nicht ausgeübt: Der Verbrecher Lydus, der von den Soldaten zum Tod geführt werden soll, (GLD 269-274) hat sich, da der Kaiser die Justiz vernachlässigte, selbst geholfen und ist wie Kleists *Michael Kohlhaas* darüber zum Mörder geworden.

[20] Vergl. die Ausführungen über den Widerspruch der Begriffe Bann und Erlösung in der Zusammenfassung dieses Kapitels. Der Begriff des Exorzismus wurde hier eingeführt, weil er noch am ehesten die hier entscheidenden Handlungen des „Beim-Namen-Nennens", d. h. Erkennens der Gefährdung, des „Austreibens" und zugleich „das Erlösen des Gespensts" zu enthalten scheint.

Ein zweiter schwerer Verstoß gegen das Amt tritt durch die Entdeckung des elenden alten Kaisers zutage. Man hat ihn vor langen Jahren im Namen des damals noch unmündigen kaiserlichen Kindes verbannt. (GLD 286)

In beiden Fällen versucht der Kaiser, seinen Fehler wieder gut zu machen: Er erkennt die ursprünglich reinen Motive und die Kraft des Täters im Verbrechertum des Lydus und betraut ihn mit einem verantwortungsvollen Amt, und er gibt dem alten Kaiser eine Ehrenstellung an seinem Hof.

Es ist seltsam, daß von den drei Versäumnissen des Kaisers nur bei zweien dem Bekenntnis der Schuld eine Szene der Wiedergutmachung folgt. Bei der Begegnung mit dem Trugbild kommt nur die Wahrheit zutage, man sieht den Kaiser nicht dabei, nun seine Frau wirklich rufen zu lassen, und die letzte Szene findet ihn zuerst mit dem getreuen Kämmerer, dann, als der Vorhang fällt, allein im Dankgebet auf den Knien. (GLD 296)

Wieder scheint sich, genau wie in *Gestern* und im *Weißen Fächer,* versteckte Ironie über die Gestalt der männlichen Hauptfigur zu legen: Porphyrogenitus hat nun gelernt, Kaiser zu sein, aber kann er seine Frau wirklich zur Gefährtin und zur Kaiserin machen? Auch hier endet das Drama in schwebender Antizipation. Der Ehemann sieht die Wahrheit, er ist unterwegs aber noch nicht am Ziel.

Diese Bildbezüge des Dramas sind besonders wichtig, weil die Probleme, die sie metaphorisch untermalen, von Hofmannsthal selbst anhand der Biographie der Brentanos mit den Fragen der dichterischen Existenz in Verbindung gebracht wurden. Darauf hat Michelsen mit Recht hingewiesen. Unter dem Amt, das der Herrscher verwaltet, darf man also den rechten Gebrauch des dichterischen Wortes verstehen. Wenn der Dichter, dem durch seine Gaben das kaiserliche Erbe zugefallen ist, dieses Amt vernachlässigt, nicht „Recht spricht," so kommt das Wort in Verwilderung, wie es die Gewaltaktionen des Lydus beschreiben. Hofmannsthal, der ähnliche Motive im *Turm* wieder benützen wird, hat für die deutsche Sprache und Dichtung diese Gefahr schon in seiner Jugend deutlich gesehen. Er erkannte die Verwilderung als einen Prozeß, der in der Romantik begonnen hatte, so wie er es in den Problemen der Brentanos darstellt: In einem Zuviel der Worte, dem „Anempfindungsvermögen," das nicht in der Existenz verankert ist.

Deshalb haben die Worte des Kaisers an den Vertrauten, der das wichtige Amt des Kämmerers versieht, große Bedeutung:

Und wenn du ein Wesen liebhast,
Sag nie mehr, bei deiner Seele!
Als du spürst, bei deiner Seele!
Tu nicht eines Halms Gewicht
Mit verstelltem Mund hinzu:
Dies ist solch ein Punkt, wo Rost
Ansetzt und dann weiterfrißt. (GLD 266 f)

Es geht also darum, daß das „Amt" des dichterischen Wortes nur im rechten Leben der Wahrheit gedeihen kann, und in dieser Verbindung zum Leben spielen Ehe und Vaterschaft die ausschlaggebende Rolle: Genau so wie dem Sieg über die Hexe im Gebiet des Amtes der Sieg in der persönlichen Sphäre folgen mußte, kann der Kaiser nur wahrhaft herrschen, wenn er zugleich auf die richtige Art Gatte und Vater ist. Deshalb ist die Gattin des Kaisers nicht einfach seine Frau, sondern zugleich Herrscherin, weil sie in ihrer Stellung als Mutter, Frau und Gefährtin dem Kaiser hilft, das Amt in der Existenz zu gründen.

So versteht man nun den letzten, gefährlichen Angriff der Hexe, weil man die zentrale Stellung von Ehe und Vaterschaft im Kaisertum des Porphyrogenitus erkennt. Er muß in der Liebe zu den nächsten Menschen dafür Sorge tragen, daß das ihm anvertraute Amt dem Leben und der Wahrheit verhaftet bleibt.

Nur wenn er sich selbst als Glied einer Kette erkennt, wenn er diese Herrschaft empfängt, ausübt, und einst an seinen „Erben" weitergibt, kann er auch das rechte Verhältnis zu seinen Vorgängern haben, von dem die Szenen um den alten, verstoßenen Kaiser sprechen. Der junge Dichter bekennt sich hier also klar zur abendländischen Tradition der Imitatio im Gegensatz zum selbstherrlich-genialischen Dichtertum der Romantik.[21]

In der Bildersprache des Dramas ausgedrückt: Er soll den ihm anvertrauten „goldenen Palankin" nicht mit der Hexe seiner Selbstsucht mißbrauchen, sondern zusammen mit den „Ahnherrn, / Julius Cäsar und" den „andern" helfen, seine Stangen zu tragen. (GLD 293)

[21] Vergl. hierzu die Gegenüberstellung der zwei Haltungen des Dichterischen in dem in der Einführung zitierten Werk „Mirror and Lamp" von Abrams.

Der umstrittene Aspekt der Ambivalenz läßt sich deuten, wenn man versteht, daß Hofmannsthal hier nicht nur allgemeine Feststellungen über das Dichtertum macht. In dieser, seiner persönlichen „Konfession" vertritt er zugleich die junge Dichtergeneration seiner Zeit.

Das „Amt" ist angetreten, der entscheidende Schritt in die „Existenz" ist getan, aber der weitere Weg scheint überaus schwer. Im Bann der „Hexe" mißbraucht man die Gabe des „leichten Schreibens" und schafft Werke, die dem „Anempfinden" und nicht dem existenziell verankerten „fühlenden Denken" entspringen. Daneben birgt die Erinnerung an die einst in der Kindheit erfahrene beseligende Verwandtschaft mit allen Dingen einen gefährlichen Anreiz zum Schritt zurück in das schon verlassene Reich der Unschuld. Die romantische Gefährdung umschließt nicht nur ein Zuviel anempfundener Worte, sondern daneben auch die Verlockung zum Spiel mit längst überlebter Unschuld und Kindlichkeit.

Dieselbe Gefährdung, schon vorbereitet in der bürgerlichen Lebenstendenz der viktorianischen Zeit, zeigt sich auch existenziell im Verhältnis zur Frau, die man in einer „künstlichen Jungfräulichkeit" festhält, während man in Phantasie und Tat der „Buhlerei" verhaftet ist. Es gibt also schon in den ersten Dramen ein geheimes Verhältnis zu Maria/Mariquita, ein Zeichen für die „formidable Einheit" im Werk des Dichters, der in der Arbeit von Prince nicht die grundlegende Inspiration, sondern nur tiefere Einsicht und Bestätigung fand.[22]

Das schreckhafteste Charakteristikum dieser vom Dichter gezeichneten Ambivalenz ist aber, daß sie in ihrer gefährlichsten Erscheinung kein Schwanken bedeutet, sondern ein furchtbares „Zugleich." Das drückt sich ebenfalls in der Bildersprache des Dramas in den Erscheinungen der Hexe aus: Die erste Gestalt des Mädchens verbindet kindhaft offenes Haar mit dem durchsichtigen Gewand der Verlockung, (GLD 258) die Taube ist Sinnbild der Unschuld und Vogel der Venus,[23] der „Jägerbursche" spielt mit der Verführung des Weiblichen im männlichen Gewand, und hinter dem Schleier der Unschuld verbirgt sich das Gesicht der Hetäre, denn

---

[22] Vergl. Alewyns Untersuchungen „Andreas und die wunderbare Freundin" (*Über Hugo von Hofmannsthal*. S. 106–142) in denen er den Einfluß dieser psychiatrischen Studie auf den Dichter zeigt. Die Arbeit von Morton Prince (*The Dissociation of a Personality. A biographical study in abnormal psychology.*) erschien 1906 in New York.

[23] Erken, S. 207.

im Altertum war er kein Zeichen der Jungfräulichkeit, und unter seinen berühmten und berüchtigten Trägerinnen wird auch Helena genannt.[24] Helena ist aber im Stück der Name der Kaiserin und zugleich der buhlerischen Hexe, die der Kaiser einst hinter dem Vorhang als Gesellin ekelhafter Faune in den Armen des Paris erblickt hatte.[25] (GLD 262)

So malt sich also die Gefahr der „Hexe," der schreckliche Zustand der Ambivalenz, der den zum Tun entschlossenen „Erben" als Versuchung umgibt, in allen Gebieten der Bildersprache.

Auch in der Wahl des Schauplatzes, in dem sich späthellenistische Elemente[26] mit zauberhaft zeitlosen Motiven aus Märchen und Sage verbinden, hat Hofmannsthal diesen Zustand betont und so die Hauptgedanken des Dramas konsequent verankert. Er sieht die Zeit des Hellenismus als eine Epoche des „Anempfindungsvermögens" und zeigt anhand seines Essays über Hermann Bahrs *Mutter* die Verbindung dieser Zeitspanne zu der romantischen Gefährdung seiner eigenen Tage. Er schreibt im Hinweis auf ein Zitat aus Max Müllers *Essays zur vergleichenden Religionsgeschichte*:

Die handelnden Menschen in Bahrs neuestem Buch ‚Mutter' sind, was er selbst, Künstler des gesteigerten Lebens, der raffinierten Empfindung, der potenzierten Sensation. ‚Mutter' ist modern und romantisch zugleich, indem es moderne Motive ins Romantische zuspitzt, verzerrt, ‚hinüberbildet.' Denn Romantik ist ja gar nichts Selbständiges, sie ist Krankheit der reinen Kunst, wie der Dilettantismus, das Anempfindungsvermögen, Krankheit des Empfindungsvermögens ist. Und die beiden, Romantik und Dilettantismus, sind immer zusammengegangen. Als das Altertum seine große romantische Periode hatte, als der Hellenismus der Diadochenzeit mit dem cäsarischen Universalismus Roms zu einem formlosen Meer von Kulturelementen zusammenrann, in jener Epoche ‚religiösen und metaphysischen Irrsinns, wo alles zu allem wurde, wo man Mâjâ und Sophia, Mithra

[24] Bächtold-Stäubli: *Handwörterbuch des Deutschen Aberglaubens.* Berlin 1917–1920. Band VII, Spalte 1207 f.

[25] Pickerodt sieht diesen Zusammenhang ebenfalls, sucht ihn aber auf S. 84, Anm. 8 dadurch zu begründen, „dass der Kaiser in seiner Frau die schönste schon besitzt, ohne dass ihr Bild durch die Berührung von Paris' Hand getrübt wäre".

[26] Die „autobiographische" Bedeutung dieses Schauplatzes wird durch einen Tagebucheintrag vom September 1928 erneut bestätigt. (A 243)

und Christus, Virâf und Jesaias, Belus, Zarva und Kronos in ein einziges System bodenloser Spekulation zusammenbraute,' da dilettierte man auch auf allen Gebieten, freute sich, die Resultate tausendjähriger Kulturarbeit in sich aufzunehmen, und spielte dasselbe gefährliche Spiel mit seiner Elastizität, wie wir es spielen; man kokettierte mit der romantischen Räuberwelt Halb- und Ganzasiens wie nur je dies west-östliche Jahrhundert der ‚Orientales' und des ‚Childe Harold'; der kosmopolitische Kaiser Hadrian betreibt keinen minder raffinierten Exotismus wie der kosmopolitische Physiolog Stendhal. (PI 17)

Auch auf diesem Gebiet bedeutet, wie der Schauplatz des Stückes zeigt, die Rückkehr in die Volkstümlichkeit und Einfältigkeit von Märchen und Sage keinen Weg des Wortes in die Erneuerung, sondern nur den Ausschlag des Pendels nach der anderen Seite, und stellt ebenfalls Flucht vor der Wirklichkeit dar. Bezeichnenderweise ist ja auch die Gestalt der Hexe in diesem Motivkreis des Dramas verhaftet.

## Ergebnis und Ausblick

Die Interpretation des zunächst sekundär erscheinenden Fragenkreises der kaiserlichen Ehe erschloß den Zugang zu den primären Fragen des Dramas, weil der Dichter im „Trugbild der Kaiserin" die höchste Gefährdung für den Kaiser darstellte und dann in den Metaphern der Entschleierung auf die Möglichkeit hinwies, sein Amt weiterhin zu sichern: Die Ehrlichkeit und ungeteilte Hingabe an Frau und Kinder wird zur Quelle der Kraft und der steten Erneuerung für den Dienst des Kaisers am Wort und befreit ihn von der „Ambivalenz der Hexe."
Hofmannsthal zeichnete das ausgehende 19. Jahrhundert in seiner Verbindung von Pseudoromantik und Exotismus im gesamten Bereich des Dramas als entartete Spätzeit. Seine Kritik bedeutet eine Weiterführung der Gedanken, die sich schon im ironischen Spiel der Idylle gezeigt hatten.
Hofmannsthal weist die zeitgenössischen Dichter auf zwei Wege der Erneuerung: Er betont den Anschluß an die literarische Tradition, das Weiterreichen des Ererbten in schöpferisch erneuerter Imitatio, und er erkennt die Abhängigkeit der Lauterkeit des Wortes von der Qualität des persönlichen Lebens im Verhältnis zu den Allernächsten, in der Sorge

für Frau und Kinder, die genau wie im Schicksalsweg der Dianora die Leidenschaft — die Passion — in Mitleidenschaft — Compassion — verwandelt und das „Anempfindungsvermögen" zum „fühlenden Denken" macht. Um die rechte Erfüllung dieser Aufgaben hat Hofmannsthal als Dichter und Mensch bis zu seinem letzten Lebenstag gerungen.

Diese tiefen Gedanken, die der Handlung des Dramas *Der Kaiser und die Hexe* zugrunde liegen, versöhnen mit ihrem Mangel an formaler Konsequenz: Trotz der Entschlüsselung der Bilder der Hexe und der sie begleitenden Ambivalenz findet sich bisher keine Erklärung dafür, warum die Hexe, die deutlich eine Versuchung der Phantasie darstellt und nur zum Kaiser spricht, wenn er allein ist, dann doch vom „armen Menschen" gesehen und begraben werden kann (GLD 278 f) und als „Trugbild der Kaiserin" auch Tarquinius erscheint. Auch die Darstellung des Sieges über die Hexe, ihre Bannung und das Brechen ihrer Macht und zu gleicher Zeit die Notwendigkeit ihrer Erlösung sind schwer zu vereinen und im Drama nicht klar durchgeformt.[27] Vielleicht werden die Manuskripte der Wiederaufnahme in diesen Punkten Klärung oder Korrektur der Deutung bringen.

Zum Abschluß dieses Kapitels sei auf eine Bemerkung des Dichters aus der späteren Zeit hingewiesen, in der er nochmals über das eheliche Problem des Dramas reflektiert: Im Herbst 1926 schreibt er in sein Tagebuch: „ 'Kaiser und Hexe': was es mit dem Stoff auf sich hat mit der Schuld *für die Frau*. Die Tragweite damals nicht erkannt. Für solche Bekenntnisse müßte erst eine Sprache ganz einfach erfunden werden." (A 237) Diese rätselhafte Äußerung läßt sich zunächst als Bekräftigung des eben Dargestellten verstehen: Der Dichter drückt aus, daß er nicht klar gemacht habe, welche tiefgreifenden Folgen die Verschuldung des Kaisers für Helenas Leben nach sich zog. Sie konnten tatsächlich nur aus dem Vergleich mit den Problemen des *Weißen Fächers* und der Sprache der Bilder verstanden werden.

„Schuld für die Frau" könnte aber auch als Schuld der Frau ihrem Mann gegenüber verstanden werden. Im Drama weist der Finger der

---

[27] Ein Grund für diese Problematik scheint hier im Gebrauch der Metapher selbst zu liegen. Die „Hexe" scheint im Drama weithin einen „gefährlichen Zustand" auszudrücken, doch wenn man sie am Schluß als altes verrunzeltes Weib ihrer Wege huschen sieht, (GLD 296) könnte sie den armen alten Worten des Alltags gleichen, die vom falschen Zauber befreit zu ihrer eigentlichen Aufgabe des „Beerensammelns" zurückkehren, d. h. die Sprache in der Welt des „Tuns" für die Dichter lebendig zu erhalten.

Anklage völlig auf den Kaiser, doch es erhebt sich die Frage, warum sich die Kaiserin nicht wehrte, um ihre wirkliche Rolle im Leben und Amt kämpfte und so mithalf, die Hexe zu besiegen?

Tatsächlich findet sich später im Gegensatz zu den Jugenddramen die Gestalt der Frau, die um den Mann kämpft, wie es etwa die Tanzpantomime *Die Biene* malt,[28] die wie Helene in *Der Schwierige* ihren Teil von seinem Leben fordert,[29] die ihn durch die Kraft ihrer Liebe aus der Versteinerung erlöst, wie die Kaiserin in *Die Frau ohne Schatten* und die sich selbst zum Sühnopfer darbietet, wie die *Ägyptische Helena*. Erst durch diese Wandlung in der Haltung der Frau kann dann das neue Wesen entstehen, das weder Maria, noch Mariquita ist, sondern Unschuld und Passion in derselben Art vereint wie der Geist die Kräfte des fühlenden Denkens, ganz so, wie der Dichter während der Arbeit an *Die Frau ohne Schatten* die verwandelte Kaiserin sah:

Sei die süße Herrin und nicht das scheue Mädchen, — gieß dich aus in Augen, Hände und Mund, behalte nichts von dir in dir, dann wirst du leicht sein und schweben, Zauberin auf ihrem Zauberbette — Verwandlerin, selber verwandelt, unfindbar allen außer dem einen, den du verzauberst. (A 196, 27. Okt. 1919)

Erst durch die Liebeskraft einer solchen Frau kann die Gefahr der „Hexe," die ja auch am Schluß des Dramas bezeichnenderweise nicht tot war, in den Augen des lebenserfahrenen Dichters für immer gebannt sein und der Kaiser und Jäger endgültig, wie in den letzten Worten des Spiels, den „Weg nach Hause" finden.

---

[28] Rudolf Hirsch: Zu zwei Tanzdichtungen Hofmannsthals. In: *Hofmannsthal-Blätter*, Heft 6 (Frühjahr 1971). S. 417-26. ·
[29] 8. Szene: „Von deinem Leben, von deiner Seele, von allem — meinen Teil!" (LII 299)

# VII. DIE HOCHZEIT DER SOBEIDE

*Zur Entstehung und Problemstellung*

Grete Schaeder, die als Einzige das Drama, *Die Hochzeit der Sobeide*, ausführlicher untersucht hat,[1] interpretiert es, von der für den Dichter als Krisenzeit angesehenen Jahrhundertwende aus, ganz im Lichte des Lebenspessimismus, den er seinen Figuren, wie es scheint, als eigene Erkenntnis eingehaucht hat. Sie spricht von der „Last, die Hofmannsthal aus einem eigenen Innern in die *Hochzeit der Sobeide* hinüberhob, voller Resignation und ohne ihre niederdrückende Schwere zu mildern" und verbindet sie mit dem „Alp vom Lebenstraum, der in der Zeit um die Jahrhundertwende die sittliche Substanz seiner Dichtung angriff und eine schwere Krise in seiner Entwicklung herbeiführte."[2] Auch Edgar Hederer und Lothar Wittmann stellen ihre kürzeren Hinweise unter diese Gesichtspunkte.[3] Man ist zunächst versucht, diesen Forschern rechtzugeben, denn das „dramatische Gedicht" trat am 18. März 1899 in Berlin und Wien gleichzeitig vor die Öffentlichkeit, ist also, zusammen mit dem am selben Abend aufgeführten Stück *Der Abenteurer und die Sängerin* das letzte der Jugenddramen vor der sogenannten „Chandoskrise."

Doch es melden sich Bedenken an, wenn man erfährt, daß die Ursprünge des Werkes in das Jahr 1897 zurückreichen, vor allem, wenn man den Bericht des Dichters selbst über den Augenblick der Inspiration einer genaueren Beobachtung unterzieht: In einem undatierten Brief an den Vater während der ungemein fruchtbaren Vareser Spätsommertage berichtet er zunächst über das am Abend zuvor fertiggestellte „Puppentheater," das *Kleine Welttheater*, dann über seine intensive Arbeit an einem „halb in Versen halb in Prosa" geplanten „kleinen phantastischen" Einakter, dem *Weißen Fächer*, der ihm „großes Vergnügen macht" und der

---

[1] Grete Schaeder-Waranitsch; *Die Gestalten*. Berlin 1933. S. 48–60. Hofmannsthals „Hochzeit der Sobeide", In: *Neue Schweizer Rundschau* 23, Nr. 5 (Mai 1930). S. 369–370.
[2] Schaeder: *Gestalten*, S. 48.
[3] Edgar Hederer: *Hugo von Hofmannsthal*. Frankfurt a. M. 1960. S. 129 f. Lothar Wittmann *Sprachthematik und dramatische Form im Werk Hofmannsthals*. Köln, Stuttg., Berlin, 1966. S. 230 f

ihn den ganzen Tag über beschäftigte. Am Abend liest er mit großem Interesse die Nachrichten über die Kandidatur Gabriele D'Annunzios und über dessen politische Hintermänner, sogar D'Annunzios Wahlrede, über die er ein „compte rendu" an Bahr schreiben will. Darauf folgt der Augenblick der Inspiration: „Nachdem ich fertig bin (es war ein heftiger Wind, dem wir heute klares kühles Wetter verdanken), habe ich das Bedürfnis, ein bißl in den 3 stillen Gassen von Varese spazierenzugehen. Und plötzlich, blitzartig wie damals in Brescia der nun vollendete, fällt mir ein ganzer Einakter ein, in drei Bildern, völlig tragisch, ein eigentlich entsetzlicher, aber sehr reicher, mir äußerst homogener Stoff, Szene für Szene, acht Figuren, Hunderte von Gebärden, das Detail jeder Dekoration, alles in zwanzig Minuten. Ich habe noch in der Nacht so viel als möglich aufgeschrieben, heut früh eigentlich alles wieder vergessen gehabt, aber sogleich mit der größten Ruhe auszuführen begonnen. So habe ich statt des Hans [sein späterer Schwager Hans Schlesinger] eine Gesellschaft von acht aufregenden Geschöpfen." (BI 230 f)

Schon der Ton des Briefes macht hinreichend klar, daß der Schreiber sich keinesfalls im Stadium der Resignation oder des Pessimismus befand. Da er aber selbst den Stoff als „tragisch," ja „entsetzlich" bezeichnet und die Inspiration sich sogleich auf Details der Ausführung erstreckte, ist kaum zu bezweifeln, daß der Verlauf des kleinen Stückes von seiner Konzeption im Sommer 1897 an in großen Zügen unverändert festlag und sich nicht etwa in der Ausarbeitung, die in die folgenden Jahre fällt, durch eine Krisensituation im Leben des Dichters in seiner Grundtendenz entwickelte.[4]

Es soll nun versucht werden, durch die genaue Beobachtung des Eheproblems, mit dem die Tragik des Stückes aufs Engste verknüpft ist, die charakteristischen Züge dieser „entsetzlichen" Mischung der Grundelemente zu identifizieren und so ihre Ursprünge besser verstehen zu lernen.

---

[4] Eine ausführlichere Arbeit der Verfasserin, die im Entstehen begriffen ist, wird sich genauer mit den verschiedenen Versionen des Dramas befassen.

Das Drama selbst zeigt im Hinweis auf die Situation der *Frau im Fenster* einen Anstoß zur dichterischen Inspiration und neuen Mischung der Elemente. (Schon Grete Schaeder hat diese „Keimzelle" der *Sobeide* erwähnt,[5] aber ihre Entdeckung der zuvor erwähnten Grundauffassung des Werkes wegen nicht weiter ausgewertet). Nachdem Sobeide im ersten Bild ihrem Gatten ihre geheime Liebe für den jungen Ganem gestanden hat, malt sie, am Fenster stehend, in ihrem Verzweiflungsausbruch ein Bild, das sich direkt auf die Situation der Dianora bezieht. Ihre Rede beschreibt in ihrer metaphorischen Ausdeutung das Dahindämmern hinter dem Vorhang als die schwere Jugend, und der Garten zeigt sich als Landschaft ihres Traumes:

> Der Abend darf nie kommen, wo ich hier
> so stünde, aller Druck der schweren Schatten,
> der Eltern Augen, alles hinter mir,
> im dunklen Vorhang hinter mir verwühlt,
> und diese Landschaft mit den goldnen Sternen,
> dem schwachen Wind, den Büschen so vor mir! (DI 104)

Sie glaubt, auf dem schimmernden Weg, der sich im Mondlicht auftut, in einen anderen Garten gelangen zu können, zu einem anderen Vorhang.

> ... hinter dem
> ist alles: Küssen, Lachen, alles Glück
> der Welt so durcheinander hingewirrt
> wie Knäuel goldner Wolle, solches Glück
> davon ein Tropfen auf verbrannten Lippen
> genügt, so leicht zu sein wie eine Flamme,
> und gar nichts Schweres mehr zu sehen, nichts
> mehr zu begreifen von der Häßlichkeit. (DI 105)

Darauf öffnet ihr der Mann die Tür und gibt ihr so die Möglichkeit, den Weg zu gehen, der zu ihrem tragischen Ende führt. Schon die Metaphern der *Frau im Fenster* deuteten im Bild der zwei Jäger und Löwen

---

[5] Schaeder: Sobeide. S. 361.

an, daß der Weg ins Freie auch für Dianora kein dauerndes Glück gebracht hätte. Die *Hochzeit der Sobeide* legt nun neben dem Schicksal der Frau in der Variation der Problemstellung den Schwerpunkt auf die Gestalt eines Gatten, in dessen Charakter es liegen könnte, seiner Frau einen solchen Weg ins Freie zu öffnen.

Die Figur des „reichen Kaufmanns" ist von den Interpreten in vielfältiger Weise ausgedeutet worden. Einer der ersten, Sulger-Gebing, sieht ihn noch ganz als Mann von Edelmut und innerer Größe:[6] „... Ihm, dem reifen und in seiner Tiefe so klaren Manne steht Sobeide als das in Trieb und Gefühl fast unbewußt dahinlebende Weib entgegen." Auch Grete Schaeder betont seinen Edelmut, aber erkennt schon, daß die Gestalt doch problematischer angelegt ist: „Und im Kaufmann ist, trotz des seelischen Reichtums, den die Gestalt in sich birgt, der Typus des Gatten erst angedeutet: Sonst würde er nicht aus einer tiefen, aber leblosen Philosophie heraus Sobeide äußerlich wie innerlich schutzlos in die Nacht hinausziehen lassen."[7]

In neuerer Zeit hat Alewyn in seiner Interpretation der Gestalt des Ästheten den Schlüssel zum tieferen Verständnis des Gatten der Sobeide gegeben, und Tarot hat, darauf aufbauend, im Hinweis auf den „Mann der Krämerin" in seiner Interpretation einer wesentlichen Episode aus dem *Erlebnis des Marschalls von Bassompierre*, die sich in der als Quelle dienenden Erzählung von Goethe nicht findet, eine weitere Hilfe zum Verständnis der Gestalt gegeben: In der Episode sieht Bassompierre im Blick durchs Fenster zu seinem Erstaunen keinen Mann, den man sich für gewöhnlich unter einem „Krämer" vorstellt, sondern einen Menschen, dessen stolze, edle Erscheinung genau so den Mann der Sobeide charakterisieren könnte. Ganz richtig beschreibt Tarot ihn (und mit ihm den Mann der Sobeide) in den Worten Alewyns „als einen Menschen, der den Weg in die Existenz noch nicht gegangen zu sein scheint, und deshalb seine Frau nicht zur Liebe und damit zur Existenz befreien kann."[8]

Es ist auffallend, daß beide Männer derselben Berufsgruppe, dem Handel, angehören. Eigenartigerweise hat der Mann der Sobeide auch als einzige Hauptgestalt des Dramas im Rollenverzeichnis keinen Namen, und auch im Verlauf des Stückes ist er wie dort „ein reicher Kaufmann"

---

[6] Sulger-Gebing, S. 62.
[7] Schaeder: Sobeide. S. 366.
[8] Tarot, S. 310, mit Hinweis auf Alewyn. Nehring fügt diese Grunderkenntnisse Alewyns der Interpretation Schaeders bei, S. 24 ff.

oder einfach „der Kaufmann." Nur einmal, als Ganem ihn genauer identifizieren muß, nennt er ihn bei seinem Namen, Chorab, fügt aber zugleich
das Adjektiv „reich" bei, und sein Sklave verstärkt es in der Wiederholung.
(DI 145) Ich glaube, daß der Dichter damit etwas ausdrücken will, was
für den Sinn des Dramas wesentlich ist und das es zu erhellen gilt.
Obwohl so ein weiter Weg zunächst vom eigentlichen Thema der Betrachtung, dem der Ehe zwischen Sobeide und ihrem Mann, abführt,
ist er notwendig. Erst die durch ihn gewonnenen Einsichten können
dazu verhelfen, die inneren und äußeren Beziehungen der Ehegatten und
mit ihnen auch die der anderen wichtigen Gestalten zueinander zu erfassen und damit den tieferen Sinn des Dramas zu erschließen, das nach
Grete Schaeder „zu den am schwersten interpretierbaren Werken des
Dichters gehört."[9]


*Der Hintergrund*


Ein Blick auf das Personenverzeichnis ergibt, daß neben der Hauptgestalt
des „reichen Kaufmanns" auch die anderen Männer, die in wesentlichen
Rollen auftreten, der Welt des Handels angehören. Sobeides Vater ist
ein Juwelier, Schalnassar und sein Sohn sind Teppichhändler, der „Schuldner des Schalnassar" muß auch in Handelsangelegenheiten verwickelt
sein, nur der Gärtner stammt aus einem anderen Lebensbereich. So sind
sie fast alle schon beruflich direkt miteinander verbunden im täglichen
Leben des Orients, der in der Farbigkeit seiner Bilder und Kontraste
dem westlichen Leser durch die „Märchen der 1001 Nacht" bekannt ist
und den der Dichter wiederholt als Hintergrund seiner Gestalten gewählt
hat.[10]
   Grete Schaeder sieht diesen Schauplatz ganz im Sinne des Märchen-
haften, das ihr im Gegensatz zur „Vergeistigung" der *Frau ohne Schatten*
der „dunklen Periode" des Dichters anzugehören scheint: „Hier erscheint
das Orientalische als eine Welt voll von Maßlosigkeiten, in der das Sinn-
lich-Gröbste und das Geistigste wie unverbunden nebeneinanderstehen,

---

[9] Schaeder: Sobeide. S. 360.
[10] Neben der Oper und dem Märchen der *Frau ohne Schatten* sind hier besonders wesentlich
*Das Märchen der 672. Nacht* und die unvollendete Erzählung *Der goldene Apfel.* Es wäre
von großem Nutzen, ihre Motivverwandtschaft, besonders in ihrer metaphorischen Ausprägung, genauer zu verfolgen.

in der das Tragische im Leben des Einzelnen sich in Sinnlosigkeit zu verlieren scheint."[11] Sie faßt diesen Eindruck später nochmals zusammen in einer Kritik des Gesamtwerkes: „Es ist das märchenhafte Element in der Dichtung, das sich dem Maßstab des Sittlichen und damit dem Gesetz des Tragischen zu entziehen sucht."[12]

Doch wie schon Sulger-Gebing, der sich als Erster mit den verschiedenartigen Schauplätzen der frühen Dramen beschäftigte, betonte: Wohl ist die Welt des Orients durch die Märchen bekannt, „nur daß bei Hofmannsthal nichts eigentlich Märchenhaftes hineinspielt."[13]

Trotz der scheinbaren Kontraste zwischen dem entsagenden Großmut des „reichen Kaufmanns" und der sinnlichen Besitzergier des Schalnassar und Ganem sind sie in der Ausprägung ihrer Persönlichkeiten von Hofmannsthal bewußt in der Tiefe des Dramas verbunden worden und geben ihm seinen tragischen Sinn, zu dessen Verständnis sein Gesamtwerk wieder selbst den Weg weist.

Auch hier hat das Buch Günther Erkens wesentliche Vorarbeit geleistet: Seine Ausführungen über „das Geld als Symbol," die, an seine Betrachtung des *Jedermann* anschließend, einen kurzen Blick ins Gesamtwerk werfen, sind von entscheidender Bedeutung zur Erfassung der nun folgenden Zusammenhänge.[14] Er erwähnt die bisher wenig beachtete „zentrale Bedeutung des Geldes" im Werk Hofmannsthals, führt seine literarische Ausprägung bis auf das Gedicht des Jahres 1890, *Verse auf eine Banknote geschrieben*, zurück, deutet an, daß es in der *Hochzeit der Sobeide* und den *Söhnen des Fortunatus* tragische Aspekte gewinnt und weist bei der *Sobeide* besonders auf die tragischen Folgen der „Geldheirat" hin.

In der intensiveren Beschäftigung mit dem Drama, die Erken nicht möglich war, zeigt sich aber, daß die Problematik des Geldes in ihrer Bedeutung für das Drama noch weit über das von ihm erwähnte Motiv der Geldheirat hinausreicht.

Nicht nur die Heirat der Sobeide, sondern mit ihr die Schicksale aller sind vom Dichter bewußt „unter den Schatten des Goldes gestellt," und durch die Ausdeutung der ihm zugehörigen Motive und Bilder allein erhalten sie ihre tragische Tiefe. Das deutet er nun in der schon erwähnten

---

[11] Schaeder: Sobeide. S. 360.
[12] Ebda., S. 365.
[13] Sulger-Gebing, S. 60.
[14] Erken, S. 215 ff. Vergl. auch seine Hofmannsthal-Chronik. In: *Literaturwissenschaftliches Jahrbuch* III (1962). S. 239–313, bes. S. 260, Anm. 8.

auffallenden Wahl der Berufe der Hauptdarsteller in einem metaphorisch ausgeführten Wortspiel an, dessen rätselhafte Sinngebung in den *Notizen zur Idee Europa* seine Erhellung findet: Dort heißt es, nachdem der „verlarvte Einfluß" des Geldes und das „Zweifelhafte der Taten" erwähnt wurden, wörtlich: „Charakteristisch, daß in der deutschen Sprache ‚handeln' einerseits ‚tun' bedeutet, andererseits ‚Handel treiben.' Jedes Machtverhältnis in Geld umsetzbar. Geld der Knoten des Daseins."[15] (PIII 377 f)

Diese *Notizen zur Idee Europa* stammen aus dem Jahre 1916, und sicherlich hatten sich Hofmannsthals Ansichten durch das Leben von Simmels *Philosophie des Geldes*[16] und die durch den Krieg gewonnenen Erfahrungen vertieft. Doch eine Briefstelle vom Mai 1894 scheint anzudeuten, daß das Wortspiel um den Begriff des „Handelns" und seine tiefen Bezüge Hofmannsthal und seinen Freund schon damals beschäftigte. Er schreibt an Leopold von Andrian: „Bist du noch immer sehr unschlüssig über den Sinn der Kunst und unruhig über die Rechtfertigung unseres das Handeln übergehenden Lebens." (BI 101)

Den klarsten Beweis dafür, daß die dunklen Kontraste in den Gestalten der *Sobeide* mit den schuldhaften Verstrickungen des „Handelns" und damit dem „Knoten des Daseins" eng verbunden sind, liefert eben das von Erken erwähnte Gedicht des ganz jungen Mannes aus dem Jahr 1890. Zwei Strophen sollen hier wörtlich zitiert werden, weil sie nicht nur wesentlich für Hofmannsthals Grundgedanken sind, sondern in ihren letzten Zeilen auch die metaphorische Quelle und damit die dichterische Rechtfertigung für die Wahl des Schauplatzes der *Sobeide* geben: Das „Zauberreich" des Orients, von dessen Motiven das „Zauberwort," das „Sesam öffne dich" den Lesern so vertraut ist, daß es als „geflügeltes Wort" in den Gebrauch der Sprache überging.

Ein Fetzen Schuld, vom Staate aufgehäuft,
Wie's tausendfach durch aller Hände läuft,
Dem einen Brot, dem andern Lust verschafft,
Und jenem Wein, drin er den Gram ersäuft,
Gesucht mit jedes erster, letzter Kraft,
Mit List, in Arbeit, Qualen, Leidenschaft.

---

[15] Erken, S. 216, Anm. 86.
[16] Ebda., S. 215.

Und wie von einem Geisterblitz erhellt,
Sah ich ein reich Gedränge, eine Welt.
Kristallklar lag der Menschen Sein vor mir,
Ich sah das Zauberreich, des Pforte fällt
Vor der verfluchten Formel hier,
Des Reichtums grenzlos, üppig Jagdrevier. (GLD 474)

Diese Zauberformel der Macht des Geldes wird wirklich das „Sesam öffne dich" zum Verstehen des Dramas. Es erweist sich, daß Hofmannsthal nicht nur über die inneren, sondern auch über die äußeren Ursachen des Ästhetentums eingehend nachgedacht hat.

Die Gestalten des Schalnassar und Ganem sind so in ihrem Verhältnis zum reichen Kaufmann nicht, wie es auf den ersten Blick erscheint, Kontrastfiguren, sondern in einem weit komplizierteren Spiegelungsprinzip der graduellen Variation mit ihm verbunden.

In Schalnassar, seiner Tücke, scharfsinnigen Verschlagenheit zeigt sich der noch ganz ins Handeln-Tun des Gelderwerbs verstrickte „selfmade man" der ersten Generation des Geldes. Wie Braccio im Drama *Die Frau im Fenster* hat Hofmannsthal auch Schalnassar als einen Menschen gezeichnet, der in Lüsternheit und Brutalität fest im Leben steht. Seine Vitalität wird noch besonders betont, weil sie sich über Krankheit und Alter hinaus triumphierend ihre Bahn bricht. Trotz seines starken sinnlichen Verlangens bleibt Schalnassar völlig Herr der Situation, und in klarer Selbsterkenntnis spielt er als listiger Akteur sogar mit seinem Verfallensein an die Sinne durch den Vorwand, mit dem er Gülistane für eine Weile entfernt, damit er sich einen „zweiten Papagei" mit goldenen Kettchen gebunden, in seinen Käfig locken kann. (DI 124–26)

In Ganem erscheint die zweite Generation des Geldes, in der neben der Arbeit im Geschäft des Vaters schon Möglichkeit zum Müßiggang gegeben ist, die aber in ihrer Lebenshaltung und -Gewohnheit noch ganz mit der Welt der kleinen Leute verknüpft ist (vergl. sein Verhältnis zur hinkenden Tochter des Pastetenbäckers DI 118 f). Auch das Haus der Beiden zeigt trotz seines Schmuckes noch die enge steile Treppe des kleinbürgerlichen Anwesens, das wohl durch die Galerien des Oberstocks erweitert worden ist. (DI 112) Die Tücke und Berechnung des Vaters hat sich in Ganem noch weiter ausgeprägt, doch da er schon gesichert genug ist, um sich ganz zu verlieren, kann er im Gegensatz zu seinem Vater in der Sinnlichkeit einer Frau hörig werden, er wird „Ganem der Liebessklave" der Gülistane. (DI 120)

Ich halte es dieser grundlegenden Züge wegen für fragwürdig, in Vater und Sohn schon den für Hofmannsthal wesentlichen Typus des Abenteurers zu sehen, wie Grete Schaeder es tut.[17] Sie sind in ihrer Berechnung noch der Zeit zugewandt, während sich der bezeichnendste und verführerischste Charakterzug des Abenteurers gerade in seiner Hingabe an den Augenblick, seinem „außer der Zeit Stehen" zeigt. Der wirkliche Abenteurer verführt die Frau nicht durch kalte Berechnung über eine lange Zeitspanne hin, wie Ganem es bei der Tochter des Pastetenbäckers tut, sondern im „magischen Augenblick" durch sein intuitives Verstehen ihrer Psyche und der ihr gemäßen Art der Erfüllung. Hofmannsthal betont auch in seinem Werk, im Baron Weidenstamm des Dramas Der Abenteurer und die Sängerin und im Florindo von Cristinas Heimreise, daß sein Abenteurer der Lebensart nach „ein Herr" ist, der, obwohl nicht immer reich, doch als „Spieler" in der vornehmen Welt so zuhause ist, daß sie zur Welle wird, die ihn trägt. Hofmannsthal hat es also deutlich gesehen und gezeichnet: Der Abenteurer ist wie der Ästhet Teilhaber an der dritten Generation des Geldes.

Von hierher zeigt sich nun das Bild des reichen Kaufmanns, des Repräsentanten des „schönen Lebens" in einer neuen und tieferen Tragik, die es verständlich macht, daß Hofmannsthal den Stoff als „entsetzlich" bezeichnete. So wie es der Schlußvers des zuvor erwähnten Gedichts ausdrückte, die „Verse" ruhen auf dem „Freibrief grenzenloser Qual." (GLD 475) Das Geld ist in zwei Generationen zum Kapital geworden, das sich ohne intensive tägliche Mitarbeit des Eigentümers selbst vermehrt: Er kann sich aus dem Getriebe der gemeinen Leute auf ein Landhaus mit Garten außerhalb der Stadt zurückziehen und sich der Welt des Schönen ergeben. Er hat von Kindheit an Sitten und Gebräuche der Vornehmen gelernt, auch wie man die getreuen Diener hält und belohnt, die nun an Stelle der ausgebeuteten Sklaven getreten sind.[18] Er kann sich scheinbar aus der Welt der „Arbeit, Qualen, Leidenschaft" lösen und das „Gemeine" von sich abtun. (DI 93) Doch er berührt es jedesmal, wenn er den „Fetzen Schuld" benützt, um dieses Leben und den „Blick nach den Sternen"

---

[17] Schaeder: Sobeide, S. 366.
[18] Schon im Rollenverzeichnis hat der Kaufmann „Diener" und Schalnassar „Sklaven". (DI 84) Vergl. auch die Bitte des alten Eseltreibers an Sobeide, ihm im Hause des Kaufmanns eine Stelle zu verschaffen, wobei er die Verhältnisse kontrastiert. (DI 151)

zu sichern. Die selbständige Arbeit des Geldes, die seine Welt des Schönen und Edlen ermöglicht, ruht auf seinem Ausleihen, also der Schuld anderer Leute. Sein „Turm der Sterne," der „Ivory Tower" seines schönen Lebens, ist so in tragischer Spiegelung zugleich der „Schuldturm" derer, die im Kampf ums Dasein die Unterlegenen sind. Derselbe ambivalente Gedanke ist bildhaft ausgedrückt auch in einer zweiten wichtigen Metapher, die im Drama wiederholt an wesentlichen Stellen erscheint: Die Perlen, mit denen er und Schalnassar ihre Frauen schmücken, sind als Kinder des Meeres und Geschwister der Sterne (DI 194 f) zugleich das Bild des schöpferisch „geballten Wassers," aber auch, wie es im Volksmund heißt, tatsächlich „Tränen," die Tränen der kleinen Leute, die durch ihre Schulden das Kapital vermehrten. Die Perle als Metapher ist so eine Parallele zu der des Turms: Ihre Schönheit, die sich um einen gemeinen Kern formte, wuchs und nährte sich aus der Lebenskraft der Auster.

Daß diese Gedanken ganz klar der Intention des Dichters entsprechen, beweisen wesentliche Aussagen an entscheidenden Punkten des Dramas: Der Kaufmann hatte geglaubt, sich aus der Welt des Gemeinen lösen zu können (DI 93) und muß am Ende einsehen, daß dieses Unterfangen „Narrheit" war (DI 148) Die treffendste Aussage aber kommt aus dem Mund der Sobeide selbst: „So weißt du, weil du reich bist, gar so wenig / vom Leben, hast nur Augen für die Sterne / und deine Blumen in erwärmten Häusern?" (DI 98)

In tragischer Ironie wird auch in der Charakterisierung der „Schuldner," des Vaters der Sobeide und des namenlosen Schuldners des Schalnassar, gezeigt, daß gerade die Eigenschaften der Zartfühligkeit und des Schönheitssinnes, die das Leben des Ästheten auf der höheren Ebene der dritten Generation auszeichnen, ein Luxus sind, den sich nur diese dritte Generation leisten kann, für die das Kapital arbeitet. Im täglichen Kampf um das Geld führt diese Lebenshaltung zum Ruin: Bachtjar, der verarmte Juwelier und der Schuldner des Schalnassar sind als Menschen charakterisiert, die noch im Niedergang ein Traumleben führen, das sich an die Schönheit der Tochter und der Frau knüpft. Dieser Charakterzug wird ironisch betont in der Handlung des Schuldners, der in Verzweiflung und Schwäche seine Frau, deren Schönheit ihn entzückt, dem gierigen Schalnassar buchstäblich ausliefert.[19] (DI 113–15)

[19] Bezeichnend ist für alle tätig in der Welt des Geldes Verhafteten ihre Zuwendung zur Sprache. Weder Schalnassar noch Ganem oder Gülistane haben Schwierigkeit, sich auszudrücken, sie treffen in ihren Aussagen und Definitionen buchstäblich den Nagel auf den Kopf. So werden Lothar Wittmanns Ausführungen fragwürdig, (S. 38 f) der die *Sobeide* als

So erscheinen auch die Frauen unlösbar mit dieser Welt des Geldes verbunden. Sie sind ein „Gebrauchsartikel," der von der Hand der Eltern in die des Ehemannes übergeht und ihr Wert wird von der Wohlgestalt des Äußeren bestimmt. Deshalb sind auch sie alle, und mit ihnen die auf den ersten Blick so gegensätzlichen Gestalten der Sobeide und Gülistane in der Tiefe des Dramas geheime Schwestern. Sie wissen, daß sie in dieser Welt des Daseinskampfes keinen Eigenwert haben, wie die Mutter es ausdrückt: „Er hat ganz recht, daß er mich übersieht, / ich bin ein Teil von seinem Selbst geworden : / Was mich trifft, trifft ihn auch zugleich...."[20] (DI 90) Sie alle sind gewahr, daß die einzige Macht, die sie ausüben können, an ihre Schönheit und das sinnliche Verlangen der Männer gebunden ist. Nur von diesen Gesichtspunkten her ist die Tiefe und Tragik der Haßbegegnung von Sobeide und Gülistane ganz zu verstehen: Sobeide, die sich aus der Welt der Armut ihres Lebens in die Phantasiewelt des Tanzes gerettet hatte, setzte ihre Schönheit bewußt als „Wertobjekt" ein und „verkaufte" sich an den reichen Chorab, um ihren Vater aus der Hörigkeit des Schuldherrn zu lösen. (DI 98) Ihre Aufforderung zum grotesken Tanz der Orgie (DI 142 f) wird in ihrer ganzen Tragik verständlich, weil sie in Gülistanes Charakter und Lebensweise die letzten Konsequenzen dieses Verkaufs der Schönheit und seiner inneren Motivation erkennt.

Gülistane hat in ihrer größeren Welterfahrenheit, metaphorisch skizziert im Rollenverzeichnis, „eines Schiffshauptmanns Witwe," (DI 84) im Grunde genommen genau dasselbe Mittel eingesetzt. Das wird im Drama dadurch unterstrichen, daß auch sie zu tanzen versteht. (DI 125) Um sich als verarmte Abhängige im Haus des Verwandten (DI 132) zu halten,

---

Zeichen der „Sprachnot" interpretiert. Die von ihm als Beleg angeführten Zitate (DI 90, 92 f, 96) sind dem Vater der Braut, dem Kaufmann und der Sobeide in den Mund gelegt, also denen, die „nicht im Leben stehen". So wäre also hier „Sprachnot" Eigenschaft eines bestimmten, vom Dichter gezeichneten Typus, nicht Ausdruck des lyrischen Dramas als solches. Damit stimmt auch das im Kapitel *Der Kaiser und die Hexe* Erarbeitete überein, das die Herrschaft des Worts in direkten Zusammenhang mit der Verbindung zum Leben bringt.

[20] Daß diese Stelle auch positiv als sakramentale Einheit der Ehe im „Ein-Fleisch-Sein" interpretiert werden kann, ändert nichts an der Tatsache der völligen Unterordnung und Abhängigkeit der Frau. Daß die Mittel des geheimen Herrschens, die in der niedrigsten Form von Gülistane angewandt werden, auch in der geheiligten Späre der Ehe von Bedeutung sind, beweist die feine Ironie der Regieanweisung, die den Abgang der Eltern fixiert: „Die Mutter hat indes dem Vater einen Blick zugeworfen und ist lautlos zur Tür gegangen. Lautlos ist ihr der Vater gefolgt. Nun stehen sie, Hand in Hand, in der Tür und verschwinden im nächsten Augenblick". (DI 91)

120

muß sie in der Welt der Gier auch dabei an die niedrigsten Instinkte appellierten und darf sich im seiltänzerischen Spiel der „Lust ... die Männern nötig ist zu ihrem Leben" (DI 134) mit Vater und Sohn keinen Fehlschritt, keinen Augenblick des Träumens erlauben. Nur deshalb ist ihr Haß gegenüber Sobeide so scharf und tief wie die Nadel, mit der sie nach ihr sticht, (DI 133) weil das Mädchen in seiner Unschuld noch als Besiegte und Verstörte der Welt des Traumes angehört, die Gülistane für immer verschlossen ist.

*Der reiche Kaufmann und Sobeide*

Erst im Zusammenhang mit diesem „Zauberreich" des Geldes kann man nun das Verhältnis der beiden Hauptgestalten, ihre „Hochzeit" mit ihren Möglichkeiten und Versäumnissen in den Worten des Dichters als „versäumtes Schicksal" erkennen.[21] Tyche hatte im bunten Wirbel dieser Welt das zarte schönheitshungrige Kind in die Hände eines reifen Mannes gespielt, der die Mittel hatte, in einem Leben behutsamer Fürsorge die Bitterkeit ihres bisherigen Lebens von Sobeide zu nehmen. Sie hätte in seiner Zartheit wirkliche Liebe erkennen und schätzen gelernt, und in den Kindern hätten sie beide den Anker zum täglichen Leben gefunden, der ihnen zuvor mangelte. Daß diese „Hochzeit" versäumt wurde, daran tragen sie beide ihren Teil der Schuld, doch der Dichter sieht diese Schuld nicht so sehr in der Verblendung der Sobeide, die ja nur durch den

---

[21] Vergl. die skizzenhaften Hinweise auf den Sinn der *Sobeide* im *Ad Me Ipsum*, ausgehend von Betrachtungen über die *Frau ohne Schatten*: „Variiertes Grundthema: Das Ich als Sein und das Ich als Werden. Das Thema in ‚Gestern' frevelhaft gebracht. Andrea ist schicksallos. Begriff des Schicksals, ‚Sobeide': Entwicklung aus jener Zeile in ‚Gestern': ‚Es ist vielleicht mein Schicksal das da stirbt'". (A 216) „Kreuzung zweier Hauptmotive: Erfassen des Schicksalsbegriffs (Schicksal auf sich nehmen oder fliehen) und: (Sich läutern = sich verwandeln). Sobeide iterum. ‚Tyche'. Das Motiv schon in ‚Tor und Tod' (Verworrner Traum entsteigt der dunklen Schwelle — und *Glück* ist alles: Stunde, Wind und Welle'). Tyche: Die Welt, die das Individuum von sich entfernen will, um es zu sich zu bringen". (A 218) Hofmannsthal weist ferner auf die Verbindung der Gestalten des Färberehepaars in der *Frau ohne Schatten* und des Ehepaars der *Sobeide* hin: „Die Färberin und der Färber zusammen Träger des Schicksalsmotivs vorgezeichnet in der ‚Sobeide' (Situation der Färberin zwischen Gatte und Elfrit wie dort zwischen Gatte und Ganem". (A 218) Später definiert er die Begegnung mit Tyche in einer Art, die für das Verstehen der *Sobeide* ebenfalls wichtig ist: „(N. B. Tyche immer als ein unerträglicher Dämon, ... Tyche = die Welt die das Individuum von sich entfernen will um es zu sich zu bringen ...)". (A 222)

Ehekontrakt und nicht durch den Vollzug der Ehe an ihren Mann gebunden ist und so nicht als „Treulose" gelten kann, sondern weist klar darauf hin, daß der Kaufmann das Hauptgewicht dieser Schuld auf sich nehmen muß. Das wird sogar im Vergleich der veröffentlichten Fassung des Dramas mit einer erhaltenen Szene der ursprünglichen Niederschrift noch betont: Dort wurde im Szenenbild durch den Kreuzweg und den verfallenen Begräbnisplatz noch metaphorisch angedeutet, daß es für Sobeide auch auf dem Weg zum scheinbaren Glück die Möglichkeit einer Umkehr und angesichts der Besinnung auf die opfermütige Liebe des Mannes ein Begraben des Traumes hätte geben können. (DI 434) Nun aber weist der Dichter im Geschehen und noch tiefer in den Metaphern besonders stark auf die Verblendung des Kaufmanns hin, der seine junge Frau nicht „erkannte:"

Sobeide befand sich beim Übergang vom Haus der Eltern in das des Mannes in einem Ausnahmezustand. Sie selbst drückt es sogleich deutlich in ihren ersten Worten aus, als ihre Eltern sich zum Gehen wenden. (DI 91) Sie ist dazuhin unter dem Einfluß des ungewohnten Weines, den sie, ohne von den Speisen zu genießen, ganz schnell getrunken hat. (DI 86) Doch der Kaufmann hat kein Verstehen für diese Situation — das Drama macht hinreichend klar, daß sie ihm bekannt ist. Ihrer Vaterbindung (DI 98, 130, 144) entspricht seine Mutterbindung,[22] (DI 87 f) und so breitet er als Erstes die nachgelassenen, ihm heiligen Schätze seiner Mutter vor ihr aus, (DI 92 f). Diese Handlung ist für ihn ein Zeichen seiner Ehrfurcht und Zuneigung, doch tragisch-ironisch das völlig Falsche für die psychologischen Gegebenheiten einer beginnenden Hochzeitsnacht. Die langatmige Rechtfertigung seines hochstehenden Charakters (DI 92 ff) gibt den wirren Gedanken Sobeides die Möglichkeit, in die Welt des Traums zurückzuwandern, in der Ganem neben dem Tanz eine Hauptrolle gespielt hat. Der Hinweis des Gatten auf den Tanz (DI 94) bringt nun bei Sobeide die Gefühle und Gedanken zum Ausbruch, die sich während seiner Worte aufgestaut hatten, vom Dichter meisterhaft gemalt in ihrer Mischung von Schuldbewußtsein, (— sein Edelmut gegenüber der Motivation ihres Tanzes vor ihm —) Rechtfertigung (— das Schicksal des Vaters und die bittere Armut —) und Rückkehr in die Traumwelt (— Vereinigung des Getrennten im Tanz weckt Sehnsucht nach der Vereinigung mit dem Geliebten). Sie will seiner edlen Haltung gegenüber ehrlich ihre „Schuld"

---

[22] Von hier aus gehen wichtige Verbindungslinien zu den Griechendramen.

bekennen, und dabei entschlüpft ihr in dieser typisch adoleszenten „inneren Generalreinigung" auch das Bekenntnis ihrer Traumliebe zu Ganem.[23]

Der verletzte Stolz des Kaufmanns treibt sie in seinen Fragen immer ' weiter in diese Welt des Traums, trotzdem der Mann weiß, daß sie eine Scheinwelt war, denn er kennt die Lebensverhältnisse im Hause Schalnassars (DI 100 f, 103) Sobeides unbewußten Hilfeschrei überhört er so völlig: Sie bittet um Schonung, um behutsames Anfassen dieses zarten neuen Lebens, das die Ehe für sie bedeutet. (DI 99, 103) Sie sieht schon, daß für sie dort auf andere Art das Glück verborgen ist, „Nur werden muß mans lassen." (DI 103)

So ist es auch in der zu Anfang erwähnten Szene der „Frau im Fenster" entscheidend, daß sie kein Bild der Gegenwart ist, sondern sich in dreimaliger Beschwörung „Der Abend darf nie kommen," die im Text bewußt durch einen Neuansatz betont wird, (DI 104 f) als Furcht in die Zukunft projeziert. So besteht die Möglichkeit, daß dieses Bild nicht verwirklicht werden wird.

Hier ist der Augenblick, wo der Kaufmann nun sein „Schicksal versäumt." Das ist metaphorisch klar ausgemalt: Er öffnet ihr den Weg, der zum „Vorhang" führt, hinter dem, wie er weiß, statt des erträumten Glücks die Enttäuschung wartet, und hätte sie in der erfahrenen Behutsamkeit des reifen Mannes einfach zur Frau, zur Mutter seiner Kinder machen sollen. Das ist zart und geschmackvoll angedeutet durch das Szenenbild. Dort im Schlafzimmer hätte er sie hinter die „dunklen Vorhänge des Alkovens" (DI 85) zum ehelichen Bett führen sollen, das sie in der Wahrheit des Lebens verwurzelt hätte. In den Bildern, mit denen er ihr den Weg freigibt, „frei wie der Wind, die Biene und das Wasser" (DI 107) wird ihr Geschick schon tragisch vorausgedeutet: Alle drei, Wind, Wasser und Biene stehen im Werk Hofmannsthals als Sinnbilder der Fülle des Lebens, zugleich sammeln sie aber alle „Erinnerung."[24] Genau so streckt sich Sobeide nach der Fülle des Lebens aus, die sie im Tanz

---

[23] Nur wenn man trotz der lyrischen Sprache diese psychologischen Gegebenheiten genau verfolgt, kann man später die Wiederaufnahme des Motivs im Drama *Der Abenteurer und die Sängerin* und damit einen der Interpretation schwer zugänglichen Charakterzug der Vittoria im Sinne Hofmannsthals verstehen. Vergl. hierzu das Kapitel „Der Abenteurer und die Sängerin".

[24] Vergl. hierzu das Bild des Wassers im Gedicht „Weltgeheimnis" (GLD 15), das des Windes in „Vorfrühling", (GLD 7) das der Biene in „Lebenslied" (GLD 12) und des Honigs in „Ballade des äusseren Lebens". (GLD 16)

als Ersatz für die karge Kindheit schon erfahren hat. Doch sie kann sich vom Dunkel ihres Daseins, das sie schon so früh umfangen hatte, nicht lösen. Im Augenblick, wo der Traum zerbricht, bleibt keine innerliche Kraft zum Neuanfang, nur der Tod.

Als sie sich dann auf den Weg macht und den Mann im Aufbrechen um einen Trunk aus dem Becher seiner Mutter bittet, (DI 109) der ihnen den Schlaftrunk als erstes Zeichen der ehelichen Gemeinschaft hätte spenden sollen, klingt wieder das Motiv der „Beiden" an: Im Bild der Sobeide, die alleine trinkt, in der abgewendeten Gestalt des aufs Tiefste verletzten Mannes malt sich die vom Schicksal gewillte Begegnung, die nicht gemeistert wurde.

In den Worten der Sobeide: „Herr, eine rechte Frau / ist niemals ohne Herrn: Von ihrem Vater / nimmt sie der Gatte, dem gehört sie dann," (DI 108) wird der Nachdruck erneut auf die Versäumnisse des Kaufmanns gelegt, der ihr Verpflanzen vom Haus ihres Vaters in das seine nicht verstanden hat.

Von diesen Gesichtspunkten her bekommen nun Gestalt und Schicksal des Gärtners ihre dramatische und metaphorische Bedeutung,[25] weil er es ist, der die Kunst des Verpflanzens versteht, und er ist auch zugleich in der Tiefe des Dramas die geheime, wirkliche „Kontrastfigur:" Er hat sich in der Welt des „Handelns," die durch das Gold von Gier und Tücke erfüllt ist, gesund erhalten, weil er, wie der Monolog des Gärtners im *Kleinen Welttheater* es ausdrückt, im „Trost von Erd und Wasser" den „feinen Drang des Lebens" um sich hat. (GLD 300—302) Man kann dieses Leben in seinen Gesetzen erst richtig verstehen, wenn man ihm, wie der Gärtner, durch das Jahr von der Saat bis zur Ernte als ein Arbeitender verbunden ist, so wie es die Attribute des Gärtners im *Welttheater*, der Korb von Bast, das Winzermesser und die Blumensamen, andeuten sollen.

Im Spiegel seines Tuns wird das Versäumnis des Kaufmanns aufs Genaueste gezeichnet: Auch die junge Frau des Gärtners ist verblendet dem Glück nachgejagt, das sie in Gestalt des jungen Eseltreibers verführte, doch ihr Mann hat ganz einfach die richtigen Schritte unternommen, er hat zuerst versucht, sie dem gefährlichen Einfluß zu entziehen, hat im Begraben seines Stolzes dem Kaufmann, seinem Herrn, das eheliche Problem gestanden und die Entlassung des Burschen erreicht. Als die Frau ihn trotzdem verließ, wartete er auf ihre Wiederkehr, verzieh ihr

---

[25] Von den Interpreten erwähnt nur Erken kurz das dramatische Spiegelungsprinzip dieser Figur. (S. 114)

und lebte weiter mit ihr. (DI 147 f) Seine Weisheit und Schonung zeigt sich darin, daß er seiner Frau den Inhalt des Gesprächs vorenthält, das sich mit ihrer Vergangenheit beschäftigte. (DI 148)

Während der Herr die Lebensgesetze im Lauf der Sterne, im sorgfältig beobachteten Wachstum ihrer irdischen Geschwister, der Blumen, verfolgte, weiß der Gärtner wirklich, wie man die Pflanzen am Leben erhält, weil er es ist, der die Arbeit tut. Auch hier verknüpft das Bild wiederum feinsinnig die Geschehnisse des Dramas: In der Hochzeit waren in beiden Fällen junge, unerfahrene Mädchen reifen älteren Männern anvertraut worden, die sie mit Verständnis und Weisheit in die neue Umwelt der Ehe verpflanzen sollten. Der Gärtner und seine Frau haben diese Arbeit, dieses Schicksal, trotz der Schwierigkeiten gemeistert, deshalb heißt es in der Beschreibung des Bühnenbildes der dritten Verwandlung: „Im Vordergrund sind der Gärtner und seine Frau beschäftigt, zarte blühende Sträucher aus einer offenen Trage zu nehmen und im ausgegrabenen Boden umzusetzen." (DI 146) In der Pantomime, der bildhaften Darstellung der Arbeit des Umpflanzens, die Zartheit gegenüber den leichtverletzbaren Wurzeln mit der Kraft des Eindrückens verbindet, um sie mit dem neuen Lebenselement zu verbinden, wird wiederum ein Hinweis auf das Problem des Kaufmanns gegeben: Daß er wohl die Zartheit des Gefühls, aber nicht die erfahrene Kraft des rechten Wollens besaß, gibt seiner Gestalt die tiefe Tragik.[26]

Sie wird verstärkt dadurch, daß er bis in die letzten Worte des Dramas hinein ein Verblendeter bleibt. Er ist nicht ins Leben gekommen, er sieht sich, wie in der Spiegelbegegnung des Anfangs angedeutet wurde, noch immer selbst zu. (DI 87–89) Die Blume, die er nicht in sein Leben verpflanzen konnte, fällt als Stern vom Himmel seiner Lebensferne.[27] Daß Sobeides tragisches Schicksal aufs Engste mit dieser Lebensferne verbunden war, zeigt sich auch bildhaft in der Art ihres Todes: Sie stürzt sich vom Turm, den er sich gebaut hatte, um in die Sterne zu schauen. Zugleich klingt, wenn man die anfangs erwähnte schicksalhafte Verknüpfung des Ivory Towers des schönen Lebens mit der Welt des Geldes und der Schul-

---

[26] Annemarie Chelius-Göbbels hat diese wesentliche Form mittelbarer Darstellung nicht erkannt (Formen mittelbarer Darstellung im dramat. Werk Hugo von Hofmannsthals. Meisenheim a. Glan 1968.) Vergl. ihre Ausführungen zur Sobeide, S. 78. Erken weit auf dieses Bild der Gestaltung hin, ohne es metaphorisch auszudeuten. (S. 239)

[27] „So lautlos fällt ein Stern. Mich dünkt, ihr Herz / war mit der Welt nicht fest verbunden..." (DI 156)

den verstanden hat, nochmals ironisch der Anteil dieser „bunten Welt" am Tod der Sobeide mit an, der schon faktisch durch ihre Geldheirat aufgezeigt worden war.

Doch der Kaufmann bleibt verständnislos. Mit den Worten des Andrea aus *Gestern*, die Hofmannsthal selbst mit den Problemen der *Sobeide* in Verbindung bringt, sein „Schicksal" ist da gestorben, und er hat es nicht erkannt.[28] So ist auch in den letzten Worten vom tragischen Fischzug des Lebens kein pessimistisches Resumé des Dichters, keine eindeutige „Zeigefunktion"[29] zu sehen, sondern die Traurigkeit legt sich tragisch-ironisch ganz um die Gestalt des verlassenen Mannes, der selbst dazu beitrug, daß für Sobeide, ganz wie bei Dianora, das Netz der Fülle des Lebens zur Verstrickung des Todes wurde. Von Dianora unterscheidet sich Sobeide allerdings dadurch, daß sie sich dem Tod freiwillig ergibt, während es bei der sehr viel vitaleren Dianora fraglich bleibt, ob sie sich nach dem Zerbrechen ihres Traums selbst den Tod gegeben hätte.

Für das Schicksal Dianoras und Sobeides ist wesentlich, daß beide im Angesicht des Todes, in der Begegnung mit der Welt des Ewigen, die Hofmannsthal nach dem Motto des *Ad Me Ipsum* immer vor Augen war, eine Wandlung erfahren. Aus Sobeide, dem träumenden Kind, dem der goldne Ball des Glücks zur ungewiß rollenden Kugel der Fortuna geworden war, (DI 134) wird eine Frau, die ihre Schuld an dieser Entwicklung und ihr versäumtes Schicksal klar erkennt: „Mit eitlen Händen rührt ich an mein Selbst." (DI 155) Auch sie wendet sich wie Dianora in ihren letzten Worten den Hilflosen und Armen zu in den Bitten für ihre Eltern und den alten Sklaven des Schalnassar. (DI 155 f)

Den Worten der Fürsorge des liebenden Ästheten, der für sie „die Harfe" sein will, „die jedem Hauch mit Harmonie antwortet," (DI 156) hält sie die Realität des kinderlosen Krüppeldaseins entgegen, das den der Welt des Schönen Verbundenen abstoßen würde. In ihren Worten: „Bist dus denn, du, mein Mann?" und seiner verständnislosen Entgegnung: „Mein Kind!" (DI 156) malt sich nochmals die Tragik ihres Geschicks.

Doch zugleich erkennt sie nun noch hinter dem verfehlten Tun des Lebensfremden die zarte, aufopfernde Liebe des Menschen, den ihr das Schicksal als den ihr zugedachten Lebensgefährten in den Weg geschickt hatte: „Wir hätten lang / zusammensein und Kinder haben sollen, . . . ." (DI 157)

---

[28] Vergl. die unter Anm. 21 angeführten Zitate. (A 216)
[29] Erken, S. 220.

Die Interpretation hat gezeigt, daß weder das Schicksal der Sobeide und des reichen Kaufmanns, noch die in den Reden, Pantomimen und Bühnenbildern ausgedrückten Metaphern verstanden werden konnten, ohne die wesentlichen Lebensfragen des jungen Hofmannsthal, das Problem des Ästheten und seiner Verbindung zum Leben, mit einzubeziehen.

Beim *Weißen Fächer* spielten diese Fragen ebenfalls eine Rolle. Ihre Enthüllung durch die Arbeit der „erfahrnen Augen" vertiefte die Schönheit und Ausgewogenheit des Dramas, das aber auch ohne diesen Vorgang der Mitarbeit als ein Vollkommenes in sich selber ruhte. Im Gegensatz dazu wird die *Sobeide* ohne Kommentar nicht verständlich. Trotz vieler Schönheiten der Ausführung ist dem Dramatiker Hofmannsthal sein Werk nicht gelungen, doch es bleibt eines der wichtigsten Lebensdokumente seiner Jugend.

Hofmannsthal sieht wie Goethe das Schicksal in der Forderung des Tages und weiß, daß man es durch Weltferne versäumen kann. Nur im Tun dessen, was unter die Hand kommt findet man das „höhere Leben," wie er es selbst (mit direktem Hinweis auf die *Sobeide*) gesagt hat: „Es muß sich einstellen als richtige Schicksalserfüllung, nicht als Traum oder Trance." (A 220 f)

Er legte deshalb in seiner Gestaltung des Dramas den Nachdruck auf das, was diese so wichtige Verbindung zum Leben fördern oder durch innere und äußere Probleme verhindern kann.

Die tiefe, „entsetzliche" Tragik war nicht in einer zunehmenden Lebensverdüsterung des Dichters begründet, sondern die Problematik erhellte in diesem Drama in der Zurschaustellung der Welt des Geldes, auf der die schöne Welt des Ästhetentums sich baut, eine klare Erkenntnis des Dichters, die schon zu Beginn der Neunzigerjahre bestand. Man kann, wie der Vergleich der Metaphorik bewies, das Drama sogar geradezu als Erweiterung und Erläuterung des im Gedicht Angedeuteten verstehen. An der klarsichtigen Ausmalung der Charaktere und Situationen sieht man, daß der junge Dichter seit der ersten lyrischen Konzeption dieser Erkenntnisse selbst weiter ins Leben gelangt ist.

Wenn man von einer tragischen Lebensauffassung des Dichters sprechen will, so bestand sie schon zu Beginn der Neunzigerjahre genau so wie an derem Ende und steht hinter den glücklichen Gestalten des *Kleinen Welttheaters* genau so wie hinter der Tragik der *Sobeide*. Das Drama ist, also nicht Ausdruck des Pessimismus, sondern zeigt das für Hofmannsthal wesentliche Grundprinzip der Variation, ein verändertes erneutes Zusammenfügen der Charaktere und Probleme, das der Dichtungstradition des Barock verwandt ist. An dieser Tatsache ändert auch der anfangs beschriebene Augenblick der „Inspiration" nichts, ja er war wie die anderen der fruchtbaren Vareser Tage nur möglich, weil schon ein Reservoir von Gestalten und Motiven bereit war.[30]

Die Schilderung des Hintergrundes der bunten Welt des Geldes, von dem das Schicksal des Kaufmanns und der Sobeide nicht zu trennen, dem es buchstäblich eingewebt war, zeigte, daß der Dichter nicht erst im reifen Werk soziologische Fragen berührt hat.[31] Aber weil er ihre Gestaltung in feinem Stilgefühl dem Genre des lyrischen Dramas angeglichen hat, sind sie nicht verstanden worden. Ja, sie haben, weil nur sie das Verstehen für die Tragik und Problematik des Dramas erschließen, selbst zu seiner Obskurität beigetragen: Die Konturen der Gestalten werden überscharf gezeichnet, weil der Dichter das Ästhetentum ironisch auf seine Grundlagen aufmerksam machen will.

Die Problematik der Ehe wird weiter in die Tiefe geführt, weil sich nun der zarten, der Welt nicht fest verbundenen Gestalt der Frau ein ebenso feinfühliger Ehemann zugesellt. Es zeigt sich, daß er, der die Fähigkeit hat, die Zartheit und das Schönheitsverlangen ihres Wesens zu schätzen und sie mit dem ihr gemäßen Lebensmilieu zu umgeben, nicht die Einsicht und Willenskraft besitzt, sie an sich zu binden und sie durch die Gründung einer Familie dem praktischen Leben näher zu bringen.

In der Gestalt des reichen Kaufmanns malt sich, besonders auch in den ihm zugehörigen Bildern, tiefe Selbsterkenntnis, ja Selbstironie des Dichters, der in seiner Familie ebenfalls der dritten Generation des Geldes

---

[30] In diesem Zusammenhang ist ein Hinweis von Sulger-Gebing (Anm. S. 60) von Bedeutung, der die stoffliche Verwandtschaft der *Sobeide* mit einem altindischen Märchen betont. Die von Sulger-Gebing erwähnte deutsche Übersetzung dieses Märches von Friedrich von der Leyen kommt aber nicht in Frage, weil sie erst im Sommer 1897 entstanden ist (*Indische Märchen.* Halle an d. Saale 1898.) Das Vorwort stammt aus dem vorhergehenden Sommer. Doch die Ausgabe erwähnt neben dem Märchen „Das grösste Opfer" in der dort berichteten ursprünglichen Form (S. 70-74) auch einige andere Variationen und Quellen, die Hofmannsthal eingesehen haben könnte. Vergl. hierzu die Einführung S. 1-8 und die Noten zu den Märchen, S. 119-121 und 151-155. Doch eingehende Vergleiche könnnen erst anhand der nun unzugänglichen Manuskripte vorgenommen werden. Sie hätten auch von meinem eigentlichen Thema abgeführt. Zur Frage der Quellen vergl. auch Erken: Hofmannsthal-Chronik. S. 255.
[31] Vergl. hierzu den in der Einleitung zitierten Aufsatz von Nadler.

angehörte.[32] Doch in der Charakterisierung des Ästheten, wie sie zuerst in Andrea und Claudio verkörpert war, zeigt sich ein Unterschied: Der reiche Kaufmann ist noch immer nicht voll ins Leben gekommen, doch er hat sich entscheidend gewandelt durch den Versuch einer Hinwendung zum Du. Aber das großmütige Opfer bleibt ohne die Fähigkeit, sich wirklich für Augenblicke vom Ich lösen zu können, verfehlt und tragisch in seinen Konsequenzen, ein Zeichen dafür, daß man, ohne ins Leben gekommen zu sein, auch nicht richtig lieben kann. Doch wie die Worte der sterbenden, schon der jenseitigen Welt verbundenen Sobeide beweisen, wird der Akt dieses Opfers an sich vor dieser überzeitlichen Welt als Wert gesehen, wenn er auch im Zeitlichen in die Irre geführt hat.

Die Problematik des Ästheten als Ehemann wird in dem Drama *Der Abenteurer und die Sängerin* in der Gestalt des Lorenzo Venier wieder aufgenommen werden. Auch die innere Wandlung, die Sobeides letzte Worte verraten, erscheint wieder als wesentliches Motiv des folgenden Dramas und gibt der Sängerin Vittoria die Kraft zur Rückkehr ins Leben und in die Ehe.[33]

---

[32] Die hier vertretenen Auffassung scheint ihre Bestätigung in demselben Brief zu finden, der über die Entstehung der *Sobeide* berichtet. Im Zusammenhang mit der Kandidatur D'Annunzios schreibt Hofmannsthal ironisch: „(Er ist in der Ballotage, hat aber sicher die Majorität, wie die lombardischen Blätter schreiben, ‚mit Unterstützung der Carabinieri', jedenfalls als äusserst konservativer oder reaktionärer Mandatar der grossen römischen Nepotenfamilien, eine merkwürdige Zeit, wo die Dichter reaktionär sind, eigentlich alle!)". (Bl 230)

[33] Für weitere Quellenhinweise vergleiche Anhang Seite 176.

## VIII. DER ABENTEURER UND DIE SÄNGERIN
## ODER
## DIE GESCHENKE DES LEBENS

*Zur Problemstellung*

Im Gegensatz zur *Hochzeit der Sobeide* hat das letzte der vollendeten lyrischen Dramen, *Der Abenteurer und die Sängerin*, in neuerer Zeit erhöhte Beachtung gefunden: Erwin Kobel widmet, vom wesentlichen Grundproblem von Sein und Werden, Zeitlosigkeit und Zeitigung (Kierkegaard) herkommend, dem Werk ein ausführliches und tiefschürfendes Kapitel in seinem Buch über Hofmannsthal.[1] Die Arbeit Martin Erich Schmids, die Funktion und Symbol der Musik im Werk des Dichters verfolgt,[2] ist in ihrer sorgfältigen Untersuchung besonders wertvoll, weil sie die Gestalten und Geschehnisse des Dramas genauestens mit Hofmannsthals literarischer Quelle, den Memoiren Casanovas, vergleicht. Beide Arbeiten deuten in zuverlässiger Weise die wesentlichen Verbindungslinien an, die vom *Abenteurer* zu den vorausgehenden und nachfolgenden Werken führen.

Doch sie beide, besonders Schmid, lassen ungelöste Fragen zurück, die vor allem um die Gestalt und die Lüge Vittorias und damit um das Verhältnis zu ihrem Gatten kreisen. Wohl ist das Schwebend-Ironische klar in der Absicht des Dichters,[3] doch es scheint, als ob er hinter dieser dem Schauplatz angepaßten venezianischen Maske einige ganz konkrete

---

[1] Kobel, S. 88–113
[2] Martin Erich Schmid: *Symbol und Funktion der Musik im Werk Hugo von Hofmannsthals.* Heidelberg 1968. S. 89–131.
[3] Vergl. hierzu die Aphorismen des Dichters über die Grundprobleme des *Abenteurers* und die in ihnen ausgedrückte Ironie (A 217, 218, 221, 222). Sie werden im einzelnen noch genauer zitiert und interpretiert werden.

Probleme und Tatsachen verborgen hätte, die für das tiefere Verständnis des Dramas und die in ihm gestalteten ehelichen Probleme wesentlich sind.[4]

Schon die vorausgehenden Kapitel dieser Arbeit haben gezeigt, daß der Dichter in seinen Metaphern und in der Heranziehung historischer und mythischer Schauplätze seine eigenen Probleme und die seiner Zeit gestaltet hat. Ihre soziologischen und ethischen Fragen haben ihn genau so beschäftigt wie seine berühmten Zeitgenossen Ibsen und Hauptmann. Er ist seinem Landsmann Schnitzler in langjähriger Freundschaft verbunden und hat dessen künstlerisches Anliegen, die Zweideutigkeit und Unehrlichkeit der bürgerlichen Fassade des ausgehenden 19. Jahrhunderts zu enthüllen, aufs engste geteilt. Fast jeder Brief ihrer Korrespondenz ist ein Zeugnis dafür.[5]

Was Hofmannsthal von den Naturalisten und Schnitzler unterscheidet, ist einzig die Form, die er benützt, um dieselben Probleme auszudrücken. Dieser formale Versuch, den man in den schon erwähnten Worten seines Essays über die Duse „Symbolik der sozial ethischen Anklage" nennen könnte, hat zum Mißverstehen seiner lyrischen Dramen entscheidend beigetragen.[6] Die Enttäuschung darüber verfolgt ihn bis in seine letzten Jahre, wie sein imaginärer Brief an C. B. [Carl Burckhardt] vom Jahr 1927 zeigt, der sich darüber beklagt, daß das Jugendwerk „so berühmt als unverstanden" ihm fälschlicherweise als „ein Zeugnis des l'art pour l'art" ausgelegt werde und man seinen „Bekenntnischarakter" und das „furchtbar autobiographische" übersehen habe. (A 240)

Es scheint deshalb wichtig, dieses Bekenntnis zu den Fragen seiner Zeit und zu den in ihnen verwurzelten eigenen Problemen aufzuspüren, wie es sich in den Hauptfiguren des Dramas in der bisher tiefsinnigsten Gestaltung der „Dreierkonfiguration" in Vittoria, Lorenzo Venier und Weidenstamm ausdrückt, mit denen die Gestalt des Sohnes Cesarino unlösbar verbunden ist. So erst kann man Vittoria, deren hohe Kunst aufs Engste

---

[4] Auch die in der Einleitung (Anmerkung 6) zitierte Arbeit von Hilde Cohn sieht das Drama noch ohne einen wesentlichen geschichtlichen Hintergrund, deshalb entgeht ihr trotz der sehr wertvollen Deutung der Gestaltung des Raumes die vom Dichter bezweckte Ironie. Vergl. bes. S. 297–300.

[5] Hugo von Hofmannsthal, Arthur Schitzler: *Briefwechsel.* Hrgb. Therese Nickl und Heinrich Schnitzler. Frankfurt a. M. 1964.

[6] Die von ihm gewählte Form entspricht seiner Sicht der Welt und ist Zeichen einer bewußten Auseinandersetzung mit dem Naturalismus, wie sie auch in dem Abschnitt „Federball und Vogel" im Kapitel über den *Weissen Fächer* dargestellt wurde.

mit der Problematik ihrer Ehe verknüpft ist, ihren Mann Lorenzo und ihren fragwürdigen Entschluß zur Lüge wirklich verstehen.

Eine der jüngsten Interpretationen des Werkes hat ebenfalls die Notwendigkeit dieser Fragestellung erkannt: Im Kapitel seines Buches über Hofmannsthals Dramen, das sich mit dem *Abenteurer* befaßt, will Pickerodt, von Benjamin herkommend, in den drei Hauptgestalten „Sozialcharaktere" erkennen.[7]

Wohl hat er gesehen, daß die Probleme des Dramas unlösbar mit soziologischen Fragen verknüpft sind, aber die Ergebnisse seiner Interpretation — sie werden noch im einzelnen zu erwähnen sein — zeigen deutlich, daß sich das Werk primär soziologischer Fragestellung verschließt und seinen „sozial ethischen" Gehalt erst enthüllt, wenn man die Sprache der Symbolik, die ihn verbirgt, entschlüsselt hat. So muß man also zum Verstehen der Chiffren die inneren und äußeren Vorgänge des Dramas in ihren Bildern und Motiven mit anderen, ihm eng verwandten Dramen des Jugend- und Gesamtwerkes und zur gleichen Zeit mit dem Lebensmilieu des Dichters in Zusammenhang bringen.

*Der Hintergrund*

Es fällt nicht schwer, zu erkennen, daß die Stadt Venedig und der sie metaphorisch zeichnende Bildbereich, dem die Perlen und das Gold eng verwandt sind, wichtige Hinweise zum Verstehen des Dramas geben. Schon Alewyn hat auf die Bedeutung der Stadt im Werk des Dichters hingewiesen.[8] Schmid versucht in seiner schon erwähnten Arbeit im Abschnitt „Venedig, Wasser und Stein" die Stadt als „Lebensraum" Vittorias zu deuten und verwendet dazu hauptsächlich die Bilder aus der Erzählung Weidenstamms, des Abenteurers, während seiner ersten Begegnung mit Lorenzo Venier.[9] Sie befassen sich mit der mythischen Gründung der Stadt, der Hochzeit der Fischer mit den Prinzessinnen, den Geschöpfen des Wassers und der Luft. Schmid stützt sich auf die Studien Hofmanns-

---

[7] Pickerodt, S. 109–127. Siehe besonders S. 112 f. Er läßt in Weidenstamm den adligen Touristen des niedergehenden Feudalwesens auf die bürgerliche Welt der Stadt Venedig stoßen, deren Repräsentant Lorenzo Venier darstellt, und zeigt in Vittoria die spätbürgerliche Art einer Daseinsverfälschung, „die ihrem eigenen Leben entfremdet ist und die diese Entfremdung auf ästhetische Weise zu überwinden sucht". (S. 126).

[8] Alewyn, S. 80–83.

[9] Schmid, S. 196–209.

thals in Walter Paters Buch über die Renaissance und verbindet sie mit dem bekannten Gedicht Nietzsches über Venedig. Diese Interpretation hat Berechtigung. Vittorias Name hat nicht nur symbolische Bedeutung, tatsächlich gab es im Goldenen Zeitalter der Stadt eine berühmte Vorgängerin, Vittoria Piisimi, „la bella maga d'amore."[10]

Doch man darf daneben nicht übersehen, daß die Erzählung dieser mythischen Gründung Venedigs durch einen Mann erfolgt, der ein „Hereingeschneiter," ein Abenteurer ist, den angenommenen Namen Baron Weidenstamm trägt und daß er in seinem Zuhörer einen Bürger der Stadt, einen Patrizier und Neffen eines Senators vor sich hat, der diese Geschichte der Gründung seiner Stadt nicht kennt. Die ironische Pointe, die Hofmannsthal hier ganz deutlich bezweckt, weist aber auf einen zweiten Sinngehalt hin, der sich hinter dem ersten Bildbereich versteckt und seine Ambivalenz bedingt, die, wie schon öfters gezeigt wurde, für den jungen Dichter charakteristisch ist: Neben den Bildern des Mythos seiner überzeitlichen Atmosphäre dient Venedig ganz konkret als Realsymbol, und so ist es vom Dichter auch deutlich „zeigend" ausgedrückt unter dem Personenverzeichnis des Dramas: „In Venedig, um die Mitte des 18. Jahrhunderts." (DI 160)

Den Zusammenhang der Geschehnisse mit der modernen Ökonomie der Stadt hat auch Pickerodt gesehen, aber nicht konsequent textbezogen ausgewertet. Um ihn verdeutlichen zu können, soll das im Hinblick auf den Schauplatz der *Sobeide* Erarbeitete wieder herangezogen werden. Den inneren Zusammenhang der Geschehnisse der beiden Dramen, die ja auch am selben Abend aufgeführt wurden, hat schon Grete Schaeder hervorgehoben. Sie sind auch in ihren Bildbezügen Geschwister, und Venedig, der Schauplatz des *Abenteurers*, malt das in die dunkle Tragik des Zauberreichs des Geldes Verwobene nochmals aus in geistvoll ironisch zugespitzter Pointe.

[10] Sie war eine der ersten Divas, nachdem die Alleinherrschaft der Knaben und Kastraten zu Ende ging und bezauberte die ganze Stadt als Sängerin, Schauspielerin und Tänzerin zugleich. (Will Durant: *History of Civilization V, The Renaissance.* New York 1952. S. 649) Ein genauer Hinweis Hofmannsthals auf diese Frauengestalt läßt sich aber anhand des bisher zugänglichen Materials nicht feststellen. Diese Gestalt sollte ihm kaum entgangen sein, denn aus seinen Briefen aus Venedig spricht sein reges Interesse an der Kulturgeschichte der Stadt. Seine Beschäftigung mit der Kunst der goldenen Zeit Venedigs zeigt sich auch in Weidenstamms Erzählung von der mythischen Gründung der Stadt: Ihre Bilder finden sich wieder in dem berühmten Deckengemälde, das Tintoretto einst im Auftrag der Stadt malte (Durant, S. 275). Es zeigt Venedig als „Königin der See", umgeben von Göttern, Tritonen und Nereiden, die Perlen und Korallen als Geschenke darbringen.

In Venedig, der berühmtesten der Seestädte der beginnenden Neuzeit, und in der Geschichte ihrer Entwicklung zur Handelsgroßmacht[11] ist das „mit List, in Arbeit, Qualen, Leidenschaft" Gesuchte als „des Reichtums grenzlos üppig Jagdrevier" zur höchsten Potenz, gleichsam zur Institution, erhoben. Sie lebt vom „Fetzen Schuld vom Staate aufgehäuft", ihr Blutkreislauf ist die Zirkulation des Geldes. Was einst gewissenloser Erwerbsdrang war, wirkt nun weiter im Netzwerk der Spione und Intrigen. Doch Venedigs führende Bürger, die lachenden Erben der dritten Generation, haben als Patrizier das „Gemeine" von sich abgetan und sich von den trüben Quellen des goldenen Stroms, dem sie ihr Leben verdanken, nach außen hin völlig gelöst. Sie sind in ihren alle Ostentation scheuenden Manieren Edelleute und Mäzene der Künstler geworden. Die Flut des Goldes lockt nun die Glücksritter in die Stadt, geheime Habenichtse, als Herren getarnt, die als Fettaugen auf der Suppe des üppigen Lebens schwimmen und den etwas müd gewordenen Patriziern den Kitzel des Abenteuerlichen verschaffen. (DI 185) Sie bauen ihr Leben ebenfalls auf Gewinn ohne Arbeitseinsatz im Element, das ihnen gehört, dem des Spieles.[12] Das Venedig des Dramas ist jedoch nicht mehr das Goldene Zeitalter der Stadt: Im 18. Jahrhundert hatte Venedig durch verlorene Kriege stark an äußerer Macht eingebüßt, und nur der im Geldverleih ruhende Wohlstand verbürgte noch für eine Weile den Schein des alten Glanzes. So ist also die Stadt selbst in der Herbstbeleuchtung ihrer dritten Generation,[13] in geistvoller Zuspitzung des Motivs des Ästhetentums, mit dem auch die Grundgedanken des *Abenteurers* untrennbar verbunden sind, die „Ästhetin unter den Städten." Diese Interpretation wird bestätigt durch die Schilderung der Stadt in Hofmannsthals Essay über die Rede Gabriele D'Annunzios, (PI 298 f) in dessen Dichtungen für Hofmannsthal sowohl die Schönheiten als auch die Gefahren des Ästhetizismus beschrieben wurden.

[11] Zu Ausgang des 14. und Beginn des 15. Jahrhunderts war Venedig die mächtigste Handelsstadt des Mittelmeers und auf dem Zenit seiner Macht. Es hatte ein jährliches Handelsvolumen von 10 000 000 Dukaten, etwa 250 000 000 Dollar. (Durant, S. 282)

[12] Erken aber erkennt ganz richtig, daß dieses Motiv des Spielers nicht nur ein negatives ist. (Vergl. seine Ausführungen über das Motiv des Spiels, bes. S. 31) Die Verbindung des Positiven und Negativen in der Ambivalenz des Bildbereichs liegt im „Wagnis", dem Einsatz für den Spieler, das ihn so im Gegensatz zu dem passiven Ästheten zu einem „Handelnden" macht, trotzdem auch er kein wirklicher „Arbeiter" des Lebens ist. Dazu gesellt sich noch das barocke Motiv des „Lebens als Spiel".

[13] Vergl. hierzu auch den bleibenden Eindruck des Stückes für Hofmannsthal in seinem Brief an Bodenhausen, zitiert unter Anmerkung 27.

Das schon erwähnte, von Brecht und Schaeder zuerst entdeckte und von Erken ausführlich erforschte charakteristische Prinzip der Spiegelung, das sich auf wiederholte Hinweise des Dichters im *Ad Me Ipsum* stützt, trägt auch in diesem Drama bei, den Hintergrund Venedig als mythischen Schauplatz und Realsymbol mit den Figuren und Geschehnissen des Spiels zu verbinden. Dadurch wird dieses dramatische Hilfsmittel aber zugleich auch Mittel einer verhüllten sozial ethischen Anklage. Erst wenn man die einzelnen Figuren des Stücks als Individuen in diesen Hintergrund eingeordnet und ihre schicksalsbedingte Abhängigkeit von ihm bestimmt hat, enthüllten sie dann sekundär die geheimen Tiefen ihrer Spiegelungsqualität für die Hauptfiguren. Ja, das Versagen der Interpreten, die Gestalt der Vittoria zu verstehen,[14] läßt sich geradezu auf die Unterlassung dieses wesentlichen Schritts auf dem Stufenweg der Interpretation zurückführen. Das Drama selbst unterstützt diese Form der Deutung in seinem Bau und im Auftritt der Gestalten: In den Begegnungen von Weidenstamm und Lorenzo, die sich durch das erste Bild ziehen, werden nicht nur die klar ersichtlichen Motive des künstlerischen und ehelichen Konflikts konstituiert, sondern auch der Spieler und der Patrizier ironisch gegen den Hintergrund ihrer Lebensumstände abgezeichnet. Marfisa, ihre Mutter und der arme Künstler Salaino, Redegonda und ihr Bruder Achilles wirken in ihren Geschicken zuerst ganz allein auf den Zuschauer. Dann verschwinden sie und eröffnen mit dem Erscheinen Vittorias und während ihres Gesprächs mit dem Baron neben der Enthüllung ihrer Vergangenheit dem Zuschauer einen klaren Einblick in die Gratwanderung, der sie sich in ihrem Leben und ihrer Kunst seit der Begegnung mit dem Abenteurer unterziehen mußte. Die bedeutungsvolle Schlußszene zwischen Weidenstamm und dem Diener Le Duc vor der Verwandlung (DI 217-23) nimmt in ironischer Weise den Entschluß des Abenteurers am Ende des Dramas vorweg.

Der gesamte erste Teil dient wiederum als Ganzes zur inneren Motivation der Vittoria, die in der Konfrontation mit ihrem Gatten nun anstelle des Geheimnisses, das sie bisher umgab, die Lüge setzt. Cesarino

---

[14] Selbst ein so sensitiver Interpret wie Erken kann in dem Stück keine Entwicklung sehen: „Nicht an einer Entwicklung mit faktischen ‚Ergebnissen' ist Hofmannsthal gelegen; die Konstellation bleibt unbewegt. Das Geschehen gleicht höchstens einem Tanzschritt der Figuren umeinander herum". S. 109.

muß man nicht nur als verjüngten Abenteurer, sondern bewußt als jungen Menschen an sich mit seinen Lebensgewohnheiten und Fähigkeiten sehen, bevor er dann die Lüge im Leben seiner Mutter und die Tragik im Leben seines Vaters im Prozeß der Spiegelung in neuer Tiefe enthüllt. Die allein durch die Pantomime belebte Gestalt des alten verstummten Komponisten Passionei spiegelt nicht nur die Tragik der künstlerischen Existenz als solche oder die Schrecken des herannahenden Todes für den Abenteurer. Er ist zugleich auch der, dessen Dasein Vittoria in der leiblichen Sorge für ihn, im ironisch durch das Erscheinen des Barons unterbrochenen Versuch, sein Werk zu singen, die Augen öffnet und sie dazu befähigt, den letzten Schritt der Wandlung innerhalb des Dramas zu vollziehen, der zugleich den ersten Schritt im neuen Leben ihrer Ehe und ihrer Kunst darstellt. Da alle diese Verbindungen der Charaktere und Geschicke wesentlich sind, um die schwer zugängliche letzte Szene des Dramas zu verstehen, sollen sie nun, in großen Zügen dem Verlauf der Geschehnisse auf der Bühne folgend, interpretatorisch kurz skizziert werden.

## Baron Weidenstamm und Lorenzo Venier

In seinem schon erwähnten Kapitel über das Drama beschreibt Pickerodt die Stadt Venedig für den Abenteurer als die ihm adäquate Heimat, in der sein Aufenthalt aber nur Episode ist und fährt erklärend fort: „Sein Blick auf Venedig ist der des Fremden und des Vertrauten zugleich, des adeligen Touristen des 18. Jahrhunderts, der sich ausleben möchte, wie dessen, der nach langer Reise seine Heimatstadt wiederbetritt, an die ihn Erlebnisse binden, die er auf das Wesen der Stadt als auf ihre mythische Urgeschichte projiziert."[15]

So trifft also für ihn in der Begegnung von Weidenstamm und Venier der Edelmann mit dem Bürger zusammen. Doch es ist klar ersichtlich, daß der Dichter etwas ganz anderes im Sinn hatte, nämlich die subtil ironische Szene einer gesellschaftlichen Komödie, wie er sie später im *Schwierigen* zur Meisterschaft gebracht hat. Der Witz der Sache liegt eben darin, daß der „Baron," ganz wie sein Vorbild Casanova nicht wirklich der Nobilität zugehört, sondern ein gesellschaftlicher Hochstapler ist, und daß der „Bürger" den Patrizier, d. h. in allem, abgesehen vom Adelstitel

---

[15] Pickerodt, S. 112.

den wahren „Edelmann" darstellt. Das bringt neben dem Kontrast des Anzugs (Lila und Gelb neben Schwarz) die vornehme Zurückhaltung Veniers gegenüber dem Wortschwall Weidenstamms zur Schau, während dieser sich in forcierter Leutseligkeit des Adeligen gegenüber dem rangunterlegenen Patrizier und im Anbieten des Du völlig im Ton vergreift (DI 161 f). Venier hätte sich sicher sogleich höflichst verabschiedet und das Weite gesucht, hätte ihn nicht der mit dem Geschick seiner Frau verbundene furchtbare Verdacht zum Bleiben gezwungen. So wenig der Hochstapler und der Patrizier zunächst gemein haben, sind sie doch, wie schon angedeutet, in ihrem Verhältnis zur Stadt Venedig im Geheimen aufs Engste verbunden. Beide können ohne das Gold Venedigs nicht leben, das zugleich die Luxusexistenz des feinfühligen Veniers und die Scheinherrschaft des Spielers und „Kartenkönigs" (DI 204) ermöglicht. Und das für beide, nicht nur für Venier, charakteristische Wechseln von Vers und Prosa[16] malt formal, wie der Abenteurer und der Ästhet, jeder in seiner Weise, von der Realität des Lebens angepackt werden.

Veniers Liebe zu Vittoria war unlösbar mit dem Genuß ihrer Kunst und ihrer geheimnisvollen edlen Gestalt verbunden. Man kann sein Problem besser verstehen, wenn man ihn mit einigen ihm verwandten Gestalten der vorangehenden Dramen vergleicht: In seiner innerlich und äußerlich vornehmen Haltung und Ablehnung des „Gemeinen" gleicht er dem reichen Kaufmann der *Sobeide*. Wie alle, welche sich besonders nach der Fülle des Lebens sehnen und sie verspätet schuldhaft erleben, hat auch er, wie er später bekennt. (DI 224) keine glückliche Kindheit gehabt. Wie die Frau des Schmieds der *Idylle* sich an der Fülle des Dionysischen in den Vasenbildern ihres Vaters berauschte, anstatt sie in Wirklichkeit zu erfahren, hat auch er ein Surrogat für die Fülle des Lebens gefunden: Die Stimme seiner Frau. Wie der Kaufmann in den Tanz der Sobeide hat sich der venezianische Ästhet in die Stimme seiner Frau verliebt, nur deshalb ist er so feinfühlig erschreckt und bemerkt sogleich, daß sie sich in einer Krise befindet. (DI 184 f) Er führt eine Bruderehe mit der leiblichen Frau, wie Fortunio und der Kaiser Porphyrogenitus ein Verehrer des kindhaft reinen Typs, und feiert auf der Bühne seine geheimen Orgien mit der großen Künstlerin, der Magierin der Liebe, ohne danach zu fragen, wie dieser glühende Ton in ihre Stimme gekommen ist, denn Venier ist, ganz wie Claudio und Fortunio, besonders

---

[16] Erken, S. 255.

137

vom Geheimnisvollen angezogen, das die Gestalt der Geliebten umgibt. Er ist sich aber dieser seltsam gespaltenen Liebe zu Vittoria nicht bewußt. Genau wie der reiche Kaufmann besitzt er Feinfühligkeit und Aufopferung in reichem Maß, aber auch er hat das rechte Lieben noch nicht gelernt. Die Krisis tritt an ihn heran, als das Leben dieses Traumbild der Vittoria, das er sich so gebaut hat, zu zerstören beginnt in der schmerzvollen Enthüllung ihres „Geheimnisses."

Der Baron Weidenstamm, neben Florindo aus *Cristinas Heimreise* die wichtigste Abenteurerfigur Hofmannsthals, hat der Interpretation viele Rätsel aufgegeben: Dem Versuch Grethers, den Abenteurer als Verkörperung des Dichterischen zu sehen, ist Rey entgegengetreten, der das ethische Bewußtsein Hofmannsthals betont und auf die negativen und verurteilenden Züge weist, mit denen der Dichter die Gestalt gezeichnet hat.[17] Doch es ist wesentlich, auch die positiven Seiten seines Charakters im Auge zu behalten, die Alewyn, von der Gestalt des Florindo in *Cristinas Heimreise* herkommend, gültig erarbeitet hat.[18] In neuerer Zeit hat Kobel den Abenteurer als Wiederverkörperung des dem Augenblick zugewandten Andrea des *Gestern* gedeutet,[19] und Nehring hat durch die Gegenüberstellung des Täters und des Abenteurers und die Wiederaufnahme des Hinweises von Grete Schaeder, daß der Abenteurer dem Zentauren der *Idylle* verwandt ist, wesentliche Punkte zu einer klärenden Definition der Gestalt beigetragen.[20]

Das ganze Drama zeigt deutlich, daß Weidenstamm keine Idealfigur ist. Er wird sofort als wortreicher Aufschneider eingeführt, der sich im Ton vergreift und nur noch ein Schatten seiner selbst ist, denn das Leben hat ihn angepackt. Er, der dem zeitlosen Augenblick ergeben war, wurde, wie das Drama erläutert, zweimal in der Zeit vor eine Forderung der Tyche gestellt, und die Art, in der er sie beantwortet hat, prägte die Figur des Baron Weidenstamm, der Venier nach der entscheidenden Szene in der Oper nun zu Anfang des Stücks entgegentritt.

Der erste Anruf des Schicksals erreichte ihn in Vittoria: Während er zuvor, so wie es die Geschichte des Zentauren in der *Idylle* darstellte,

[17] Vergl. hierzu die in der Einleitung zitierten Aufsätze von Grether und Rey.

[18] Alewyn, S. 91 ff.

[19] Kobel, S, 93, auf der Aphorisme Hofmannsthal (A 219) fußend. Es muß allerdings dazu bemerkt werden, daß Hofmannsthal dabei nur einen charakteristischen Zug Andreas, seine Augenblicksbezogenheit, und nicht die gesamte Konzeption seiner Gestalt im Auge hatte. Vergl. hierzu die Ausführungen im Kapitel über *Gestern*.

[20] Schaeder, *Gestalten*, S. 55, Nehring, S. 98 f.

in seinen Augenblicken der Lust ihm gleichgestellte, instinktgebundene Frauen, die Marfisas und Zerbinettas des Lebens, umarmt hatte, tritt ihm nun in der jungen unschuldigen Vittoria eine „Gefährtin" entgegen, die ihm als ganzem Menschen angehören will und sich ihm in völligem Vertrauen ganz schenkt, wie er es in seiner Erzählung klar ausdrückt:

Sie war ein Kind und wurde in meinen Armen zum Weib. Ihre ersten Küsse waren unerfahren wie aus dem Nest gefallene junge Tauben, ihre letzten Küsse sogen die Seele aus mir heraus! Wenn sie kam, abends oder in der Früh, schlanker als ein Knabe! sie war in den großen alten Mantel gewickelt, dann warf sie ihn hinter sich und trat hervor wie ein Reh aus dem Wald.[21] (DI 166)

Diese Hingabe des ganzen Menschen hätte von ihm ebenfalls Totaleinsatz gefordert, den Schutz derer, die sich ihm anvertraut hatte, in der Zeit, d. h. den Entschluß zur Ehe. Er hat sich davor gescheut und in ihrem Wiedersehen nur den erneuten Genuß des Augenblicks gesucht. Deshalb ist es auch, wie es in der Begegnung mit Vittoria dann erschütternd klar wird, mit allen andern, die nach ihr kamen, unentwirrbar vermischt. (212)

Weil er die Aufforderung, die Liebe mit Verantwortung verbindet, überhörte, hat er sich dann in seinem eigenen Netz gefangen, das durch die politischen Intrigen einer eifersüchtigen Venetianerin zugezogen wurde.[22]

Diese Tatsachen zeigen im Rückblick seine romantische Schilderung vom Ursprung der Stadt am Anfang des Stücks in zweifacher Weise ironisch gebrochen: Er, der am eigenen Leib erfahren hat, wie die auf das Geld gegründete Institution der Stadt die Eifersucht und Liebesstunden der vornehm Verwöhnten mit der Macht der geistlichen und weltlichen Gerichte und dem Werk der gemeinen Spione und Spitzel in tödlicher Treffsicherheit verband, erzählt statt dessen ein Märchen, und der Zuhörer

---

[21] Zugleich klingt mit der Metapher des Rehs das Bild des Jägers wieder an, das im Kapitel über *Die Frau im Fenster* schon berührt wurde. In diesen Bildbezug fügt sich der grüne Rock, der Vittoria lieb war und den Weidenstamm auf der Flucht als „leibnächsten" unter all seinen Verkleidungen trug. (DI 214 f)

[22] Der Dichter hat hier bewußt die historischen Tatsachen aus dem Leben Casanovas verändert, der nicht durch seine Liebesaffairen, sondern durch den Verdacht des Atheismus mit der Inquisition in Berührung kam (Durant X: *Rousseau and the Revolution.* New York 1967. S. 323)

ist einer der Reichen, die sich bewußt von dieser gemeinen Welt fernhalten, die dennoch ihre Existenz perpetuiert.

Die ihm verhängte Kerkerhaft ist der zweite, entscheidende Eingriff der Tyche ins Leben des Abenteurers und ist von da an für immer gegenwärtig: Im Aroma der geliebten und neugesuchten Stadt schmeckt er mit den Freuden auch den „salzigen Duft / und blassen Widerschein der Purpursonne" dessen, der in seiner Zelle gefangen liegt. (DI 163) Und die Schreckensbilder der Vergangenheit mischen sich in den verzweifelt die Wände bohrenden Nägeln der Gefangenen selbst noch in die schönrednerisch prahlenden Beschreibungen seiner Feste.[23] (DI 172)

Im Kerker hat er nun aus Lebenserhaltungstrieb den Moment vergessen und in sorgfältigem Planen durch ein ganzes Jahr hindurch seine Flucht vorbereitet, sich die Tücher und Kleider beschafft, die sie ermöglichten und sich — zum ersten Mal in seinem Leben als ehrlicher Arbeiter — mit seinen Händen den Weg zur Freiheit gebahnt. (DI 214, 221) Von hier aus nur kann man das wichtige Motiv der Salbe verstehen, das Pickerodt als Zeichen seiner Banalität und Vergeßlichkeit dient und von Kobel als Kosmetikum des Manns von fünfzig Jahren verstanden wird.[24] Aber Hofmannsthal zeigt deutlich, daß die Salbe allein für die Hände dient, (DI 217) die nach den furchtbaren Anstrengungen der Befreiung, gleichsam als ironische Stigmata, nie wieder ganz heilen und sich nur durch dieses lebensnotwendige Kosmetikum aus den Händen des Arbeiters in die des eleganten Spielers verwandeln können. Hände und Salbe sind so Realsymbole seiner zweiten Begegnung mit der Tyche, dem Hinweis, daß Leben mit ehrlicher Arbeit verbunden ist, einer Forderung, die er ebenfalls überhört hat. Deshalb ist in der letzten Szene vor der Verwandlung, die in der befürchteten Entdeckung die vergangenen Schrecken wieder lebendig macht, in den letzten Worten, die nach der Salbe verlangen, sein drittes Versagen der Forderung der Tyche gegenüber, das im Rahmen des Stückes geschieht, schon ironisch vorausgesagt. (DI 219–23)

So ist also er, der einst als junger Mensch der Fülle des Lebens so nahe war als „jener die Totalität umfassende, umarmende Geist" (A 221) zum Weidenstamm geworden, den „die schwebend unbeschwerten Ab-

---

[23] Auch Walther Brecht sieht die tiefere Bedeutung dieser Rede nicht, die gerade nicht die Einheit in seinem Leben, sondern den Einbruch des Schicksals, d. h. der Zeit, in sein dem Augenblick hingegebenes Dasein demonstriert: Fragmentarische Betrachtungen über Hofmannsthals Weltbild. In: *Eranos, Hugo v. Hofmannsthal zum 1. Februar 1924*. München 1924. S. 18-24.

[24] Pickerodt, S. 115, Kobel, S. 97.

gründe des Lebens" nicht mehr tragen (GLD 13) sondern der, wie sein Name sagt, im sumpfigen Land Wurzeln geschlagen hat und wie die Trauerweide die Wasser des Lebens unrettbar an sich vorüberrinnen und den Tod kommen sieht.[25]

Doch den göttlichen Funken des Ingeniums, der ihm als kostbarstes Geschenk mit auf den Weg gegeben wurde, übersieht das Stück trotzdem nicht; der Abschnitt über Weidenstamms Begegnung mit Vittoria wird davon zu reden haben.

*Das Volk der Künstler*

*Redegonda und ihr Bruder Achilles.* Es ist leicht, Redegonda, die ihren Freund und Mäzen, den deutschen Grafen, mit dem Baron betrügt, im Hinblick auf die edle Gestalt der Vittoria als deren Zerrspiegelbild zu verdammen.[26] Doch Hofmannsthal hat es nicht getan, sondern in Redegonda ein neues Zeugnis seiner sozial ethischen Anklage gegeben: Er malt das Problem der Sängerin, der nicht die Gewalt des großen Gesanges, sondern nur die kleine Gabe der Gebrauchskunst geschenkt ist, im Lebenskampf in der Welt des Geldes und seiner doppelbödigen Moral. Redegonda kommt aus einem Leben bitterster Armut, das noch solche Schrekken für sie birgt, daß sie, wie sich später zeigt, den Anblick des Elendsviertels und seiner hohläugigen Kinder nicht ertragen kann. (DI 251) Sie hat sich in Sehnsucht nach ein wenig Schutz und Ritterlichkeit dem deutschen Grafen liiert. Diese Stellung hat ihr aber nicht einmal genug weltliche Güter geschenkt, daß sie sich einen Bediensteten leisten kann, um den Schein einer herrschaftlichen Existenz zu wahren, muß sie ihr Bruder Achilles als Diener begleiten. Ihr Künstlerblut und ihr Verlangen nach Luxus, den sie so lange entbehrte, treibt sie, da der deutsche Graf, wie der Schmied der *Idylle,* anscheinend nur die Glut der Eifersucht

---

[25] Vergl. hierzu die Ausführugen Exners in seiner Interpretation des „Lebenslieds" (S. 93) und den von ihm erwähnten biographischen Hinweis in: *Spiegel der Freunde.* S. 193. Hofmannsthal sagte dort zu Herbert Steiner über die Gestalt des Abenteurers: „Was mich an ihm interessierte, war ein Mensch, der leicht weitergeht, — wie über einen Sumpf — wo jeder andere einsinkt". Dieser Hinweis scheint mir die hier vorgeschlagene Interpretation klar zu bestätigen, weil sich so im Namen Möglichkeiten und Versagen zugleich ausdrücken. Richard Exner: *Hugo von Hofmannsthals „Lebenslied".* Heidelberg 1964.
[26] Vergl. hierzu und auch zu den Bemerkungen über Marfisa das Kommentar von Wyss, S. 149, der gerade diese Nuancen, die für den Dichter bezeichnend sind, nicht zu erkennen scheint.

und wenig Generosität hat (DI 192, 196, 200) in die Arme der Weidenstamms, der Männer mit den unvergeßlichen Momenten, die ihr Fünklein Kunst am Leben erhalten und großzügig zu schenken verstehen. (DI 194 f) Diese Augenblicke mit den Abenteurern des Lebens werden ihr aber von dem verwehrt, der trotz seiner Ritterlichkeit in der doppelten Moral der Männer Treue fordert, aber sich selbst nicht an eine Frau dieser niederen Herkunft binden kann und will. So erhält auch der spätere, ganz ernst gemeinte, lobende Hinweis der Vittoria auf seine Charakterqualitäten (DI 251) das ironisch Doppelgesichtige, das für das Drama bezeichnend ist.[27]

*Marfisa und ihre Mutter.* Während die Redegonda ängstlich den Schein der guten Sitten aufrecht erhält, ist Marfisa ganz offen das, wozu sie das Kastensystem der Stadt sowieso als Tänzerin bestimmt: Zugleich Freiwild und Glücksjägerin. In dieser Offenheit liegt der entwaffnende Charme ihrer Erscheinung. Sie füllt die Augenblicke der Jagd und des Gefangenwerdens mit glühender Lebensfreude[28] (DI 180, 235) und vergißt zur selben Zeit auch den weltlichen Gewinn nicht eine Sekunde. Das Tragische an ihr ist, daß sie in diesem Leben der gewinnbringenden Augenblicke das wahre Wesen ihrer Kunst vergessen hat und im Kampf um die Karriere den dunklen Seiten des Lebens schon verbunden ist. (DI 179, 198) Den Tanz der Sobeide, der in seiner schönsten Ausprägung die Fülle des Lebens ungetrennt von der Definition der Worte in sich versammelt, hat sie vergessen. Er ist der Tanz der Gülistane geworden, perfekt in der Technik, aber ohne den Traum, wie es die kupplerischen Lobesworte ihrer Mutter wiederum ambivalent-ironisch klarmachen. (DI 175) Die kurze, tragisch-komische Rolle dieser Mutter, die in der Welt des Theaters zur Zuhälterin herabgesunken ist, aber doch zugleich im Zerrbild der

[27] Seine Briefe aus Venedig während der Entstehungszeit betonen schon von Anfang an diesen Charakterzug des Werkes, das er als „Comédie, ein ernstes Stück mit heiterem Ausgang" beschreibt (BI 272), das aber zugleich mehr „geist- als gemütvoll" ist (BI 275). Dem entspricht auch die spätere Erwähnung des Dramas in einem Brief an Bodenhausen vom 9. Mai 1903: „Ich habe dieses sogenannte Theaterstück — ebensogut könnte man es eine Neckerei* nennen, oder ein Feuerwerk — sehr gern. Es stellt sich vor mir auf wie ein bunter leichter Triumphbogen, behängt mit Guirlanden und Teppichen, die sich im Winde blähen und durch die Bogen sehe ich Venedig in einer ganz bestimmten strahlenden Herbstbeleuchtung". .... „Ich glaube, es enthält mehr, als man beim ersten Lesen denkt, nicht in dem Einzelheiten, sondern im Bezug des Ganzen, in der Philosophie, die es hat". Hugo von Hofmannsthal, *Briefe der Freundschaft. Eberhard von Bodenhausen* (Düsseldorf, 1953), S. 30.

* Es handelt sich hier um einen Druckfehler, wie Erken (S. 110 Anm. 20) richtig erkannte. Rudolf Hirsch entzifferte das Wort anhand des Originals als „Stickerei".

[28] Sähe man ihre Erscheinung nur in negativem Licht, so wäre ihre starke Anziehungskraft für Cesarino nicht verständlich, der trotz seiner Jugend ein Mensch von Geschmack ist.

Mutterliebe für ihr Kind sorgt und die kondeszendierenden Unverschämt-
heiten des Barons (DI 181) unterwürfig über sich ergehen läßt, ist eine
der erschütterndsten des ganzen Dramas.

*Salaino.* Salaino zeigt die tragische Position des jungen Künstlers, der
noch Idealist ist und es weder in der Kunst noch in der Liebe zu etwas
gebracht hat, weil er sich noch nicht mit den herrschenden Mächten
verbunden hat. Doch als er das Geld des Barons, begleitet von dessen
zynischen Worten, entgegennimmt und das Spiel beginnt, hat auch er
als Handelnder und Glücksritter zugleich den Eintritt in die bunte Welt
des Geldes gefunden, die ihm verhaßt, doch unentbehrlich ist, und bald
ist auch er völlig im Banne der rollenden Kugel der Fortuna: „... ich
hab die Bank, wer legt dagegen!" (DI 191)

## Baron Weidenstamm und Vittoria Venier

Als Vittoria zur Unterredung mit dem Abenteurer die Bühne betritt,
kann der Zuschauer nun ermessen, in welchem Lebensumkreis sie den
Aufstieg zur großen Künstlerin vollzogen hat und ist überrascht über
den Adel ihrer Erscheinung, der noch in der tiefsten Erschütterung von
ihr ausstrahlt. Zugleich umgibt sie aber eine eigentümliche Kindlichkeit,
die, wie die Interpreten jedesmal betonen, doch dem verloren geht, der
von der „Praeexistenz" ins „Leben" gelangt ist. Hier zeigt sich, wie ge-
fährlich es ist, die von Hofmannsthal zum Hinweis auf die großen Linien
seiner Dichtung gebrauchten Begriffe vorschnell anzuwenden. Wie kann
es möglich sein, daß Vittoria das Leben in der Zeit kennt und ihr doch
seltsam ungealtert nicht angehört?

Gleich Dianora hat sie den mädchenhaften Stolz, der sie wie ein Schild
umgab, abgelegt und in den Stunden völliger Hingabe an den Abenteurer
auch die Seiten ihres Wesens erkannt, die der Welt des Dionysischen
verbunden sind. Doch als dieser Hingabe nicht die gleiche antwortet,
überfällt sie in Neapel bei der Wiederbegegnung im Hinblick auf diese
bedingungs- und hemmungslose Preisgabe die Scham. (DI 212) Wie Dianora hat sie das Gefühl: „... Einmal darf eine Frau / so sein ... Dies
zweimal könnte, wäre fürchterlich." (DI 78 f) Doch da sie eine Schwester
der Dianora und nicht der Sobeide ist, legt sie nicht Hand an sich selbst,
sondern lebt weiter und trägt, dem Abenteurer verborgen, die Geschenke
des Lebens mit sich fort, die ihm zugedacht waren, und die er, weil

er dem Augenblick ergeben war und keine Verantwortung tragen wollte, nicht selbst erhalten hat: Das Werk und das Kind.[29] Er hat sich der Welt nicht verknüpft in der Begegnung mit diesem Du, das ihm zugedacht war, und ist so der Gleiche geblieben, was aber in der Begegnung mit der Tyche in Wirklichkeit ein Wenigerwerden an persönlicher Substanz bedeutet, doch Vittoria, die sich der Begegnung stellte, ist durch sie verwandelt worden.[30]

Sehr schön hat Hofmannsthal — abgesehen von dem Hinweis auf den alten Beschützer, der ihr und dem Kind für eine Weile Bergung bot (266) — darauf verzichtet, den Zuschauer genauer wissen zu lassen, wie Vittoria zur großen Künstlerin wurde und deutet damit an, daß der Funke des Ingeniums, der das große Kunstwerk belebt, genau so wie der Lebenskeim, der das Kind in ihr erweckte, ein Geheimnis ist.[31] Hinter dem ironischen Spiel geistreicher Spiegelungen wird es für einen Augenblick still, und zum ersten Mal in seinen Dramen zeigt der junge Dichter neben seiner selbstverspottenden Karikatur der Künstler und Ästheten die überirdische Größe der Kunst und stellt sich in die Reihen der Künstler des Barock und der Romantik, denen alle irdische Musik Widerklang der Musik der Sphären war. Daneben weiß er aber auch wie Goethe, „wer Großes will, muß sich zusammenraffen" und verbindet die künstlerische Leistung der Vittoria im Prozeß der Sublimation direkt mit ihrem Entschluß, das vom Abenteurer in ihr Erweckte nicht in neuen flüchtigen Begegnungen wiederzusuchen, sondern rein zu bewahren. Ironisch wies auch der Baron im Blick auf sein Jugendbild auf der Dose schon darauf hin, warum ihm, der der schöpferischen Fülle des Lebens so nahe ist — in seinen Worten und Bildern steckt hinter der „Hexe" ihrer Substanzlosigkeit[32] doch der Blick eines Dichters — dennoch kein Werk gelungen war. „Hätt dieser da / das Feur in seinem Blut so schön gebändigt / wie du, [Lorenzo] so stünde nun ein andrer hier, ..." (DI 204)

---

[29] Vergl. hierzu den Untertitel „Geschenke des Lebens" und seine Bedeutung in der Konzeption des Stückes und die Aphorisme im *Ad me Ipsum*: „Im Abenteurer ist die Lösung ironisch angedeutet (das Werk und das Kind)". (A 216)

[30] Vergl. den Hinweis im *Ad Me Ipsum* „Mit dem Sich-verwandeln das Verwandeln eines andern. Verknüpfung mit der Welt durch die Verknüpfung zweier Individuen. / der Abenteurer ist die Lösung ironisch angedeutet (das Werk und das Kind)". (A 216)

[31] Schaeder hat diesen Vorgang treffend interpretiert: „Verwandlung ist aber zugleich auch das Geheimnis der Geistwerdung des Lebens, ist der unfassbare Übergang von lebenswirksamen Kräften der Seele zu den objektiven Mächten des Geistes, an denen sich wieder neues Leben entzündet". (*Gestalten*, S. 55.)

[32] Wyss scheint das nicht zu erkennen, S. 150.

Vittorias Gestalt gibt dem Interpreten Rätsel auf, als sie, die Gattin Veniers, selbst zu Weidenstamm kommt, nachdem sie ihn in der Oper wiedererkannt hat, sich ihm also scheinbar in die Arme wirft. Das Liebeserlebnis der Vergangenheit hält sie noch immer in seinem Bann und trotzdem lehnt sie es ab, erneut die Geliebte Weidenstamms zu werden. So steht sie in einem seltsamen Zwielicht. Sie ist keine Heroine, die man von außenher mit ethischen Maßstäben messen kann. Sie erscheint, gezeichnet in der Feinfühligkeit des Menschenkenners, mit den Fehlern ihrer guten Eigenschaften. Als eine von denen, deren hervorstechendster Charakterzug die Treue ist, hat sie das Bild ihrer Liebe, so wie sie es in den schönsten Augenblicken beseelt hat, (DI 166) in Dankbarkeit für seine Geschenke, das Werk und das Kind, — das ihr wohl mit den Ansporn gab, sich zusammenzuraffen — jedes Mal wieder zum Leben erweckt, wenn sie auf der Bühne stand. Dadurch wurde aus der Frau, die das Leben in aller Härte und Bitterkeit erfahren und bestanden hatte, in jedem Auftritt der Sängerin das kindhafte Mädchen der ersten Liebesaugenblicke. Sie wurde, wie die ironisch spiegelnde Metapher es später von der Gastherrin sagt, die den alten Komponisten empfängt, (DI 238) in Umkehrung der alten Sage zur Eurydike, die dem verlorenen Orpheus durch das Schattenreich der Erinnerung nachjagt und, an seiner Stelle des Gesanges mächtig, ihn aus dem Land der toten Liebe immer wieder neu ins Leben holen will.

Da Vittoria glaubt, nur einmal auf solche Weise lieben zu dürfen, ist sie diesem Erinnerungsbild treu, das sich in ihrem Traum von seinem Urbild gelöst hat und kann zugleich die Frau Lorenzos sein, ohne deshalb das Gefühl zu haben, ihn zu hintergehen. Seiner brüderlichen Liebe, deren Hintergründigkeit ihr verborgen ist, kann sie voll antworten. Man kann also nicht sagen, daß ihre Ehe nur dem Namen nach bestand.[33] Was sie geben konnte, hat sie ihm voll gegeben, das ist im Drama dadurch angedeutet, daß auch Lorenzo Vittoria als die kannte, die sich im Ablegen des Mantels ganz herschenkt. (DI 166)

Da sie von der Gefangenschaft und Flucht des Abenteurers erfahren hatte — das Drama legt ihr bewußt den Bericht in den Mund (DI 214) — und so nicht damit rechnete, ihm je wieder zu begegnen, bezeugt ihre Heirat und Niederlassung in Venedig zugleich, daß sie auf den, der ihr sein Werk und Kind hinterließ, für alle Zeiten menschlich verzichtet hat.

[33] Kobel, S. 91. „Ihre Ehe ist keine Ehe, weil Mann und Frau einander angehören und doch nicht eins sein können".

Wer ihr zur Last legen will, daß sie Cesarino als ihren Bruder und nicht als ihr Kind ausgab, sollte das Erscheinen des Künstlervolkes in den ersten Szenen nochmals auf sein „sozial ethisches Kommentar" hin ansehen: Weit mehr als die konventionelle Scham über das illegitime Kind machte diesen Schritt nötig. In einer Atmosphäre, in der jede Künstlerin Freiwild war, hätte sie ihre Vergangenheit noch stärker gestempelt und ihr auch noch den Schein der Artigkeit und des Respekts verwehrt, der einer Redegonda zukam. Cesarino, dem sie Vater und Mutter zugleich sein mußte, hätte sie jede Chance einer bürgerlichen Existenz von vorneherein verwehrt und ihn in einer Atmosphäre aufwachsen lassen, wie sie sich in Marfisa und ihrer Mutter darstellt. So aber hat sie ihm in Venier nicht den Vater gegeben, den der Heranwachsende vielleicht aus Haß gegen den eigenen, der ihn verließ, nicht anerkannt hätte, sondern einen großen Bruder, der unter dieser Maske, wie das zweite Bild durchgehend zeigt, doch insgeheim die Vaterrolle spielt, genau so wie sie Cesarino Mutter und Schwester zugleich bedeutet.[34]

Weil Vittoria durch ihre Umwelt zu diesen Kompromissen, den „Lebenslügen" im Sinne Ibsens, gezwungen wurde, ist auch ihre Existenz, trotz des hervorstechenden Charakterzuges der Standhaftigkeit und Treue, in ihrer Brüchigkeit dem Zugriff der Tyche ausgesetzt. Er erfolgt, als sie in der Oper wiederum das Traumbild ihrer Liebe aufbaut und sich plötzlich dem Urbild gegenüber sieht. Die Mischung aus Schrecken, Freude und wiedererweckten Schmerzen treibt sie, wie ihr Auftritt meisterhaft malt, (DI 206 f) als „die kleine längst begrabene Vittoria" (DI 270) des ersten

---

[34] Daß diese Motivation und die in ihr enthaltene Gesellschaftskritik klar in der Intention des Dichters lag, können zwei biographische Hinweise bezeugen: Als er sein Stück schrieb, hörte er von seinen Eltern, daß die Aufführung von Schnitzlers *Vermächtnis* unmittelbar bevorstand (BI 273) und betont in einem Brief seine Verbundenheit mit ihm. Schnitzlers Stück zeigte gerade das Schicksal eines solchen Kindes und seiner Mutter, die der sterbende Sohn seiner Familie als problematische Hinterlassenschaft in ihr gutbürgerliches Haus schickte. Als dann Hofmannsthals Stück selbst aufgeführt wurde, am selben Tag, dem 18. März, in Berlin und Wien, war die Rolle des illegitimen Sohnes Cesarino auf Verlangen des Burgtheaters in der Wiener Aufführung herausgestrichen worden, dessen Direktion auch die solcherhand verstümmelte Version des einen der beiden Bühnenmanuskripte auf dem Gewissen hat. Vergl. die Kritik der Burgtheateraufführung in Max Burckhardt: Theater. Wien 1905. S. 58 f: „So kann ich nicht sagen, ob das Stück an sich verständlich war, und wieviel von seinem Inhalt dadurch zustört worden ist, dass die Zensur aus ihm eine wichtige Figur, den natürlichen Sohn der Vittoria, einfach ganz herausgestrichen hat, vielleicht, weil die präliminierte Anzahl unehelicher Kinder im heutigen Repertoirebudget bereits erreicht oder überschritten ist. Habent sua fata libelli". Von der zweiten als Bühnenmanuskript gedruckten Ausgabe ohne die Rolle des Sohnes berichtet eine Anmerkung in DI 459.

Liebesaugenblicks in ihrer Treue zu dem Vater ihres Werkes und Kindes zurück in der erschütternden Begegnung der großen Liebenden, die im Verhältnis zu ihrer Kunst und zu dem heranwachsenden Kind die Zucht und Ehrfurcht dem „höchsten Gott" (DI 271) gegenüber gelernt hat, mit dem Liebhaber der vielen Gelegenheiten. Sie führten in der „leichten Barke / des leichten Gottes" anstelle der Vittoria, der großen Siegerin, die sein Leben hätte verwandeln können, jeweils die „jüngste Siegerin" zu ihm, die seine Liebeskraft des Augenblicks mit sich nahm als geheimen Schatz und ihm nichts zurückließ als die „Spuren" im „Strand," (DI 215) die als Linien auf seiner Stirn an sein Alter und die schwindende Vitalkraft mahnen. Als Vittoria ihm für seinen Anteil an ihrer Kunst dankt, hatte sie schon angesetzt, ihm auch das Dasein seines Kindes zu enthüllen. (DI 217) Doch Weidenstamm schließt ihr selbst den Mund: Die Liebe, die sie so rein bewahrt hat, vermischt sich ihm selbst noch in der Erinnerung mit banalen Episoden. Im Hinweis auf einen anderen, gleichzeitigen Liebhaber, der sie gleichsam zur Kurtisane stempelt, trifft er sie besonders schmerzhaft. (DI 212 f)

Durch die Begegnung ihres Mannes mit Weidenstamm im Theater (DI 161) und das für den Baron so typische Geschenk der Dose (DI 204 f) greift die Ironie des Schicksals nun erneut in ihr Leben ein und weitet den Zwiespalt, der sich zwischen dem Schein und der Wahrheit ihrer Existenz aufgetan hat, zum tiefen Abgrund. Sie kann nicht mehr auf beiden Seiten zugleich leben, sie muß sich zum Sprung entscheiden.

In ihren letzten Worten klingt erneut das Thema der großen Kunst an, die in ihrer Bindung zur überzeitlichen Welt Vittoria den „Harnisch" leiht, den zeitlichen Kampf zu überwinden und als Handelnde zugleich zu den „Fröhlichen" zu gehören. (DI 217)


*Vittoria und Lorenzo*


In der Unterredung mit ihrem Mann, der sie anhand des Bildes auf der Dose, dem Cesarino aufs Haar gleicht, mit ihrer Vergangenheit konfrontiert, fällt nun Vittoria eine klare innere Entscheidung. Aus der Unterhaltung geht deutlich hervor, daß ihr Mann bisher nicht an das Geheimnis gerührt hatte, das sie umgab und das, wie schon erwähnt, zu ihrer Anziehungskraft für ihn erheblich beitrug. Sie war mit ihrem „Bruder" nach Venedig gekommen und hatte sich, als Venier um sie warb, aus den schon ausgeführten Gründen nicht verpflichtet gefühlt, ihm ihr Vorleben zu enthüllen, und er hatte sie nicht darum gefragt. Seine Liebe zur untadeligen Lebenshaltung der großen Künstlerin, die ihm allein den gesellschaftlich gewagten Schritt, sie zu seiner Gattin zu machen, ermöglichte, hat ihm wohl im Unterbewußtsein verboten, die Fragen zu stellen, welche ihrer Standeszugehörigkeit wegen dieses Idealbild hätten zerstören können. Im Gegensatz zum Abenteurer und zu dem deutschen Grafen hat er den verantwortungsvollen Schritt in die Ehe getan. Doch auch bei ihm verbindet sich, wie bei den Taten des „reichen Kaufmanns," die Feinfühligkeit, die eine geliebte Frau mit dem ihr gemäßen Milieu umgibt, mit der Unfähigkeit, sich von einem Idealbild des geliebten Du zu lösen und es, ganz so wie es ist, zu sehen und zu lieben.

Vittoria hat nun die Möglichkeit, ihm durch die Enthüllung der Wahrheit zu diesem inneren Wachstum zu verhelfen und wählt trotzdem die Lüge. Die eheliche Gemeinschaft, die bisher in ihrer Zartheit der leiblichen Verbindung mit den glühenden Stunden der Kunst ein Ganzes bildete, selbst wenn sie aus den dargelegten Gründen nicht dem Idealbild entsprach, wird nun durch den bewußten Vertrauensbruch der Frau gefährdet und in Frage gestellt, so wie es Venier selbst ausdrückt: „Was bleibt uns dann, Vittoria, daß wir beide / fortleben können? sag, was bleibt, Vittoria?" (DI 231)

Der Name Vittoria scheint neben dem schon angedeuteten metaphorischen Bezug noch aus einem weiteren Grund ausgezeichnet gewählt. Es läßt sich freilich nicht einwandfrei nachweisen, doch ist sehr gut möglich, daß der Dichter Conrad Ferdinand Meyers historische Novelle *Die Versuchung des Pescara* kannte, die 1887 veröffentlicht wurde. Dort wird nämlich dem Leserpublikum in der Gestalt der italienischen Dichterin Vittoria Colonna ebenfalls eine Viktoria vor Augen geführt, die in einer Schlüsselszene des Werkes eine sittliche Wahl treffen muß. In einer gleichfalls von Ironie schillernden Begegnung gibt sich der Papst als Verehrer ihrer Muse zu erkennen, die er besonders liebt, „wo sie moralische Fragen stellt und beantwortet." Doch das schwerste sittliche Problem hat er bisher noch in keinem ihrer Sonette berücksichtigt gefunden. Viktoria identifiziert es dann selbst für ihn: „ ‚Der größte sittliche Streit,' sagt sie ohne Besinnen, ‚ist der zwischen zwei höchsten Pflichten.' " Der listige Papst erwidert daraufhin mit einem Seitenblick auf die Entscheidung Vik-

torias und ihres Gatten, „,das heißt: scheinbar höchsten, denn eine der beiden ist die höhere, sonst gäbe es keine sittliche Weltordnung.' "[35]
Der Verweis auf diese Stelle erscheint mir deshalb so wesentlich, weil sie allein die Grundlage zu einer Deutung gibt, die nicht entweder die sittliche Grundhaltung des Dichters auf der einen Seite,[36] oder die gesamte Anlage der Gestalt der Vittoria auf der anderen Seite[37] in Frage stellt: Auch Vittoria Venier muß zwischen zwei höchsten Pflichten entscheiden. Einerseits erscheint die Verpflichtung zur Wahrheit und Ehrlichkeit dem Mann und Partner gegenüber als die ihrer charakterlichen Qualität einzig gemäße Forderung. Doch von größter Wichtigkeit ist auch die Rücksicht auf die Natur ihres Gatten, dem sie alles bedeutet, dessen große Güte und innere Vornehmheit allein schützend die Hand über ihr menschliches und künstlerisches Dasein und das ihres Kindes gehalten und die Wunden ihres Lebens langsam geheilt hat. Nach der Liebe des dionysischen Rausches hat sie so auf eine andere, tiefere Art lieben gelernt, in der inneren Hinwendung zu dem, der die Zartfühligkeit besaß, dieses Werk zu vollbringen:

Vittoria
mir ist, ich seh mein Leben durch und durch
und deine Liebe drinnen.

Lorenzo
                    Wie die Mücke
im Bernstein?

Vittoria
        Nein. So wie den Edelstein
im Bergkristall, der eine Heilkraft hat
und den verstümmelten Kristall von innen
nachwachsen macht, wie ein lebendiges Ding![38] (DI 247)

---

[35] Conrad Ferdinand Meyer: *Sämtliche Werke.* Historisch Kritische Ausgabe, besorgt von Hans Zeller und Alfred Zäch. 13. Band: *Der Heilige. Die Versuchung des Pescara.* Bern 1962. S. 174 f.
[36] Schaeder sieht die Haltung der Vittoria in einem für die innere Einstellung des Dichters seltsam zwiespältigen Licht: Vitalität und seelische Gesundheit, oder vielmehr die der Frau gemäße Form der Sittlichkeit gegenüber einer sittlichen Entscheidung als solcher (S. 58–60). Diese Ausführungen scheinen mir unbefriedigend. Vergl. auch die unter dem Kapitel über *Die Hochzeit der Sobeide* erwähnte Ansicht Schaeders, Hofmannsthal habe um die Jahrhundertwende eine „sittliche Krisenzeit" durchlebt.
[37] Vergl. etwa Reys Kritik der Gestalt der Vittoria in: Eros und Ethos in Hofmannsthals „Lustspielen" *DV XXX* (1956). S. 449–473, bes. S. 458 f.
[38] Obwohl die Eigenschaft des Bergkristalls, nach Einschluß anderen Gesteins seine cha-

Doch gerade dieser charakteristischen Haltung wegen, die sich dem Gemeinen des Lebens bewußt entzogen hat, könnte Venier die Enthüllung dieses „Gemeinen" im Leben der geliebten Frau nicht ertragen und würde an ihr zerbrechen. So wählt Vittoria wirklich in der Entscheidung zwischen Wahrheit und Liebe in der Karitas die höhere von zwei höchsten Pflichten und wird nun zur Gratwanderung der Liebe verurteilt:

Ich kann nicht sehn, wie sein Gesicht so blaß ist
und so beladen mit verhaltnen Schmerzen.
*Indem sie weiterspricht, nimmt ihr Gesicht einen völlig veränderten Ausdruck*
*von Aufmerksamkeit, beinah von Strenge an*
Um seinetwillen lüg ich bis ans Ende.
Nun bin ich eine, die auf Dächern wandelt.
Wo kein Vernünftiger den Fuß hinsetzt:
Wer mich beim Namen anruft, bringt mich um. (DI 234)

Mit ihrem Entschluß könnte sie zugleich den Sohn verlieren, an den der Baron nun in den Augen Lorenzos größere Rechte hat.[39] (DI 233)

*Vittoria, Weidenstamm und Cesarino:*

Bei der überraschenden Begegnung mit Cesarino wird der Baron erneut vom Schicksal angesprochen. Er hat die Möglichkeit, sich in der Verantwortung für den Sohn dem Zeitlichen zu verpflichten und weicht wieder aus. Das Drama malt in meisterhafter Einfühlung die Reaktion der Vittoria, die durch die Begegnung des ersten Aktes schmerzlich auf

rakteristische kristalline Form wieder herzustellen, geologisch mit der Kraft des eingeschlossenen Gesteins nichts zu tun hat, ist dieses Bild eines der schönsten des ganzen Dramas. Aber es muß in seiner Gesamtheit gesehen und interpretiert werden und kann nicht auseinandergerissen werden, wie Kobel es tut, der die Weidenstamm gemäße Metapher der Perle der des Kristalls entgegensetzt, die für Vittoria bezeichnend sein soll (S. 100). Das Bild gilt ganz klar für das Verhältnis von Venier und Vittoria. Dem Bild der Perlen und der Börse des Spielers von Seiten Weidenstamms entspricht das Bild der edlen Steine, die durch Vittorias Kunst erworben, „ein Korallenriff im Meer gebildet haben", ein ironischer Hinweis auf die Abhängigkeit der Kunst vom Gold des Handels. Die Metapher von Edelstein und Bergkristall ruft in Erinnerung, daß Hofmannsthal gerade um diese Zeit am *Bergwerk von Falun* gearbeitet hat, also wohl in Verbindung damit geologische Studien unternommen hat.
    [39] Daß der Dichter diese Gratwanderung der Vittoria so verstanden haben will, bestätigt außerdem der von Schmid unternommene Vergleich mit den Memoiren des Casanova. Dort will Casanova seinen Sohn mitnehmen und Therese, die ihre Mutterschaft offen bekennt, verweigert es. (S. 104).

den wahren Charakter des Abenteurers gestoßen ist und auf diese Art der „Enttäuschung" vertraut, die allein ihre Gratwanderung der Liebe wieder auf sicheren Boden bringen und ihr den Sohn lassen wird. Zugleich aber enthüllt gerade dieses letzte Versagen den Abstand zwischen dem Idealbild der Liebe in ihrer Kunst und seiner Verkörperung im Leben. Während ihr Schicksal auf des Messers Schneide tanzt (DI 246) zeichnet sie dieses Bild noch ein letztes Mal, so wie es ihr einst in allen seinen Gaben des jugendlichen Feuers und der Liebeskraft entgegentrat, in den Worten, mit denen sie Cesarino dem Baron als ihren Bruder vorstellt und seine Natur beschreibt. (DI 243–45)

Als sie dann mit dem Baron allein ist und zum ersten Mal in vielen Jahren ihr wahres Wesen und Schicksal enthüllen und zugleich Frau und Mutter sein darf, verrät seine leicht galante und zugleich sentimentale Entgegnung wieder seine völlige Ich-Bezogenheit. (DI 248 f)

Cesarino aber enthüllt, daß er nicht nur der Sohn seines Vaters, sondern auch der seiner Mutter ist: Wohl ist er angezogen von dem Fremden, dem Hauch des Abenteuers und der großen Geste und fühlt intuitiv sein väterliches Erbe, dem er in seiner Weltweite gleichen will. Doch er hat, in der Atmosphäre der Güte und Fürsorge aufgewachsen, schon eine Art des Hinhörens auf den Anderen gelernt, die seinem Vater fremd ist: Alle Attraktion der Marfisa, die ihm wie Mozarts Cherubino mächtig das junge Blut bewegt, hat er vergessen, als er fühlt, daß Vittoria verstört ist. (DI 237) Während sein Vater es in seiner Liebe zur Musik aus mangelndem Interesse über den Augenblick hinaus zu nicht mehr als einem Nachträllern der Melodien einer berühmten Diva gebracht hat,[40] (DI 165) ist er, der die große Gabe der Musik von seiner Mutter geerbt hat, schon als Klavierspieler und Komponist geschult. (DI 249, 261) Er ist wirklich „erhöhtes Spiegelbild seiner Eltern,"[41] kann die Maße der Geliebten genau so im Gedächtnis behalten, wie die Stimmen der Palestrinamesse. (DI 261) Cesarino, durch die Natur seines Vaters beschenkt und gefährdet zugleich, hat in den mütterlichen Gaben der Ausdauer und Karitas eine neue, bessere Art, ins Leben zu kommen, als sein Vater, wird es aber mit leichterem Sinn zu meistern wissen, als seine Mutter: Er kann den Ruhm tragen, „wie eine Schuhschnalle." (DI 254).

---

[40] Vergl. diesen für die Augenblicksbezogenheit charakteristischen Zug mit der Beschreibung der Musikinstrumente in Andreas Gartensaal im Drama *Gestern*.
[41] *Ad Me Ipsum*, A 219.

So ist das schicksalhafte Versagen des Barons, der sich nicht zu seiner Vaterrolle bekannte und nun wahrhaft der im „weichen Lehm" (DI 271) des Lebens beheimatete Weidenstamm wurde, für Cesarino eine Gnade. Er verläßt die Bühne an der Seite Veniers, der als brüderlicher Geselle auch seinen Jugendtollheiten leise Zügel anlegen kann, und zeigt so in pantomimischer Geste, daß dieser sein wahrer Vater ist.[42] (DI 263) Der leibliche Vater aber gibt Cesarino zuvor eine Geldbörse: Die Abfindungssumme aller Zeiten für Kinder, die den väterlichen Namen nicht tragen dürfen. (DI 259) Die schillernden Metaphern des Abschiedsgesprächs gehen ironisch zwischen Liebesfrucht und Geldbörse hin und her und unterstreichen, genau wie das „Korallenriff der edlen Steine", das die Kunst der Mutter Vittoria vermehrte, (DI 266) noch einmal die ganze Tiefe des Bezugs zu Schönheit und Fluch der Stadt Venedig.

*Passionei und Vittoria:*

Als der Baron Vittoria verlassen hat, bleibt sie zurück und gibt in ihrem Selbstgespräch die innere Motivation für den Ausgang des Stückes. Mit diesem Geschehen ist die Gestalt und das Schicksal des alten Komponisten aufs engste verknüpft. Wohl ist er — darauf hat der Dichter selbst hingewiesen — Spiegelbild des Barons und zeigt ihm, so wie der alte Spieler des ersten Aktes an das Ende der Jagd nach dem Glück ermahnte, (DI 188) nun als seniler, dem Tod verfallener einstiger Casanova (DI 252 f) das Ende der Jagd nach der Liebe: „Das wird aus uns!" Doch während er ironisch spiegelnd auf den Abenteurer und seine nun unabhängig von ihm weiterlebenden Werke, — den Sohn Cesarino und die Künstlerschaft Vittorias — hinweist, ist er zugleich für Vittoria an diesem Tag der Entscheidung eines der gütigen Geschenke des Lebens, das es neben den grausam-ironischen auch zu geben weiß: In ihrer Haltung der liebevollen Fürsorge für den hilflosen Alten — eine Wiederholung des wesentlichen Motivs aus der *Frau im Fenster* und der *Sobeide* — zu dem sie trotz der verzweifelten Spannung immer wieder zurückkehrt,

---

[42] Dabei berührt der Dichter ein wichtiges zeitgenössisches Diskussionsthema, das der Vaterschaft und seiner Verpflichtungen, der „wahren Vaterschaft". Diese Frage wird von Hofmannsthals Freund Schnitzler in seinem Drama *Der einsame Weg* ebenfalls gestellt und auf gleiche Weise beantwortet.

in der Bemühung um sein Werk, verbindet sie sich seinem Schicksal in einer Tiefe der inneren Einfühlung, die ihr dann die Augen öffnet: Ganz wie das Werk, das Passionei einst in seinen Stunden der Passion erweckte, nun weiterlebt, ohne daß er es weiß und will, so lebt auch die ewige Flamme der Kunst und des Lebens weiter, ohne von dem Menschen abhängig zu sein, der sie im Augenblick der Intuition, der Zeugung, in die Zeit verpflanzt hat, denn sie hat ihre Nahrung und ihr Leben aus dieser ewigen Welt, „dem höchsten Gott verbündet."[43] (DI 271) Dieses Geschehen wird ebenfalls gezeichnet im Bild der Orange, einer Frucht, die genau wie der Granatapfel die Zersplitterung des Zeitlichen in der Kugel ohne Anfang und Ende zusammenfaßt. Das Symbol gibt der Szene des Abschieds tiefere Bedeutung, in der Vittoria dem alten Komponisten die Früchte mit auf den Heimweg gibt (DI 250 f) und bietet in Vittorias Spiel mit der Orange, die aus Passioneis Korb gefallen ist, (DI 271) den pantomimischen Übergang zur Szene des Schlusses, dem Gesang der Vittoria-Ariadne.

Vittoria sieht, daß sie in falscher Treue ihr Kind und ihr Werk mit dem verbunden hatte, der half, sie zum Leben zu erwecken. Sie hatte sich Weidenstamm in Dankbarkeit und Treue verpflichtet gefühlt: „Er, ich, dies alles ist doch dein! Dein Ding." (DI 267) Und sie hatte ihn, der dem Wandel des Augenblicks verfallen war, im zeitenthobenen Liebesakt ihres Gesanges zu dieser ewigen Welt gesellt, der er nicht mehr zugehörte oder würdig war. So darf der Augenblick ihrer Liebe sterben und der schöpferische Funke in ihrer Kunst weiterleben. Nun kann sich ihr Herz und Leben, neugeboren und aus seiner Gespaltenheit erlöst, ihrem wahren Gefährten Lorenzo in voller Liebe zuwenden.

[43] Pickerodt verurteilt dieses Symbol von seiner Sicht her (S. 126). Die Metapher ist im Einklang mit der schon mehrmals berührten Weltanschauung Hofmannsthals und enthüllt zugleich tragische Seiten seines Lebens: Die vom Künstler unabhängig weiterlebende Flamme seiner Kunst bedarf nicht unbedingt der ständigen Erinnerung an den Augenblick ihrer Entstehung und ihren Schöpfer, doch ohne einen Lebensraum, in dem der Ewigkeitsbezug und Wert ihres Daseins gewürdigt und verstanden werden, wird sie trotzdem verschwinden, nicht, weil ihr Licht nicht mehr da ist, sondern weil die Augen fehlen, es zu erkennen. Auch hier zeigt die „formidable Einheit" des Werks schon die Sorge des Dichters um das Weiterleben des europäischen Kulturguts, die sich bis in die umstrittenen literarischen Bestrebungen seiner späteren Jahre verfolgen läßt. (Vergl. hierzu das Buch von Peter Christoph Kern: *Zur Gedankenwelt des späten Hofmannsthal. Die Idee einer schöpferischen Restauration.* Heidelberg 1969.

*Ariadne und Bacchus:*

Als sie nun das „große Lied der Ariadne" singt, (DI 272) wird sie selbst zur mythischen Gestalt, der Bacchus, den die Circe enttäuschte, anstelle des Todes ein neues Leben der Liebe schenkt.

Es ist aber wesentlich, hinter dem Bild, das der Dichter dann in einem Libretto für Richard Strauss weitergestalten wird, die feine Ironie nicht zu verkennen, in der Hofmannsthal die Unvollkommenheit alles Irdischen zeigt: Vittoria ist neben der zu Tode getreuen Ariadne zu gleicher Zeit die Circe, die durch ihr Handeln sich und andere in das Gewebe der Lüge verstricken mußte, und Lorenzos Bacchus ist nicht der gewaltige Gott der Liebe, sondern ein zwar gütiger und edler, aber auch lebensschwacher und übernervöser Mensch, der erst in den letzten Szenen des zweiten Bildes die ersten zaghaften Schritte ins Leben gewagt hat.[44] Er will Vertrauen lernen und umgibt Vittoria in diesen schwersten Stunden ihres Lebens mit seiner Güte und feinstem gesellschaftlichem Takt, der seine Höflichkeit mit der echten Hinwendung zum Du beseelt. Doch es ist sicher falsch, ihn schon in der Wahrheit verhaftet zu sehen. Er hat noch nicht die Kraft, anzuerkennen, daß das Idealbild des zärtlich geliebten Du je irgendetwas mit der Atmosphäre des Lebens gemein haben konnte, der Weidenstamm angehört:

Auch deine Mutter glich wohl dir nicht sehr!
Wie töricht war ich nur mit meiner Angst:
das weiß ich: diesen hast du nie geliebt,
auch nicht im Traum, auch nicht im bunten Traum! (DI 263)

Er hat noch nicht gelernt, Menschen und Dinge in ihrer Zeitgebundenheit zu sehen und verpflanzt mit dem Idealbild seiner Frau die jetzige getrübte Gestalt des Abenteurers in die Vergangenheit zurück, um so sein salomonisches Urteil zu geben. Er hat die kleine törichte Vittoria

---

[44] Ich kann hier nicht mit Kobel übereinstimmen, der den Mann als den väterlich Überlegenen sieht, der die Wahrheit nur deshalb nicht an den Tag kommen läßt, weil er Vittoria schonen will (S. 107). Auch Schmid glaubt, daß Lorenzo das Geheimnis erraten hat und sieht ihn als Vorform des Kapitäns in *Cristinas Heimreise* (S. 120). Die klar ausgedrückte Charakteristik des Ästheten als Ehemann, wie sie sich in Fortunio, dem Kaiser und dem reichen Kaufmann darstellte, spricht gegen diese Auslegung. Die harmonische Lösung der *Cristina* ist nur möglich, weil sich hier zwei verhältnismäßig unkomplizierte Charaktere gegenüberstehen. Der Kapitän steht eher in Verbindung mit dem Schmied der *Idylle* und dem Färber der *Frau ohne Schatten*.

nie gekannt, und nur das jugendliche Feuer und der unvergleichliche Charme seines Pflegekindes könnten ihn mit dem vertraut werden lassen, der einst die junge Unschuld zur leidenschaftlichen Frau machte. Die Bildbezüge des Dramas, das ihn im Kostüm zum Flitterkauf ausschickt, deuten an, daß er die Wahrheit noch nicht sehen kann und will. Wohl begibt er sich in die bunte Welt des Handelns — hier wird in feinsinniger Weise metaphorisch nochmals alles verknüpft, was schon im Schauplatz der *Sobeide* und im weltweiten Hintergrund der Stadt Venedig in bildhafter Sprache gezeichnet worden war — (DI 261 f) aber er tut es unter einer Maske. Dem adoleszenten Cesarino steht sie zu, aber der Mann sollte sie abgelegt haben.

Das Drama endet mit dem Ausruf Cesarinos — „o komm Lorenzo, komm!" — und zeigt dem Zuschauer keine Begegnung Veniers mit seiner verwandelten und befreiten Vittoria. Das Stück schließt, seinem Gesamtcharakter getreu, in geistvoll schwebender Ironie: Wird der noch immer in die ideale Gattin verliebte Lorenzo nun die ganze Vittoria, auch den Teil ihres Lebens, den er bisher nur auf der Bühne genoß, mit seiner Güte und Liebe umfassen?

Es ist bezeichnend, daß das „verbindende Wort,"[45] d. h. die letzte Ehrlichkeit zwischen den Gatten, sich nicht ergibt. Das ist jedoch nicht Zeichen einer allgemeinen „Sprachnot," des Dichters sondern im Vergleich zu den vorhergehenden Dramen eine weitere Variante der Figur des „Ehemanns", der wohl in der Schule der Ehe steht, aber noch sehr viel zu lernen hat und die völlige Offenheit und damit die Desillusionierung seines Idealbildes noch nicht ertragen kann.

Hofmannsthal wird dieses Motiv wieder aufnehmen, besonders meisterhaft im tragisch-komischen Versuch Hechingens im *Schwierigen*, die Psyche der Toinette zu erfassen. Die größte Herausforderung an den Ästheten Mann, seine Frau mit all ihren Fehlern zu lieben, ergeht aber an den Helden der *Ägyptischen Helena*: In der Gestalt der göttlich schönen Tochter des Zeus und der Leda erscheint zugleich das Bild des Abenteuerlichen nochmals in seiner kühnsten und verführerischsten Dämonie,

---

[45] Daß das verbindende Wort zwischen den Gatten nicht gefunden werden kann, versteht Wittmann als Zeichen der Sprachnot vor der Jahrhundertwende (Anmerkung S. 57). Doch dieses Motiv ist, wie auch im Drama *Die Hochzeit der Sobeide*, direkt mit dem Problem des Ästheten verbunden. Vergl. das Kapitel über die *Sobeide* und Wittmanns Einwendungen unter Anmerkung 19.

und in Menelaus, dessen Heldengestalt zugleich auch alle Skrupel der Feinfühligen und Nervösen des Lebens wieder auferstehen läßt, muß der Mann sich in der letzten, schmerzhaft-schuldvollen Auseinandersetzung vom Idealbild der Unschuld lossagen und lernen, daß mit der Liebeskraft seiner Frau, die ihm die Heilung bringt, auch ihre Fleckenhaftigkeit und Untreue unlöslich verbunden sind.

So ist gerade das Libretto der *Ägyptischen Helena*, bei dem Hofmannsthal selbst seine enge Verwandtschaft mit Form und Thema der frühen Dramen betonte,[46] eine Bestätigung für die hier versuchte Interpretation des *Abenteurers*. Wieder hat der Dichter, genau wie in den lyrischen Dramen, der „Schule der Ehe," das Verhältnis der Ehegatten nicht als Ideal, sondern in all seiner Gebrechlichkeit gezeichnet, aber zugleich auch den Prozeß der Neuwerdung gestaltet, dessen erste Stadien im Verhältnis von Lorenzo und Vittoria nur ganz zart angedeutet worden waren. Menelaus und Helena haben nun in der Darstellung des reifen Werkes, nachdem das Schicksal *die Beiden* den Becher bis zum bitteren Ende leeren ließ, die Kunst des Trinkens gemeistert.


*Ergebnis und Ausblick:*


Das Drama zeigt das geistvolle Spiel mit denselben Motiven, die in der *Hochzeit der Sobeide* zu Tragik und Untergang geführt hatten. Dies wurde hauptsächlich erreicht durch die Variation in der Gestalt der Frau, die nun die künstlerischen Gaben der Sobeide mit der warmen Vitalität Mirandas vereint. Aus dieser Lebenskraft heraus verweigert es die Heldin, sich den Konsequenzen der Begegnung mit dem Verführer durch den Tod zu entziehen, und der Ehemann wird vor das Problem gestellt, sich mit diesen Tatsachen abzufinden. Dabei stellt sich heraus, daß er genau wie der reiche Kaufmann der *Sobeide* der Wahrheit noch nicht ins Gesicht sehen kann, und der Ruf „Lorenzo komm" am Ende des Dramas ist die ironische Herausforderung an den Ehemann, die an ihn gestellten Erwartungen in der Zukunft zu befriedigen. Der Kompromiß im Leben der Vittoria, die aus Karitas die Wahrheit verschweigen muß, zeigt, daß

---

[46] Vergleiche die Bemerkungen des Dichters über sein Libretto im Aufsatz von Rudolf Hirsch: „Unmöglich ist's drum glaubenswert". Bemerkungen zu Hofmannsthals Dichtung „Die Ägyptische Helena" In: *Die Furche*, 50 (12. Dezember 1970). Literaturblatt.

das innere Wachstum der Ehe in Zukunft aufs engste mit der Fähigkeit des Mannes verbunden sein wird, von der Illusion zur Wirklichkeit vorzustoßen. Lorenzo ist unterwegs wie Fortunio und der Kaiser, und er hat dieselbe Güte und Zartheit wie der Mann der Sobeide.

Der Schauplatz des Dramas, dargestellt in der „Handelsstadt Venedig" in der „Sonnenuntergangsstimmung," kurz vor dem Niedergang ihrer historischen Bedeutung, zeigt wie im *Weißen Fächer* und der *Sobeide* die Abhängigkeit des „schönen Lebens" von der Macht des Geldes. Neben der Ironie, die den Ästheten streift, bekennt sich das Drama aber auch zur ewigen Größe der Kunst und zeigt sie als Trösterin in der Gebrechlichkeit des Zeitlichen.

Während der Hintergrund der *Sobeide* ohne seine Verbindung mit dem Dasein des Ästheten und der Verwicklung des Dichters in diese Problematik nicht verstanden werden konnte, tritt der Aspekt des Bekenntnishaften im *Abenteurer* zurück. Der Zuschauer kann sich am Spiel erfreuen, ohne mit den letzten Hintergründigkeiten des Symbols „Venedig" vertraut zu sein. Die Motivation für die Entscheidung der Hauptgestalt ist direkt in die Handlung des Dramas selbst verlegt, sogar die kommentierende Ebene des Prologs des *Weißen Fächers* ist verschwunden. Vittoria kann jeder verstehen, der den Gang des Dramas in „fühlendem Denken" verfolgt. Das ironische Spiel mit dem Kreis literarisch Eingeweihter hat sich gewandelt zur wirklichen Wendung ans Publikum. Das „Soziale" der „Komödien" ist „erreicht."

# IX. ZU DEN ERGEBNISSEN DER ARBEIT

In sieben der Frühen Dramen Hugo von Hofmannsthals wurde die eheliche Problematik inhaltlich und formal untersucht. Die Ergebnisse, die am Schluß jedes Kapitels in Einzelheiten aufgeführt sind, zeigen, daß das Werk auf keine „Chandoskrise" zustrebt, die sich in einem Verlust an ethischer Substanz oder in der mangelnden Fähigkeit zu dichterischer Aussage bekundet. Das dramatische Werk des jungen Dichters gleicht, um eine Assonanz aus der Musik zu benützen, keinem Prozeß des romantischen Crescendo oder Diminuendo, sondern eher dem der barocken Variation.

Vom Aspekt dieser Arbeit her bestätigt sich, was Kobel über das Gesamtwerk sagte: „Könnte nicht ein Dichter durch alle seine Werke ein und dasselbe sagen wollen und ständig bestrebt sein, dies eine gemäßer zu sagen und in all seinem Reichtum darzustellen?"[1]

Eben die Gestaltung der Eheproblematik des Jugendwerks ist beispielhaft für das Bestreben des Dichters, eine existenzielle Situation in ihrer Tiefe und Ambivalenz zu erfassen: Nach einem Ausdruck humorvoller Eheskepsis in *Gestern* variierte Hofmannsthal in den folgenden Dramen neben den Charakteren von Mann und Frau auch ihren Lebenshintergrund, führte sie in ganz verschiedenartige Krisensituationen, und indem er die Grenzlinien und Gefahrenzonen der jeweiligen Ehe beschrieb, erarbeitete der junge Dichter die Grundvoraussetzungen für eine haltbare menschliche Bindung. Diese kleinen Dramen sind so geradezu eine „Schule der Ehe".

Besonders betont wird der Ästhet als Ehemann. In dieser Figur drückt sich deutliche Selbstironie des Dichters aus und weist im „offenen Schluß", der die Lösung des aufgeworfenen Problems in die Zukunft verlegt, darauf hin, daß er sich über die Schwierigkeiten des ehelichen Zusammenlebens keinerlei Illusionen hingibt.

Von diesem Gesichtspunkt her führt die Brücke des Werks über die Ambivalenz des Ariadne-Zerbinetta Motivs und den Verbindungspfeiler des *Schwierigen* zur Ägyptischen Helena. Hofmannsthal selbst hat dieses Libretto zusammen mit der *Ariadne „der ‚kleinen Dramen' zweite Reihe"* genannt.[2]

---

[1] Kobel, S. 5.
[2] Vergl. den Bericht Rudolf Hirschs zitiert in Kapitel VIII, Anmerkung 46.

In *Cristinas Heimreise* darf das Leben der Frau, geborgen in der weisen Schlichtkeit des Kapitäns, zur Ruhe kommen, und auch das letzte Werk, *Arabella*, wird wieder zu diesen Motiven zurückkehren. Das Libretto der *Frau ohne Schatten* ist in seinem Hymnus auf die Ehe[3] eher eine Wiederaufnahme dessen, was Hofmannsthal in der Opfertat der *Alkestis* anzog. In der *Ägyptischen Helena* aber werden die in den kleinen Dramen, in der „Schule der Ehe," dargestellten Probleme nochmals berührt, und im Prozeß des „Allomatischen," in dem die Ehegatten, jeder den anderen heilend, selbst geheilt werden, enthüllt der reife Dichter das Mittel, das allein die Fortdauer der modernen Ehe möglich macht. Dieser Prozeß des „Allomatischen" ist erst am Schluß der Jugenddramen, im Verhältnis von Venier und Vittoria, leise angedeutet, wird aber vorbereitet in der Betonung der Hinwendung zu den Schwachen, in der Lebenshaltung von Karitas und Opfer, ohne die dieser Vorgang der fortwährenden Erneuerung der Ehe nicht möglich ist.

Die Tiefen dieser ehelichen Auseinandersetzung wurden in den frühen Dramen bisher nicht erkannt, weil sie sich häufig nicht im Dialog ausprägen, sondern nur mit Hilfe der Bildbezüge erschlossen werden können, wie sie sich in der Metaphorik der Rede, dem Bühnenbild, den Regieanweisungen und der Pantomime darstellen. Die Entschlüsselung der in ihnen ausgedrückten Chiffren verlangt aber eine geistige und emotionale Mitarbeit des aufnehmenden Publikums, das Postulat des „fühlenden Denkens," das an die Rezeptionsweise der Barocktradition erinnert und zur Zeit der Veröffentlichung der kleinen Dramen völlig in Vergessenheit geraten war. Was Hanna Weischedel über Hofmannsthals Haltung den *Neuen deutschen Beiträgen* gegenüber ausdrückt, gilt auch hier: „er war des irrigen Glaubens, daß man ein geistiges Klima und ein Publikum erschaffe, indem man es voraussetzt."[4]

Es fragt sich allerdings in Bezug auf die hier zur Diskussion stehenden Dramen, ob sie sich ursprünglich überhaupt an ein weiteres Publikum richteten, oder ob sie nicht einen speziellen Ruf an die literarischen Zeitgenossen darstellten.

Zu dieser Vermutung trägt der Bildbereich der Stücke, wie ihn diese Arbeit zu erschließen versuchte, entscheidend bei. Schon Krämer hat die

---

[3] A 232.
[4] Hanna Weischedel: Author und Publikum. Bemerkungen zu Hofmannsthals essayistischer Prosa. In: *Festschrift für Klaus Ziegler*, Hrsg. Eckehard Catholy und Winfried Hellmann. Tübingen 1969. S. 316.

Bildbezüge der Lyrik in primäre und sekundäre Metaphern eingeteilt,[5] Tarot hat sich mit ihrem problematischen Charakter beschäftigt,[6] und auch die neuesten Untersuchungen von Miles[7] betonen anhand der Prosa die subtile Differenzierung des Bildbereichs. Die Metaphorik des gesamten Werkes sollte eingehender untersucht werden, bevor man es wagen darf, diese charakteristischen Züge der Dramatik Hugo von Hofmannsthals genauer zu deuten.

Im Bildbereich der hier behandelten Stücke scheinen sich drei verschiedene Schichten der Gestaltung zu konstituieren, die in ihrer Vermischung und Überblendung die schillernde Ambivalenz des Jugendwerks bedingen:

1. Das Bild wird in der üblichen Funktion der Metapher zum Ausmalen des Geschehens benutzt.

2. In der Ambivalenz des Bildbereichs läßt sich ein ironischer Kommentar des Dichters erkennen: Untreue hält sich selbst die Treue, Standhaftigkeit und Spießertum haben dieselben Wurzeln, und Verehrung der Unschuld enthüllt geheime Exzesse der Phantasie.

3. Zum Charakter dieser Ambivalenz gehört zugleich die Selbstironie, die „Konfession" Hofmannsthals und weist auf die Krisensituation des geistigen und künstlerischen Menschen der kulturellen Führungsschicht seiner Zeit.[8]

In seiner Metaphorik wählt Hofmannsthal häufig konventionelle Bilder, die durch ihren Gebrauch in der Alltagssprache, dem Sprichwort oder der literarischen Tradition in einem bestimmten Bildfeld verankert sind: etwa dem des Weinbergs und Weinbaus im Bezug zum Dionysischen, im Bild des Lebens als Fischzug, oder in dem des Menschen und seinem geistigen und seelischen Gut als Pflanze (zugleich in seiner Verbindung zur jenseitigen Welt im Gleichnis von Stern und Blume).

[5] Eckhard Krämer: Die Metaphorik in Hugo von Hofmannsthals Lyrik und ihr Verhältnis zum modernen Gedicht. Dissertation. Marburg Lahn 1963. S. 222 f.

[6] Tarot bestätigt seinen Ergebnissen nach Kaysers Feststellung, „Hofmannsthal habe sich in seinem Bemühen um geistige Wahrheiten in eine gefährliche Nähe zum Allegorisieren gebracht". (S. 383)

[7] Vergl. seine aufschlußreichen Ausführungen über die Erzähltechnik Hofmannsthals in Andreas in seinem Kapitel „Spatial Form: the Portrait of Inner Time", besonders S. 198 ff. (David H. Miles: Hofmannsthal's Novel „Andreas". Memory and Self. Princeton N. J. 1972.)

[8] Diese Tendenz wird ebenfalls unterstrichen durch Hinweise auf das Werk anderer Dichter, z. B. auf Schiller, Goethe und Swinburne in der Idylle, auf D'Annunzio in Die Frau im Fenster und auf die des Populärromans und Mörikes. In: Der Weisse Fächer. In einigen dieser Fälle nähert sich das fast wörtliche Zitat schon der Ironie des modernen Montage-Gedichts.

Der Leser-Zuschauer soll im „fühlenden Denken" der mitarbeitenden Rezeption durch die Schichtung und Überblendung dieser Bilder menschliche und künstlerische Anliegen des Dichters verstehen, die weder im naturalistischen Drama noch im psychologischen Dialog ausgedrückt werden könnten.

Von diesen Formen des Dramas scheidet Hofmannsthal auch die innere Ablehnung des Naturalismus und seiner philosophischen Grundlagen. Diese Haltung hat allerdings auch dazu beigetragen, daß man die Fähigkeit des jungen Dramatikers, seine Dichtung im Zusammenhang mit der gesellschaftlichen Situation seiner Zeit zu sehen, bisher unterschätzt hat. Die Ablehnung der Endfolgerungen Hippolyte Taines[9] bedeutet nicht, daß Hofmannsthal nicht auch seinerseits beobachtet hat.

Die Eheproblematik seiner frühen Dramen zeigt, daß er wie seine literarischen Zeitgenossen die Mißstände seiner Zeit verurteilt, aber in stilistischem Feingefühl einen neuen Ausdruck für diese sozialen Anliegen findet, den er selbst im Essay über die Duse „Symbolik der sozial ethischen Anklage" nennt.[10]

Zum Mißverstehen der frühen Dramen hat außerdem beigetragen, daß man glaubte, Hofmannsthal hätte ihren geschichtlichen Hintergrund, gleichsam aus jugendlicher Freude am „Verkleiden", als „Kostüm"[11] gewählt, während er in Wirklichkeit bei jedem Drama versuchte, das Historische als Äquivalent seiner inneren Anliegen ganz bewußt einzusetzen.

In *Gestern* zeichnet der Hintergrund der „sinkenden Renaissance" die gefährliche existenzielle Situation des Helden. In *Idylle* untermalt das Spiel mit der Form in humorvoller Selbstironie den Ästhetizismus Swinburnes und seiner Genossen. In *Die Frau im Fenster* deutet der Hintergrund der Renaissance als Epoche des erwachenden Individuums auf die erwachende Persönlichkeit der Frau zur Lebenszeit des jungen Dichters, und das lombardische Schloß und sein Garten spiegeln die menschliche Situation der Dianora bis in die kleinsten Nuancen der dramatischen Entwicklung. Der Hintergrund des Dramoletts *Der weiße Fächer* enthüllt in seiner Abhängigkeit von den Werken Lafcadio Hearns im westindischen Schauplatz das Verstehen des Dichters für die soziologischen Voraussetzungen des Ästhetentums. Die seltsame Mischung aus Hellenismus und Volksaber-

[9] Vergl. die Erinnerungen von Willy Haas über Hofmannsthals Ablehnung des Naturalismus zitiert in Kapitel V (Anmerkung 39)
[10] PI 69. Vergl. die Ausführungen darüber in Kapitel IV.
[11] Alewyn, S. 49, Hamburger, S. 44. Vergl. Kapitel II, (Anmerkung 22.)

glaube in *Der Kaiser und die Hexe* wurde als Warnungsruf an die Dichter verstanden, sich von Exotismus und Pseudounschuld einer entarteten Spätzeit gleicherweise zu lösen und das Wort in der Verbindung zur Wahrheit des wirklichen Lebens zu erneuern. In *Die Hochzeit der Sobeide* entfaltete sich die bisher schwer verständliche Tragik auf dem Hintergrund der bunten Welt des „Handelns" und ihrer drei Generationen des Geldes und wies als Dramatisierung eines Gedichts aus dem Jahr 1890 auf eine wichtige Erkenntnis des ganz jungen Hugo von Hofmannsthal. Selbst Venedig, der glitzernde Schauplatz des Dramas *Der Abenteurer und die Sängerin*, erschien neben seinen metaphorischen Bezügen zum Reichtum der Kunst als Realsymbol: Die Handelsstadt kurz vor dem Niedergang ihrer kapitalistisch begründeten Macht wurde so in geistvoll zugespitzter Ironie gleichsam eine „Ästhetin unter den Städten." In diesem Zusammenhang fügen sich auch die für die frühen Dramen so wesentliche Tageszeit des Sonnenuntergangs und die Jahreszeit des Herbstes.

Dieses Verhältnis zur Geschichte erwähnt Hofmannsthal selbst in einem Brief vom 25. Juli 1895, als er sich bei Harry Gomperz wegen seines bevorstehenden Studienwechsels Rat holt und in überraschender Reife der Selbsterkenntnis seine „Stärken" aufzählt: „Vielleicht ein etwas weiterer Gesichtskreis, durch einen glücklich gefundenen mannigfaltigen Verkehr erworben. Daraus abgeleitet vielleicht ein gewisser historischer Sinn, d. h. eine gewisse Keckheit, die Dinge historisch anzuschauen, Fernes auf Nahes, Kleines auf Großes zu beziehen und in einem starken Glauben ans Menschliche in allem Vergangenem etwas schlechterdings Begreifliches aufzuspüren." (BI 154)

Die meisten der untersuchten Dramen lassen erkennen, daß ihre Botschaft nur vom Kreis der „Eingeweihten" — den literarisch gebildeten Zeitgenossen — verstanden werden konnte. Nur sie kannten die Sprache der dichterischen „Konfession." Hofmannsthal war tief enttäuscht über das mangelnde Verstehen dieses Kreises[12], er hatte wohl mehr Einfühlung und größeres Gefallen an seiner geistvollen Ironie erwartet, deren Bedeutung für sein Jugendwerk er im *Ad Me Ipsum* immer wieder betont.[13]

---

[12] Imaginärer Brief an C.B. (A 240) „Ich staune, wie man es hat ein Zeugnis des l'art pour l''art nennen können — wie man hat den Bekenntnis Charakter, das furchtbar Autobiographische daran übersehen können".

[13] Vergl. die Betonung der Ironie in A 213, 217 (zweimal), 218, 221 (zweimal), 222, 223, 225.

Nur drei Dramen, *Gestern, Der weiße Fächer* und *Der Abenteurer und die Sängerin,* lassen sich ohne diese „Dechiffrierung" der Bekenntnisschicht der Metaphorik verstehen und zeigen formale und thematische Verwandtschaft mit den folgenden Komödien.

Die erlesene Schar der Wenigen hat dem Dichter das von der Botschaft getroffene verstehende Lächeln versagt. Nun wendet er sich an die Vielen. So erscheinen die Komödien auch im Ergebnis dieser Arbeit als „erreichtes Soziales."

# BIBLIOGRAPHIE

Abrams, Meyer Howard: The Mirror and the Lamp: Romantic theory and the critical tradition. New York: Oxford University Press, 1953.

Alewyn, Richard: Über Hugo von Hofmannsthal. Zweite verb. Auflage. Göttingen: Vandenhoek und Ruprecht, 1958/60.

Altenhofer, Norbert: Die Hofmannsthal Forschung. In: Hofmannsthal-Blätter, Heft 1 (Herbst 1968), Heft 2 (Frühjahr 1969), Heft 3 (Herbst 1969), Heft 4 (Frühjahr 1970), Heft 5 (Herbst 1970), Heft 6 (Frühjahr 1971).

Andrian, Leopold von: Das Fest der Jugend. Des Gartens der Erkenntnis erster Teil. Sechste Auflage. Graz: Verlag Schmid-Dengler, 1948.

—: Erinnerungen an meinen Freund. In: Hugo von Hofmannsthal. Der Dichter im Spiegel der Freunde. Hrsg. Helmut A. Fiechtner u. a. Bern und München: Francke Verlag, 1963.

Bächtold-Stäubli, Hanns: Handwörterbuch des Deutschen Aberglaubens. Band 10. Berlin und Leipzig: Walter de Gruyter, 1927.

Bahr, Hermann: Loris. In: Hugo von Hofmannsthal. Der Dichter im Spiegel der Freunde. Hrsg. Helmut A. Fiechtner u. a. Bern und München: Francke Verlag, 1963.

Bauer, Sibylle u. a.: Hugo von Hofmannsthal. Darmstadt: Wissenschaftliche Buchgesellschaft, 1968 (= Wege der Forschung, Band 183).

Bisland, Elizabeth: The Life and Letters of Lafcadio Hearn. 2 Volumes. Boston/New York: Houghton, Mifflin & Co., 1906.

Böschenstein, Renate: Idylle. Stuttgart: J. B. Metzlersche Verlagsbuchhandlung, 1967.

Brecht, Walther: Fragmentarische Betrachtungen über Hofmannsthals Weltbild. In: Eranos. Hugo von Hofmannsthal zum 1. Februar 1924. München: Verlag der Bremer Presse, 1924.

Brown, John: The History and present Condition of St. Domingo, 2 Bde. Philadelphia: William Marschall & Co., 1837.

Burckhardt, Max: Theater. Wien: Manzsche K. u. K. Druckerei, 1905.

Chelius-Göbbels, Annemarie: Formen mittelbarer Darstellung im dramatischen Werk Hugo von Hofmannsthals. Meisenheim am Glan: Verlag Anton Hain, 1968. (= Deutsche Studien, Bd. 6)

Cohn, Hilde: die frühen Essays des jungen Hofmannsthal. In: PMLA, LXIII (1948), 1294–1313.

—: Mehr als schlanke Leier. Zur Entwicklung dramatischer Formen in Hugo von Hofmannsthals Dichtung. In: Jahrbuch der deutschen Schillergesellschaft, VIII (1964), 280–308.

Daviau, Donald G.: Hugo von Hofmannsthal's Pantomime: „Der Schüler". Experiment in Form — Exercise in Nihilism. In: Modern Austrian Literature, Vol. I, No. 1 (Spring 1968), 4–30.

—: Hugo von Hofmannsthal and the Chandos Letter. In: Modern Austrian Literature, 4, No. 2 (Summer 1971), 28–44.

Durant, Will: History of Civilization V. The Renaissance. New York: Simon & Schuster, 1953.

—: History of Civilization X. Rousseau and the Revolution. New York: Simon & Schuster, 1967.

Erken, Günther: Hofmannsthals Dramatischer Stil. Untersuchungen zur Symbolik und Dramaturgie. Tübingen: Max Niemeyer Verlag, 1967 (= Hermae Germanistische Forschungen, Neue Folge. Bd. 20)

—: Hofmannsthal-Chronik. Beitrag zu einer Biographie. In: Literaturwissenschaftliches Jahrbuch, III (1962), 239–313.

Esselborn, Karl G: Hofmannsthal und der antike Mythos. München: Fink Verlag, 1969.

Exner, Richard: Hugo von Hofmannsthals „Lebenslied". Heidelberg: Carl Winter Universitätsverlag, 1964.

—: Problemkreise der Hofmannsthalforschung. In: Schweizer Monatshefte, 46 (1966–67), 1023–1041.

—: Der Weg über die höchste Vielfalt. Ein Bericht über einige neue Schriften zur Hofmannsthal-Forschung. In: The German Quarterly, XL, 1 (1967), 92–123.

—: Die Zeit der anderen Auslegung. Ein Bericht über Quellen und Studien zur Hofmannsthal-Forschung 1966–1969. In: The German Quarterly, XLIII, 3 (1970), 453–503.

Fiechtner, Helmut A. u. a.: Hugo von Hofmannsthal. Der Dichter im Spiegel der Freunde. Bern und München: Francke Verlag, 1963.

Fiedler, Leonhard M: Erste Tagung und Mitgliedsversammlung der Hugo von Hofmannsthal-Gesellschaft in Frankfurt am 28/29. September 1968. In: Hofmannsthal-Blätter 2 (Frühjahr 1969), 73–90.

Goethe, Johann Wolfgang v.: Gesammelte Werke. (= Hamburger Ausgabe, Hrsg. Erich Trunz) Band II: Gedichte und Epen II. Hamburg: Christian Wegner Verlag, 1949.

Goff, Penrith: Hugo von Hofmannsthal: The Symbol as Experience. In: Kentucky Foreign Language Quarterly, 7 (1960), 196–200.

—: Poetry and life in the early criticism of Hugo von Hofmannsthal. In: Literature and Society, by Germaine Brée and others. Ed. by Bernice Slote. Lincoln: University of Nebraska Press, 1964, 213–226.

165

Grether, Ewald: Die Abenteurergestalt bei Hugo von Hofmannsthal. In: Euphorion, XLVIII (1954), 171-208, 280-310.

Haas, Willy: Hugo von Hofmannsthal. Berlin: Colloquium Verlag, 1964.

Hamburger, Michael: Hugo von Hofmannsthal. Zwei Studien. (Aus dem Englischen von Klaus Reichert) Göttingen: Sachse und Pohl Verlag, 1964.

Hearn, Lafcadio: Some Chinese Ghosts. New York: Harper, 1887.

—: Chita: A memory of last Island. New York: Harper, 1889.

—: Two Years in the French West Indies. New York: Harper, 1890.

—: Youma. The story of a West-Indian Slave. New York: Harper, 1890.

Herzfeld, Marie: Ein junger Dichter und sein Erstlingsstück. Eine Studie. In: Allgemeine Theater — Revue I, 3 (1893), 19-22. Zitiert nach Hugo von Hofmannsthal: Briefe an Marie Herzfeld. Hrg. Horst Weber. Heidelberg: Stiehm, 1967. 59-64.

Hinterhäuser, Hans: Kentauren in der Dichtung des Fin de Siècle. In: Arcadia, 4 (1969), 66-86.

Hirsch, Rudolf: „Unmöglich ist's drum glaubenswert". Bemerkungen zu Hofmannsthals Dichtung „Die ägyptische Helena". In: Die Furche, 50 (12. Dezember 1970)

—: Zu zwei Tanzdichtungen Hoffmannsthals. In: Hofmannsthal-Blätter, Heft 6 (Frühjahr 1971), 417-426.

Hofmannsthal, Hugo v: Gesammelte Werke in Einzelausgaben. 15 Bde. Hrsg. Herbert Steiner. Frankfurt: S. Fischer Verlag, 1946 ff.

—: Briefe 1890-1901. Berlin: S. Fischer Verlag, 1935. Briefe 1900-1909. Wien: Bergmann-Fischer Verlag, 1937.

Hofmannsthal, Hugo v., Bodenhausen, Eberhard v.: Briefe der Freundschaft. Hrsg. Dora, Freifrau von Bodenhausen. Düsseldorf: Engen Friedrichs, 1953.

Hofmannsthal, Hugo v., Schnitzler, Arthur: Briefwechsel. Hrsg. Therese Nickl und Heinrich Schnitzler. Frankfurt: S. Fischer Verlag, 1964.

Hofmannsthal, Hugo v., Herzfeld, Marie: Hugo von Hofmannsthal: Briefe an Marie Herzfeld. Hrsg. Horst Weber. Heidelberg: Stiehm, 1967. (= Poesie und Wissenschaft I)

Hofmiller, Joseph: Hofmannsthal. In: Süddeutsche Monatshefte, V, 1 (Januar 1909), 12-27. Jetzt in: Wirkung der Literatur. Deutsche Autoren im Urteil ihrer Kritiker. Band 4 Hofmannsthal. Hrsg. Gotthart Wunberg. Frankfurt a. M.: Athenäum Verlag, 1972.

Hoppe, Manfred: Literatentum, Magie und Mystik im Frühwerk Hugo von Hofmannsthals. Berlin: Walter de Gruyter & Co., 1968. (= Quellen u. Forschungen zur Sprach- u. Kulturgeschichte der germanischen Völker, N. F. 28)

Just, Klaus Günther: Formen der Rezeption, Algernon Charles Swinburne und die deutsche Literatur der Jahrhundertwende. In: Übergänge, Probleme und Gestalten der Literatur. Bern und München: Francke Verlag, 1966.

Kern, Peter Christoph: Zur Gedankenwelt des späten Hofmannsthal. Die Idee einer schöpferischen Restauration. Heidelberg: C. Winter Universitätsverlag, 1969.

Kleen, Tebbe Harms: Elemente von Hofmannsthals dramatischem Stil in seinen ersten Dramen. Diss. Bonn 1964. Druck: Rhein. Friedrich Wilhelms Universität, Bonn, 1965.

Kobel, Erwin: Hugo von Hofmannsthal. Berlin: Walter de Gruyter Verlag, 1970.

Krämer, Eckhart: Die Metaphorik von Hugo von Hofmannsthals Lyrik. Gedruckte Dissertation, Marburg/Lahn, 1963.

Kraus, Karl: Die Einakter. In: Die Fakel I (1899) Nr. 1, 24-27.

—: Rez: Der Tor und der Tod. In: Die Fakel II (1901) Nr. 64, 10-15.

Lenz, Eva-Maria: Hugo von Hofmannsthals Mythologische Oper „Die Ägyptische Helena". Tübingen: Max Niemeyer Verlag, 1972. (= Hermae Germanistische Forschungen. Neue Folge, Band 29).

von der Leyen, Friedrich: Indische Märchen. Halle a. d. S.: O. Hendel, 1898. (= Bibliothek der Gesamtliteratur des In- und Auslandes Nr. 1188-1191).

Mauser, Wolfram: Bild und Gebärde in der Sprache Hofmannsthals. (= Österr. Akademie der Wissenschaften, Phil. hist. Klasse. Sitzungsberichte CCXXXVIII, 1) Graz, Wien, Köln: Böhlau in Komm. 1961.

Metzeler, Werner: Ursprung und Krise von Hofmannsthals Mystik. München: Bergstadtverlag Wilh. Gottl. Kron, 1956.

Meyer, Conrad Ferdinand: Sämtliche Werke. Historisch kritische Ausgabe besorgt von Hans Zeller und Alfred Zäch. 13. Band: Der Heilige. Die Versuchung des Pescara. Bern: Bitelli, 1962.

Michelsen, Peter: Zu Hugo von Hofmannsthal „Der Kaiser und die Hexe". Die Bedeutung der Hexe. In: Zeitschrift für Deutsche Philologie 83 (1964) Sonderheft, 113-131.

Miles, David H.: Hofmannsthal's Novel ‚Andreas'. Memory and Self. Princeton, New Jersey: Princeton University Press, 1972.

Mommsen, Katharina: Treue und Untreue in Hofmannsthals Frühwerk. In: Germanisch Romanische Monatsschrift XIII, 3 (1963), 306-334.

Nadler, Josef: Hofmannsthal und das Sozialproblem. In: Neue Rundschau XL, 11 (1929), 647-654.

Naef, Karl J: Hugo von Hofmannsthals Wesen und Werk. Zürich und Leipzig: Max Niehans Verlag, 1938.

Naumann, Walter: Das Visuelle und das Plastische bei Hofmannsthal. In: Monatshefte für den deutschen Unterricht XXXVII, 3 (1945), 159-169.

Nehring, Wolfgang: Die Tat bei Hofmannsthal. Eine Untersuchung zu Hofmannsthals großen Dramen. Stuttgart: J. B. Metzlersche Verlagsbuchhandlung, 1966. (= Germanische Abhandlungen 16)

Pestalozzi, Karl: Sprachskepsis und Sprachmagie im Werk des jüngeren Hofmannsthals. Zürich: Atlantis, 1958. (= Züricher Beiträge zur deutschen Sprach- und Stilgeschichte 6.)

Pickerodt, Gerhart: Hofmannsthals Dramen. Kritik ihres historischen Gehalts. Stuttgart: Verlag J. B. Metzler, 1968. (= Studien zur allgemeinen und vergleichenden Literaturwissenschaft Bd 3)

Polheim, Karl Konrad: Bauformen in Hofmannsthals Dramen. In: Sprachkunst I (1970) Heft 1/2, 90–121.

Prince, Morton: The Dissociation of a Personality. A biographical study in abnormal psychology. New York: Longmann, Green and Co., 1906.

Rehm, Walter: Der Renaissancekult um 1900 und seine Überwindung. In: Zeitschrift für Deutsche Philologie, LIV, (1929) 296–328.

Requardt, Paul: Hugo von Hofmannsthal. In: Deutsche Literatur im 20. Jahrhundert. Band II. Gestalten. Hrsg. Otto Mann und Wolfgang Rothe. Fünfte Auflage. Bern, Francke Verlag 1967, 57–83.

Rabenlechner, Michael Maria: Die Bücher (Erstausgaben) des jungen Hofmannsthals, In: Jahrbuch deutscher Bibliophiler und Bücherfreunde XVI/XVII, 58–74. Jetzt in Wirkung der Literatur, 403–415.

Rey, William H.: Die Drohung der Zeit in Hofmannsthals Frühwerk. In: Euphorion, XLVIII (1954) 280–310. Jetzt in: Hugo von Hofmannsthal. Hrsg. Sibylle Bauer (= Wege der Forschung, Band 183), Darmstadt: Wissenschaftliche Buchgesellschaft, 1968.

—: Eros und Ethos in Hofmannsthals Lustspielen. In: DVLG, XXX (1956), 449–473.

—: Dichter und Abenteurer bei Hugo von Hofmannsthal. In: Euphorion, XLIX (1955), 56–70.

—: Gebet Zeugnis: ich war da. Die Gestalt Hofmannsthals in Bericht und Forschung. In: Euphorion, L, 4 (1956), 443–78.

Rilke, Rainer Maria: Werke in drei Bänden. Band 2, Gedichte. Frankfurt: Insel Verlag, 1966.

Rimbach, Günther C: Das Epigramm und die Barockpoetik. Ansätze zu einer Wirkungsästhetik für das Zeitalter. In: Jahrbuch der deutschen Schillergesellschaft, 14 (1970), 100–130.

Ritter, Ellen: Die chinesische Quelle von Hofmannsthals Dramolett „Der Weisse Fächer". In: Arcadia, 3 (1968), 299–305.

Roberts, W. Adolphe: The French in the West Indies. Indianapolis and New York: The Bobbs-Merrill Company, 1942.

Roesch, Ewald: Komödien Hofmannsthals. Die Entfaltung ihrer Sinnstruktur aus dem Thema der Daseinsstufen. Marburg: N. G. Elwert Verlag, 1963. (= Marburger Beiträge zur Germanistik.)

Schaeder-Waranitsch, Grete: Hofmannsthals „Hochzeit der Sobeide". In: Neue Schweizer Rundschau, XXIII, Nr. 5 (Mai 1930), 359–370.

—: Die Gestalten (Hugo von Hofmannsthal I). Berlin: Innker und Dünnhaupt, 1933. (= Neue Forschung, Arbeiten zur Geistesgeschichte der german. u. roman. Völker XXI I)

Schmid, Martin Erich: Symbol und Funktion der Musik im Werk Hugo von Hofmannsthals. Heidelberg: Winter, 1968. (= Beiträge zur neueren Literaturgeschichte, 3. Folge, Band 4).

Schnitzler, Arthur: Paracelsus. Der einsame Weg. Das Vermächtnis. In: Gesammelte Werke. Die Dramatischen Werke I. Frankfurt: Fischer, 1962.

Schuh, Willi: „Die ägyptische Helena". Die Erstfassung der Eingangsszenen des ersten Aktes. In: Neue Züricher Zeitung (7. 6. 1964) Nr. 2471, Blatt 6.

Schüssler, Margarethe: Symbol und Wirklichkeit bei Hugo von Hofmannsthal. Dissertation Basel, 1969. Freiburg i. Br.: Offset Druck Joh. Krause, 1969.

Schuster, Ingrid: Die „chinesische" Quelle des „Weissen Fächers". In: Hofmannsthal-Blätter, 8/9 (1972), 168–172.

Steiner, Jacob: Die Bühnenanweisung bei Hofmannsthal. In: Wissenschaft als Dialog. Wolf-Dietrich Rasch z. 65. Geburtstag. Stuttgart: Metzler Verlag, 1969, 216–241.

Sulger-Gebing, Emil: Hugo von Hofmannsthal. Eine literarische Studie. (= Breslauer Beiträge zur Literaturgeschichte 3) Leipzig: Hesse, 1905.

Szondi, Peter: Hofmannsthals „Weisser Fächer". In: Neue Rundschau, 75 (1964), 81–87.

—: Lyrik und Lyrische Dramatik in Hofmannsthals Frühwerk. In: Satz und Gegensatz. Sechs Essays. Frankfurt .M.: Insel Verlag, 1964, 58–70.

Tarot, Rolf: Hugo von Hofmannsthal. Daseinsformen und dichterische Struktur. Tübingen: Max Niemeyer Verlag, 1970.

Weber, Horst: Hugo von Hofmannsthal. Bibliographie des Schrifttums. 1892–1963. Berlin: Walter de Gruyter Verlag, 1966.

Weinrich, Harald: Münze und Wort. Untersuchungen an einem Bildfeld. In: Romanica, Festschrift für Gerhard Rohlfs. Halle: VEB Niemeyer, 1968.

Weischedel, Hanna: Hofmannsthal Forschung 1945–1958. In: DVLD, XXXIII, 1 (1959), 63–103.

—: Autor und Publikum. Bemerkungen zu Hofmannsthals essayistischer Prosa. In: Festschrift für Klaus Ziegler. Hrsg. Eckehard Catholy und Winfried Hellmann. Tübingen: Max Niemeyer o. I. (1969)

Wilpert, Gero von: Sachwörterbuch der Literatur. Stuttgart: Alfred Kröner Verlag, vierte verb. und erweiterte Auflage 1964. (= Kröners Taschenausgabe, Band 231).

Wittmann, Lothar: Sprachthematik und dramatische Form im Werk Hofmannsthals. (= Studien zur Poetik und Geschichte der Literatur, Band 2). Köln, Stuttgart, Bern: Kohlhammer, 1966.

Wunberg, Gotthart: Der frühe Hofmannsthal. Schizophrenie als dichterische Struktur (= Sprache und Literatur 23) Stuttgart, Berlin, Köln, Mainz: W. Kohlhammer Verlag, 1965.

Wyss, Hugo: Die Frau in der Dichtung Hofmannsthals. Eine Studie zum dionysischen Welterlebnis. Zürich: Max Niehans Verlag, 1954.

Quellennachweise zum Kapitel *Der weisse Fächer* aus den Werken Lafcadio Hearns. Die wesentlichen Parallelstellen werden im Druck herausgehoben.

I

Beschreibung des kreolischen Friedhofs und des trauernden Witwers in: Lafcadio Hearn, *Two years in the French West Indies, Chita: A memory of Last Island.*

*Only half a year had passed since she was laid away in the high wall of tombs, — in that strange colonial columbarium where the dead slept in rows, behind squared marbles lettered in black or bronze. Yet her resting-place, — in the highest range, — already seemed old. Under our Southern sun, the vegetation of cemeteries seems to spring into being spontaneously — to leap all suddenly into luxuriant life! Microscopic mossy growths had begun to mottle the slab that closed her in; — over its face some singular creeper was crawling, planting tiny reptile-feet into the chiselled letters of the inscription; and from the moist soil below speckled euphorbias were growing up to her, — and morning-glories, — and beautiful green tangled things of which he did not know the name.*

And the sight of the pretty lizards, puffing their crimson pouches in the sun, or undulating athwart epitaphs, and shifting their color when approached, from emerald to ashengray; — the caravans of the ants, journeying to and from tiny chinks in the masonry; — the bees gathering honey from the crimson blossoms of the crête-de-coq, whose radicles sought sustenance, perhaps from human dust, in the decay of generations: — *all that rich life of graves summoned up fancies of Resurrection, Nature's resurrection-work — wondrous transformations of flesh, marvellous transmigration of souls!* ...From some forgotten crevice of that tomb roof, which alone intervened between her and the vast light, a sturdy weed was growing. He knew that plant, as it quivered against the blue, — the chougras, as Creole children call it: *its dark berries form the mocking-bird's favorite food.* ...Might not its roots, exploring darkness have found some unfamiliar nutriment within? — *might it not be that something of the dead heart had risen to purple and emerald life — in the sap of translucent leaves. in the wine of the savage berries, — to blend with the blood of the Wizard Singer, — to lend a strange sweetness to the melody of his wooing?*

...*Seldom, indeed, does it happen that a man in the prime of youth, in the poessesion of wealth, habituated to comforts and the elegances of life, discovers in one brief week how minute his true relation to the human aggregate, — how* insignificant his part as one living atom of the social organism. Seldom, at the

171

age of twenty-eight, has one been made able to comprehend, through experience alone, that in the vast and complex Stream of Being he counts for less than a drop, and that, even as the blood loses and replaces its corpuscles, without a variance in the volume and vigor of its current, so are individual existences eliminated and replaced in the pulsing of a people's life, with never a pause in its mighty murmur.    Lafcadio Hearn, *Chita: A memory of Last Island* (New York, 1889), pp. 114–117.

...Behind the cathedral, above the peaked city roofs, and at the foot of the wood-clad Morne d'Orange, is the Cimetière du Mouillage ... It is full of beauty, — this strange tropical cemetery. Most of the low tombs are covered with small square black and white tiles, set exactly after the fashion of the squares on a chess-board; at the foot of each grave stands a black cross, bearing at its centre a little white plaque, on which the name is graven in delicate and tasteful lettering. So pretty these little tombs are, that you might almost believe yourself in a toy cemetery. Here and there, again, are miniature marble chapels built over the dead, — containing white Madonnas and Christs and little angels, — *while flowering creepers climb and twine about the pillars. Death seems so luminous here that one thinks of it unconsciously as a soft rising from this soft green earth, — like a vapor invisible, — to melt into the prodigious day.* Everything is bright and neat and beautiful; the air is sleppy with jasmine scent and odor of white lilies; *and the palm — emblem of immortality — lifts its head a hundred feet into the blue light. There are rows of these majestic and symbolic trees; — two enormous ones guard the entrance; — the others rise from among the tombs,* — white-stemmed, out-spreading their huge parasols of verdure higher than the cathedral towers.

Behind all this, the dumb green life of the morne seems striving to descend, to invade the rest of the dead. *It thrusts green hands over the wall, — pushes strong roots underneath;* — it attacks every joint of the stone-work, patiently, imperceptibly, yet almost irresistibly.

...Some day there may be a great change in the little city of St. Pierre; — there may be less money and less zeal and less remembrance of the lost. Then from the morne, over the bulwark, the *green host will move down unopposed; — creepers will prepare the way,* dislocating the pretty tombs, pulling away the checkered tiling; — then will come the *giants, rooting deeper,* — feeling for the dust of hearts, groping among the bones; — and all that love has hidden away shall be restored to Nature, — absorbed into the rich juices of her verdure, — revitalized in her bursts of color, — resurrected in her upliftings of emerald and gold to the great sun ...    Lafcadio Hearn, *Two years in the French West Indies* (New York, 1890), pp. 50–51.

## II

Schilderung des Aufstandes des Jahres 1848 in St. Pierre, das „dunkle Schicksal", das auf Fortunio und Miranda wartet in: Lafcadio Hearn, *Youma. The Story of a West Indian Slave.*

But though the land might put forth all its bewitchment, the hearts of the colonists were heavy. For the first time in many years the magnificent crop was being gathered with difficulty: There were mills silent for the want of arms to feed them. *For the first time in centuries the slave might refuse to obey, and the master fear to punish. The Republic had been proclaimed; and the promise of emancipation had aroused in the simple minds of the negroes a ferment of fantastic ideas, — free gifts of plantations, — free donations of wealth, — perpetual repose unearned, — paradise life for all.* They had seen the common result of freedom accorded for services exceptional; — they were familiar with the life of the free classes; — but such evidence had small value for them: the liberty given by the béké resembled in nothing that peculiar quality of liberty to be accorded by the Republic!

They had dangerous advisers, unfortunately, to nourish such imaginings: men of color who foresaw in the coming social transformation larger political opportunities. *The situation had totally changed since the time when slaves and freedmen fought alike on the side of the planters against Rochambeau and republicanism, against the bourgeoisie and the patriotes. The English capture of the island had justified that distrust of the first Revolution shown by the hommes de couleur, and had preserved the old regime for another half-century.* But during that half-century the free class of color had obtained all the privileges previously refused it by prejudice or by caution; *And the interests of the gens de couleur had ceased to be inseparably identified with those of the whites. They had won all that was possible to win by the coalition; and they now knew the institution of slavery doomed beyond hope, not by the mere fiat of a convention, but by the opinion of the nineteenth century. And the promise of universal suffrage had been given. There were scarcely twelve thousand whites; — there were one hundred and fifty thousand blacks and half-breeds.*

Yet there was nothing in the aspect or attitude of the slave population which could fully have explained to a stranger the alarm of the whites. The subject race had not only been physically refined by those extraordinary influences of climate and environment which produce the phenomena of creolization; but the more pleasing characteristics of the original savage nature, — its emotional art-lessness, its joyousness, its kindliness, its quickness to sympathy, its capacity to find pleasure in trifles, — had been cultivated and intensified by slavery. The very speech of the population, — the curious patois shaped in the mould of a forgotten African tongue, and liquefied with fulness of long vowel sounds, — caressed the ear like the cooing of pigeons.... Even today the stranger may find in the gentler traits of this exotic humanity an indescribable charm, — despite all those changes of character wrought by the vastly increased difficulties of life under the new conditions. Only the Creole knows by experience the darker possibilities of the same semi-savage nature: its sudden capacities of cruelty, — its blind exaltations of rage, — its stampede-furies of destruction.

.... Before the official announcement of political events reached the colony, the negroes, — through some unknown system of communication swifter than government vessels, — knew their prospects, knew what was being done for them, felt themselves free. A prompt solution of the slavery question was more than desirable; — delay was becoming dangerous. There were as yet no hostile manifestations; — but the slave-owners, — knowing the history of those sudden uprisings which revealed an unsuspected power of organization and a marvellous art of secrecy, — felt the air full of menace, and generally adopted a policy of caution and forbearance. But in a class accustomed to command there will always be found men whose anger makes light of prudence, and whose resolve challenges all consequences. Such a one among the planters of 1848 dared to assert his rights even on the eve of emancipation; — chastised with his own hand the slave who refused to work and sent him to the city prison to await the judgment of a law that might at any moment become obsolete.

His rashness precipitated the storm. The travailleurs began to leave the plantations, and to mass in armed bands upon the heights overlooking Saint Pierre. The populace of the city rose in riot, burst into the cutlass stores and seized the weapons, surrounded the jail and demanded the release of the prisoner.... "Si ou pa lagué y, ké ouè; — nou ké fait toutt nègue'bitation descenne"! That terrible menace first revealed the secret understanding between the slaves of the port and the blacks of the plantation; — the officers of the law recoiled before the threat, and turned their prisoner loose.

But the long-suppressed passion of the subject class was not appeased: the mob continued to parade the streets, uttering cries never heard before, — "Mort aux blancs! — A bas les békés"! .... feeling secured from military interference by the recognized cowardice of a republican governor. Evening found the riot still unquelled, — the whites imprisoned in their residences, or fleeing for refuge to the ships in the harbor. And those dwelling on the hills, keeping watch, heard all through the night the rallying ouklé of negroes striding by, armed with cutlasses and bamboo pikes and bottles filled with sand. Twenty-four hours later, the whole slave-population of the island was in revolt; and the towns were threatened with a general descent of the travailleurs.     Lafcadio Hearn, *Youma. The Story of a West Indian Slave* (New York, 1890), pp 137–143.

# III

Die Rolle der *Da* im Kreolischen Haushalt, Züge der Figur der Mulattin des *Weissen Fächers*. Der schnelle Tod einer blutjungen Kreolin und der Schmerz des Witwers, Parallele zum Sterben der jungen Frau des Fortunio. Aus:      Lafcadio Hearn, *Youma. The Story of a West Indian Slave.*

The da, during old colonial days, often held high rank in rich Martinique households. The da was usually a Creole negress, — more often, at all events, of the darker than of the lighter hue, — more commonly a capresse than a mestive; but in her particular case the prejudice of color did not exist. *The da was a slave; but no freedwoman, however beautiful or cultivated, could enjoy social privileges equal to those of certain das. The da was respected and loved as a mother: she was at once a foster-mother and nurse.* For the Creole child had two mothers: the aristocratic white mother who gave him birth; the dark bond-mother who gave him all care, — who nursed him, bathed him, taught him to speak the soft and musical speech of slaves, took him out in her arms to show him the beautiful tropic world, told him wonderful folkstories of evenings, lulled him to sleep, attended to his every possible want by day or by night. It was not to be wondered at that during infancy the da should have been loved more than the white mother: when there was any marked preference it was nearly always in the da's favor. The child was much more with her than with his real mother: she alone satisfied all his little needs; he found her more indulgent, more patient, perhaps even more caressing, than the other. The da was herself at heart a child, speaking a child-language, finding pleasure in childish things, — artless, playful, affectionate; she comprehended the thoughts, the impulses, the pains, the faults of the little one as the white mother could not always have done: she knew intuitively how to soothe him upon all occasions, how to amuse him, how to excite and caress his imagination; — there was absolute harmony between their natures, — a happy community of likes and dislikes, — a perfect sympathy in the animal joy of being. Later on, when the child had become old enough to receive his first lessons from a tutor or governess, to learn to speak French, the affection for the da and the affection for the mother began to differentiate in accordance with mental expansion; but, though the mother might be more loved, the da was not less cherished than before. *The love of the nurse lasted through life; and the relation of the da to the family seldom ceased,* — except in those cruel instances where she was only "hired" from another slave-holder.

*In many cases the family da had been born upon the estate: — under the same roof she might serve as nurse for two generations. More often it would happen, that as the family multiplied and divided, — as the sons and daughters, growing up, became themselves fathers and mothers, — she would care for all their children in turn.*
Lafcadio Hearn, *Youma*, pp. 1–4.

.... At nineteen Aimée made a love-match, — marrying M. Louis Desrivières, *a distant cousin, some ten years older. M. Desrivières had inherited a prosperous estate on the east coast; but, like many wealthy planters, passed the greater part of the year by preference in the city;* and it was to his mother's residence in the Quartier du Fort that he led his young bride. Youma, in accordance with Aimée's wish, accompanied her to her new home. It was not so far from Madame Peyronnette's dwelling in the Grande Rue to the home of the Desrivières in the Rue de la Consolation that either the daughter or the goddaughter could find the separation painful.    Lafcadio Hearn, *Youma*, p. 18 f.

Another year passed, during which no happier household could have been found: *then, with cruel suddenness, Aimée was taken away by death. She had gone out with her husband in an open carriage, for a drive on the beautiful mountain-route called La Trace; leaving Youma with the child at home. On their return journey, one of those chilly and torrential rains which at certain seasons accompany an unexpected storm, overtook them when far from any place of shelter, and in the middle of an afternoon that had been unusually warm. Both were drenched in a moment; and a strong north-east wind, springing up, blew full upon them the whole way home. The young wife, naturally delicate, was attacked with pleurisy; and in spite of all possible aid, expired before the next sunrise....*

And Youma robed her for the last time, tenderly and deftly as she had robed her for her first ball in pale blue, and for her wedding day all in vapory white. Only now, Aimée was robed all in black, as dead Creole mothers are.

*M. Desrivières had loved his young wife passionately: he had married with a fresh heart, and a character little hardened by contact with the rougher side of existence. The trial was a terrible one; — for a time it was feared that he could not survive it.* Lafcadio Hearn, *Youma*, p. 20 ff.


Bibliographischer Nachtrag zu *Der weiße Fächer* und *Die Hochzeit der Sobeide*

Nach Abschluß dieser Arbeit fand ich in einem Buch, das sich speziell mit dem jungen Hearn beschäftigt, (O. W. Frost, *Young Hearn*, Tokyo: Hokuseido Press, 1958) einen Hinweis, der vielleicht auch für Quellenfragen des *Weissen Fächers* und der *Sobeide* wichtig sein könnte.

Auf Seite 202 seines Buches, weist Frost auf drei Pariser Buchreihen, die Hearn als Quellen benützte, In einem unveröffentlichten Brief an C. W. Bouton vom 13. Februar 1887 erwähnt der Dichter neben der neunbändigen Übersetzung des Jerusalem Talmud durch Schwab die zwei in diesem Zusammenhang wichtigen Ausgaben: *Les Littératures Populaires des toutes les Nations* (24 Vol.), *Bibliothèque Orientale Elzéwirienne* (42 Vol.). Es war mir aber zeitlich nicht mehr möglich, die etwaige Verbindung Hofmannsthals zu diesen Quellen nachzuprüfen.

# PERSONENREGISTER:

Abrams, Mayer Howard: 3, 104
Alewyn, Richard: 7, 11, 12, 13, 20, 41, 105, 113, 132, 138, 161
Altenhofer, Norbert: 5
Andrian zu Werburg, Leopold v.: 1, 18 f, 30 f, 46, 116
D'Annunzio, Gabriele: 41, 47, 51, 56, 61 f, 65, 111, 129, 133, 160
Aretino, Pietro: 25

Bächtold-Stäubli, Hanns: 106
Bahr, Hermann: 7, 106
Benjamin, Walter: 229
Bisland, Elisabeth: 87
Böcklin, Arnold: 43 f, 64
Böschenstein, Renate: 28, 36
Bodenhausen, Eberhard v.: 134, 142
Bouton, C. W.: 176
Brecht, Walther: 3, 95, 135, 140
Brentano, Bettina: 103
Brentano, Clemens: 95, 103
Broch, Ernst: 85
Brown, J.: 84
Burckhardt, Carl J.: 3, 131, 162
Burckhardt, Max: 146

Calderon de la Barca, Pedro: 20
Casanova, Giovanni Jacopo: 130, 136, 139, 150
Chelius-Göbbels, Annemarie: 35, 125
Cisnero, Diego: 84
Cohn, Hilde: 2, 44, 83, 131
Colleoni, Bartolommeo: 47
Colleoni, Medea: 47
Colonna, Vittoria: 148 f

Daviau, Donald G.: 1, 96
Durant, Will: 133, 134, 139
Duse, Eleonora: 45, 51, 57 f, 161

Erken, Günther: 2, 46, 50, 55 f, 106, 115 f, 124, 125, 126, 128, 134, 135, 137
Esselborn, Karl G.: 36 f
Exner, Richard: 3, 5, 141

Fiechtner, Helmut A.: 7, 27, 79
Fiedler, Leonhard: 95
Frost, O. W.: 176

Goethe, Johann Wolfgang: 29, 35, 42, 113, 127, 144, 160
Goff, Penrith: 4, 41
Gomperz, Harry: 162
Grether, Ewald: 2, 37, 138

Haas, Willy: 93, 161
Hamburger, Michael: 20, 83, 161
Hauptmann, Gerhard: 131
Hearn, Lafcadio: 86 ff, 161, 171-176
Hederer, Edgar: 110
Herzfeld, Marie: 7, 8, 18
Hinterhäuser, Hans: 44
Hirsch, Rudolf: 95, 109, 142, 156, 158
Hofmannsthal, Anna v. (Mutter): 58, 142, 146
Hofmannsthal, Hugo, August, Peter v. (Vater): 110, 129, 142, 146
Hofmiller, Josef: 19
Hoppe, Manfred: 95
Hörmann, Theodor v.: 57

Ibsen, Henrik: 45, 58, 131, 146

Jens, Walter: 28, 36, 38, 41
Just, Klaus Günther: 43

Kayser, Wolfgang: 160
Kern, Peter Christoph: 153

Kierkegaard, Soren: 2, 130
Kleen, Tebbe Harms: 20, 21, 22
Kleist, Heinrich v.: 102
Kobel, Erwin: 2, 7, 15, 16, 67, 95, 98,
    130, 138, 140, 145, 150, 154, 158,
Krämer, Eckhart: 60, 159 f
Kraus, Karl: 65

Lehner, Fritz: 95
Lenz, Eva Maria: 33, 39, 55 f
Leyen, Friedrich v. d.: 128

Mach, Ernst: 90
Marlitt, E. (John, Eugenie): 79
Mauser, Wolfram: 51
Metzeler, Werner: 97
Meyer, Conrad Ferdinand: 148 f
Michelsen, Peter: 95, 98, 103
Miles, David H.: 59 f. 160
Miranda, Francisco de: 84
Mittino, Ron: 62
Mommsen, Katharina: 2
Moreau de St. Méry, Méderic L. E.: 143
Mörike, Eduard: 35, 160
Mozart, Wolfgang Amadeus: 151
Müller, Max: 106
Musset, Alfred de: 19

Nadler, Josef: 1, 128
Naef, Karl J.: 3, 36, 50
Naumann, Walter: 1 f, 64
Nehring, Wolfgang: 28, 34, 36, 50, 96,
    113, 138
Nietzsche, Friedrich: 133

Ovid: 65

Palestrina, Giovanni P. da: 152
Pater, Walter: 133
Pestalozzi, Karl: 95
Pickerodt, Gerhart: 2, 7, 12, 49 f, 51,
    53, 57, 62, 90, 106, 132, 133, 136 f,
    140, 153
Piisimi, Vittoria: 133
Pless, Hans: 96
Polheim, Karl Konrad: 68, 80, 89

Prince, Morton: 105
Rabenlechner, Michael Maria: 20
Raynal, Guillaume Th. Fr. (Abbé): 84
Rehm, Walter: 57
Requardt, Paul: 10, 29, 34, 35
Rey, William H.: 2, 5, 37, 50, 54, 59,
    62, 138, 149
Rilke, Rainer Maria: 16, 57
Rimbach, Günther C.: 4, 24
Ritter, Ellen: 86, 89
Roberts, Adolphe: 84

Schaeder, Grete Waranitsch: 36, 50, 52,
    57, 60, 62, 95, 98, 110, 112, 113 ff,
    118, 133, 135, 138, 144, 149
Schiller, Friedrich: 29, 36, 160
Schlesinger, Hans: 111
Schmid, Martin Erich: 130, 132, 150,
    154
Schmujow-Classen, Rita: 26
Schnitzler, Arthur: 13, 45, 74, 131, 146,
    152
Simmel, Georg: 116
Schüssler, Margarete: 97
Schuster, Ingrid: 86, 89
Schwab, Gustav: 176
Steiner, Herbert: 3, 5 f, 29, 68, 141
Steiner, Jacob: 12, 22
Strauss, Richard: 154
Sulger-Gebing, Emil: 50, 61, 62, 113,
    115, 128
Swinburne, Algernon Charles: 41, 43,
    160, 161
Szondi, Peter: 46, 67, 70, 75

Taine, Hippolyte: 161
Tarot, Rolf: 7, 20, 26, 28, 32, 41, 53,
    57, 63, 70, 74, 77 f, 80, 83, 95, 98,
    113, 160
Terramare, Georg: 96
Tintoretto (Iacopo Robisti): 133

Vogeler, Heinrich: 96

Weber, Horst: 5, 95
Weinrich, Harold: 4

Weischedel, Hanna: 5, 21, 85, 159
Wertheimstein, Josephine v.: 46
Wiesenthal, Grete: 79
Wilpert, Gero v.: 29
Wittmann, Lothar: 110, 119 f, 156

Wunberg, Gotthart: 5, 90
Wyss, Hugo: 2, 12, 22, 36, 50, 58, 141, 144

Zola, Emile: 93

# REGISTER

## Zitierte Werke Hofmannsthals

(Briefzitate erscheinen im Personenregister unter dem Namen
des Empfängers)

Der Abenteurer und die Sängerin: *130-157*, 16, 24, 33, 71, 76, 78, 80, 85, 92, 110, 118, 123, 129, 162, 163

Ad Me Ipsum: 1, 2, 30 f, 42, 60, 95, 96, 99, 106, 108, 121, 126, 130, 131, 135, 140, 144, 162

Die ägyptische Helena (Libretto): 10, 23, 33, 37, 38, 39, 109, 156, 158 f

Die ägyptische Helena (Essay): 20

Algernon Charles Swinburne: 41, 43

Alkestis: 46, 75, 159

Andreas oder die Vereinigten: 37, 59, 105, 160

Arabella: 33, 159

Ariadne auf Naxos: 154, 158

Aufzeichnungen und Tagebücher aus dem Nachlaß: 24, 75

Ballade des äußeren Lebens: 123

Die Beiden: 33, 46, 92, 124, 156

Das Bergwerk von Falun: 98, 150

Die Biene: 109

Buch der Freunde: 55, 75

Chandosbrief (siehe: Ein Brief)

Cristinas Heimreise: 32, 40, 118, 138, 154, 159

Dein Antlitz: 46

Ein Brief: 1, 46, 109, 158

Eleonora Duse ( I und II ) 58, 131, 161

Das Erlebnis des Marschalls von Bassompierre: 113

Die Frau im Fenster: *46-66*, 10, 12, 31, 36, 67, 72, 74, 80, 91, 94, 108, 112 f, 117, 126, 139, 143, 153, 160, 161

Die Frau ohne Schatten (Libretto): 20, 33, 38, 56, 98, 101, 109, 114, 121, 154, 159

Die Frau ohne Schatten (Märchen): 74

Die Frau ohne Schatten (Die Handlung): 20

Gabriele D'Annunzio I: 41

Gerechtigkeit: 41

Gestern: *7-27*, 1, 52, 55, 67, 80, 92, 94, 103, 126, 129, 138, 151, 158, 161, 163

Der goldene Apfel: 114

Die Hochzeit der Sobeide: *110-129*, 12, 31, 33, 40, 66, 67, 74, 84, 85, 88, 92, 95, 130, 133, 137, 138, 142, 143, 148, 149, 153, 154, 155, 156, 157, 162

Ich ging hernieder: 62

Die Idee Europa (Notizen zu einer Rede): 116

Idylle: *28-45*, 46, 52, 53 f, 59, 65, 67, 72, 74, 91, 107, 137, 138 f, 141, 154, 160, 161

Jedermann: 91, 92, 115

Der Jüngling und die Spinne: 60 f, 63

Der Kaiser und die Hexe: *94-109*, 14, 38, 73, 78, 120, 137, 144, 154, 157, 161 f

Das kleine Welttheater: 40, 42, 63, 92, 110, 124, 127

Lafcadio Hearn: 86, 89

Lebenslied: 46, 140 f

Leda und der Schwan: 23

Das Märchen der 627. Nacht: 46, 114

Die Mutter: 106

Der neue Roman von D'Annunzio: 51, 65

Nicht das Leuchtende: 109
Poesie und Leben: 64
Ein Prolog (zu: Die Frau im Fenster):
  4, 49
Prolog zu dem Buch „Anatol": 44
Die Rede Gabriele D'Annunzios: 47,
  134
Der Rosenkavalier: 10, 55 f, 74
Das Salzburger Große Welttheater: 30
Die Söhne des Fortunatus: 115
Der Schüler: 96
Der Schwierige: 33, 109, 138, 155
Terzinen: 46
Theodor von Hörmann: 57

Der Tod des Titian: 64
Der Tor und der Tod: 1, 59, 67, 77,
  129, 137
Traum von großer Magie: 46
Der Turm: 103
Unendliche Zeit: 46
Verse auf eine Banknote geschrieben:
  115 f, 127, 134, 162
Vorfrühling: 123
Weltgeheimnis: 123
Der weiße Fächer: 67–108, 171–176
  (Quellen), 10, 18, 30, 59, 99 f, 101,
  103, 108, 110, 127, 131, 137, 154, 156,
  157, 160, 161, 163